# LE MYSTÉRIEUX VOYAGE DE RIEN

## DU MÊME AUTEUR

### ROMANS ET CONTES

*Par-derrière chez mon père*, Leméac, 1972.
*Pointe-aux-Coques*, Leméac, 1972.
*Don l'orignal*, Leméac, 1972.
*Mariaagélas*, Leméac, 1973; Grasset, 1975.
*Emmanuel à Joseph à Dâvit*, Leméac, 1975.
*Les cordes-de-bois*, Leméac, 1977; Grasset, 1977.
*On a mangé la dune*, Leméac, 1977.
*Pélagie-la-Charrette*, Leméac, 1979; Grasset, 1979.
*Cent ans dans les bois*, Leméac, 1981; sous le titre *La Gribouille*, Grasset, 1982.
*Crache à Pic*, Leméac, 1984; Grasset, 1984.
*Le huitième Jour*, Leméac, 1986; Grasset, 1987.
*L'oursiade*, Leméac, 1990; Grasset, 1991.
*Les confessions de Jeanne de Valois*, Leméac, 1992; Grasset, 1993.
*Christophe Cartier de la Noisette dit Nounours*, conte pour enfants, Leméac, 1993 (1981).
*L'île-aux-Puces*, Leméac, 1996.
*Le chemin Saint-Jacques*, Leméac, 1996; Grasset, 1997.
*Chronique d'une sorcière de vent*, Leméac, 1999; Grasset, 2000.
*Madame Perfecta*, Leméac / Actes Sud, 2001.
*Le temps me dure*, Leméac / Actes Sud, 2003.
*Pierre Bleu*, Leméac / Actes Sud, 2006.

### THÉÂTRE

*La sagouine*, Leméac, 1971; Grasset, 1976.
*Gapi et Sullivan*, Leméac, 1973.
*Les crasseux*, Leméac, 1973.
*Évangéline Deusse*, Leméac, 1975.
*Gapi*, Leméac, 1976.
*La veuve enragée*, Leméac, 1977.
*Le bourgeois gentleman*, Leméac, 1978.
*La contrebandière*, Leméac, 1981.
*Les drolatiques, horrifiques et épouvantables aventures de Panurge, ami de Pantagruel*, Leméac, 1983.
*Garrochés en paradis*, Leméac, 1986.
*Margot la folle*, Leméac, 1987.
*William S.*, Leméac, 1991.
*La Fontaine ou la Comédie des animaux*, Leméac, 1995.

ANTONINE MAILLET

# Le mystérieux voyage
# de Rien

roman

ACTES SUD / LEMÉAC

Leméac Éditeur remercie le ministère du Patrimoine canadien, le Conseil des arts du Canada, la Société de développement des entreprises culturelles du Québec (SODEC) et le Programme de crédit d'impôt pour l'édition de livres du Québec (Gestion SODEC) du soutien accordé à son programme de publication.

*à mon amie Corinne*

# 1

Et vous voudriez que je vous pardonne!

Vous êtes passés tout droit. Je vous ai vus, tous les deux, serrés l'un contre l'autre, souriants, presque heureux, un brin inquiets, vous avez ralenti puis jeté un œil dans ma direction; m'avez-vous seulement vu? Peut-être pas, il me semble que vous auriez hésité, le temps de me faire accroire que j'étais... n'existais pas encore, mais étais là, à vous attendre. Mais vous ne vous êtes pas donné la peine. Passés tout droit. Les parents que j'avais choisis et qui m'avez condamné à mes limbes éternelles.

Il en passe continuellement des comme vous. Non, pas comme vous, les autres, je ne les avais pas reconnus. C'était vous, père et mère, que j'avais choisis entre tous, vous deux, mes élus. Vous veniez souvent. Mes frères des limbes, compagnons d'avant la vie, tous ces possibles me regardaient vous regarder et restaient suspendus, flottants, l'air de dire : En v'là un autre qui a raté sa chance. Une chance sur des milliards de milliards, mais celle-là m'avait frôlé, j'ai même cru que c'était la bonne. J'étais consentant, haletant, acquis; mais non, vous avez repris la marche, continué, et puis j'ai détourné les yeux pour ne pas vous voir vous arrêter plus loin, penchés au-dessus d'une créature toute menue, fluette, l'œil à pic...

— Celle-là?

— Celle-là!

Et vous êtes repartis avec un embryon de vie qui m'a souri au passage.

Et l'attente recommence. Il en vient par milliers, de toutes sortes, mais le cœur n'y est plus. On a beau ralentir devant moi, je fais le dégoûté, me recroqueville, cherche à passer inaperçu. Et des multitudes de paires de parents filent tout droit. Peuh!... tant pis! ceux-là ne m'étaient pas destinés. Mieux vaut les limbes qu'une existence de... de quoi? Qu'est-ce que j'en sais? Je n'ai pas vécu, je ne peux pas savoir. Comment pourrais-je distinguer une vie d'une autre? Un simple possible flottant dans son néant peut-il faire à ce point le difficile? Il pourrait ne plus venir personne. Grand Dieu!... et si Lui-même m'avait oublié? L'éternité qui poursuivrait sans moi et... je ne serais jamais, jamais...?

Merde et merde et merde!

J'entends rire. Juste au-dessus de ma tête. J'ai une tête. On vient de m'affubler de cette pelote gonflée pleine de trous minuscules et un peu de travers. Genre de caboche. Quelqu'un se tient là, fixe, à m'écouter geindre et me plaindre et soupirer et maugréer, et a l'air de me trouver amusant. Une créature seule. Où est l'autre, son complément? Que fait dans les limbes une personne seule? Vous avez déjà vu ça?... Non, on n'a jamais vu ça. Ici on ne vient qu'en couple, comme si c'en prenait deux pour en faire un autre. L'autre, c'est moi, c'est nous. Une personne seule à la porte des limbes, c'est du jamais vu et de l'impossible.

— Rien d'impossible chez les possibles.

Elle a parlé. J'ai entendu. J'ai des oreilles! Deux taupes accrochées à la tête et qui creusent leur tunnel à l'intérieur. Vaste intérieur qui résonne. Je sens des picotements puis j'entends des clapotis, gargouilles, gazouillis, des sons qui se bousculent, se déchirent, se détachent, puis s'agglutinent et forment des mots. Une multitude de mots gros comme... comme des petits riens qui sautillent et s'épivardent et...

— Tu viens?

J'ai entendu, nettement entendu. Je suis sûr d'avoir même compris. Elle m'appelle, m'invite. Je peux partir, quitter les limbes, mon tour est venu! … Mais elle est seule. J'ai promené les yeux sur tous ces riens informes tournés vers moi et qui se demandent comment je peux accepter pareille aventure : quitter les limbes dans les bras d'une créature unique qui prétend me mettre au monde sans passer par les tuyaux habituels, genre de cave aux voûtes arrondies, labyrinthes complexes qui te fabriquent morceau par morceau, membre après membre, un organe à la fois et finissent par te lancer comme une fusée qui s'affole, perd souffle et ne sait plus où atterrir.

— Pas toi, que j'entends, tu arriveras en douceur, sans cordon ni nombril, tu auras dès la naissance ton enfance derrière toi, tu sortiras de mon cerveau et viendras échouer sur une feuille blanche.

Feuille blanche? C'est pas fort comme parent. Comment donc que je vais l'appeler?

— Pas besoin de m'appeler, tu es déjà assez grand pour te débrouiller tout seul.

Mon nouveau créateur, à l'image de Celui qui a fait le ciel et la terre, qui me sort du néant.

— Pas tout à fait du néant, tu étais déjà là, en possible. Je t'offre une réalité.

Ah!

— Oui, tu peux faire : Ah! Tous les nouveau-nés en feraient autant s'ils sortaient comme toi déjà tout faits.

Tu me sors par où?

Elle rigole. Encore. Menu rire perlé. Elle se moque de moi?

— Tu sors de partout, petit lutin, de mon cœur, mon ventre, mes reins, mes sens, mon pif, mon imagination…

Imagination?

— Machine à fabriquer des histoires, à créer du tout neuf.

Fabriquer... avec quoi?

— Avec des mots.

Elle se penche au-dessus de moi :

— Tu es un personnage.

Je reste abasourdi.

Pas une personne?

Elle s'arrête et se ride le front, grimace... puis se déride.

— Bien des personnes rêvent de devenir un personnage.

Je me rengorge, mais...

— Je veux être vivant pour vrai. Sors-moi du rien.

C'est moi qui ai dit ça, j'ai entendu le son de ma propre voix. Je suis donc vrai, entré tout rond dans la réalité, arrivé tout de bon au monde, arraché des limbes, j'ai atterri dans le temps qui passe, dans l'espace solide qui ne passe pas. J'existe, enfin!

J'ai voulu dire adieu, faire signe aux autres, mais je ne les distinguais plus, me souvenais à peine de mon passage là-bas, si loin, tout flou, flottant... Je ne me souvenais plus.

Je me tourne vers elle :

— Je me souviens de presque rien.

— C'est normal, tu viens de naître, sans passé, sans enfance. Tu es sorti des limbes, c'est déjà ça, mais encore tout à refaire. On va commencer par te nommer. Tu seras...

— Rien!

— Comment tu dis?... Tu n'es pas rien. Pourquoi dis-tu ça?

— Parce que... je sais plus... là-bas, quelque part on m'appelait comme ça : Rien.

— Pas possible. Qui t'avait nommé?

— Celui qui m'a fait.

— C'est moi qui t'ai fait.

— T'es sûre?

Elle bafouille :

— Je croyais... sincèrement.

— Alors pourquoi t'as ri quand tu m'as vu?

— …???

— Tu m'avais reconnu, hein?

— Il semble bien.

— Alors?

Nous nous regardons de biais.

— T'es… triste?

— Pas triste, mais inquiète. Si tu as déjà un nom, une volonté, ton petit caractère, comment je vais m'y prendre, moi, pour t'inventer une personnalité?

Elle est triste.

— Finalement, je sers à quoi? dit-elle.

— T'es venue me chercher.

— C'est vrai. Mais tu n'es pas tout à fait achevé, encore un embryon de personnage, des barbouillages sur du papier.

— Ah oui? Regarde-moi! Tu as dit toi-même que j'étais assez grand pour me débrouiller tout seul.

Et je me trémousse, et je sautille. Elle reste intriguée.

— Te passer de parents en chair et en os, peut-être, te passer de nombril, de naissance par les voies naturelles, de balbutiements, d'apprentissage… mais te passer d'un auteur? Attends, laisse-moi te décrire. Commençons par le commencement.

— Non non, j'ai eu mon commencement là-bas, dans la brume des débuts d'avant. J'ai attendu assez longtemps. Arrivons tout de suite à… quelque chose qui ressemble à… l'être… es-sen-tiel?

— Essentiel! Déjà si savant! Tu connais l'essentiel?

— Non, mais je voudrais bien. Allons le chercher.

— T'es trop pressé, prends le temps.

— Le Temps?… Tu peux me le présenter?

— Pauvre petit! Tu as tout à apprendre. Te faudra du temps pour cueillir cette abondance, cette beauté de mots, un à la fois.

— Vite, remplis-en ma caboche, des mots par milliers, autant qu'un arbre a de feuilles et la mer de gouttelettes, et pas deux pareils, s'il te plaît, et qui brillent au soleil, et qui chantent, et qui me remplissent la bouche de picotements de petites fraises des champs!

— Te voilà déjà pas mal équipé, mais... attends, allons-y doucement.

Doucement? Elle ne sait donc pas que j'attends ce jour depuis la moitié de l'éternité!

— Pas si vite, petit lutin, par là, à droite. Non, pas à gauche, à droite, j'ai dit... Mais où vas-tu?

— Droite, gauche, droite gauche, hop! tout droit dans la vie!

— Attends, Tit-Rien, attends-moi! Tu vas te fourvoyer tout seul, la vie n'est pas si simple... pas si... pas...

Je ne l'entends plus, puis la vois disparaître au loin, le brouillon d'un nuage flou, une ébauche de scribouilleur qui agite au vent une feuille barbouillée et un crayon à mine arrondie.

Je me fouette les cuisses et :

— Allons, Tit-Rien, par où commençons-nous?

# 2

Il plisse les yeux malgré lui, une boule de feu vient de poindre au bout du monde, si rouge et flamboyante et si superbe que Rien en a le souffle coupé. Pas longtemps, sa respiration repart d'elle-même.

Tant mieux, il a autre chose à faire, ce soleil l'occupe entièrement… Comment! c'était ça? c'est le soleil? Il vient de lui trouver son nom juste. Vague souvenir de l'en-deçà, du temps d'avant le temps quand il était réduit à en rêver. Et la boule de feu arrose de rayons jaunes et verts les vastes champs qui réveillent les arbres et les fleurs et les milliers de bestioles qui l'assaillent de leur gazouillis. Une bouffée d'air frais et spontané lui chatouille le ventre, s'engouffre dans son larynx, lui enfile la gorge, s'entortille autour de sa langue et sort de sa bouche en éclats : Hi-hi-hi! Il reconnaît le rire.

Il est en vie et le monde est beau!

C'est là qu'il comprend qu'il est vraiment sorti des ténèbres profondes.


Ses narines s'entrebâillent et laissent s'engouffrer une odeur toute nouvelle, d'ailleurs tout est nouveau pour lui, mais certaines nouveautés sont plus neuves que d'autres, par exemple l'ozone. Il ne sait pas le nommer, mais le voit en plus de le sentir par le nez et la peau. Légèrement bleu, et plus fin que l'air ordinaire, plus troublant aussi, il en a des titillements tout le long de la colonne et des chatouilles au cerveau.

— Viens, laisse-moi t'attraper.

Il s'élance, découvre ses chevilles à ressorts capables de l'emporter à la vitesse du vent, brise batifolante qui lui enveloppe le cou, lui glisse sous les aisselles, lui fouette les jambes et le pousse à l'assaut d'une sorte de colline… montain, buttereau, non, tout juste un tas de planches, un amas de copeaux d'écorce, de… comment dit-on? il cherche le mot qui n'existe pas, sa mémoire s'embrouille, ses reins frétillent…

— Dosses.

Qui lui a soufflé le mot? Il entend un gloussement lointain qu'il croit reconnaître. Mais il est rendu au-delà des limites, elle ne pourra plus le rattraper. Il reprend ses jambes à son cou. En voilà une expression! Jolie mais usée. Il respire abondamment, avale des gorgées d'ozone et fonce sur l'amas de dosses, ces bouts de planches garnies d'écorce fraîchement sorties du moulin à scie. Il l'aperçoit en bas du champ, une cabane à scier du bois qui s'appelle un moulin. Grimpe, Tit-Rien, grimpe, jusqu'au faîte du tas de dosses odorantes, et jette un œil en bas. Et contemple. Et aspire. Et cesse de penser. Laisse la vie, à tes pieds, penser à ta place. Tout doux, ne bouge plus.

L'horizon est rond, mais en dents de scie, lisse du bord de la mer bleue, bizarrement ébréché du côté de la cime des arbres, ondoyant sous les collines d'avoine et de trèfles. Rien renifle et aspire une gorgée de rosée fumante qui s'échappe des planches mouillées. Il a dû pleuvoir avant qu'il n'arrive. Dommage qu'il ait raté sa première pluie, sa chance de nager dans la bruine, de respirer des gouttelettes d'ozone bleu. Il se dresse sur ses pointes de pieds, étire les jambes jusqu'à leurs limites, décèle du mouvement du côté nord, pivote et manque de dégringoler en bas du tas d'écorces empilées n'importe comment. Sa tête fait demi-tour, puis un tour complet. Nord, est, sud, ouest… le paysage a donc quatre points cardinaux? L'horizon rond est pourtant partagé en quatre, un rond à quatre coins, un cercle carré, c'est curieux. Rien ne s'y attarde pas, n'a pas le temps de raisonner, la vie qui l'entoure et le presse et l'enchante le remplit d'une telle joie qu'il veut l'arrêter sur le coup, la fixer dans sa mémoire, mémoire toute neuve, encore vierge et pourtant déjà grouillante d'images de plus en plus nettes et vives.

Un arc-en-ciel vient ajouter ses couleurs à celle de la mer, des forêts et des champs; l'ozone cède devant l'arôme du trèfle et du foin fraîchement fauché; des bruissements, murmures, froufrous, gargouilles, cliquetis, crissements, ronrons, des milliers de sons se mêlent, s'entrechoquent et s'harmonisent. Rien joue des prunelles, du pif et des ouïes, éclate de bonheur, lève les bras au ciel pour l'encercler et le ramasser en boule, le serrer contre lui, lui crier de le prendre, de l'engouffrer, le garder vivant dans sa bulle immense comme le cosmos. Il n'y tient plus, ses hanches se déhanchent, ses chevilles frétillent, ses jambes s'élancent dans la danse et son talon gauche glisse sur le côté lisse d'un copeau, et… oups! un pied s'écarte puis s'accroche dans l'autre, sa tête fait trois petits tours, et le voilà qui dégringole, planche après planche, jusqu'au sol ferme et dur.

Ayoye!

Il se retourne, regarde qui l'a vu, puis soupire, soulagé.

Personne.


Personne en personne, qui lui tend la main et l'aide à se relever.

— Je pensais n'avoir vu personne?

— C'est bien ça, tu as vu Personne.

— Mais vous êtes quelqu'un.

— Monsieur Personne, de passage dans le coin, salut. Et toi?

Rien se frotte les fesses, puis les yeux. Il fait un grand cercle du bras droit qui englobe le ciel et la terre et :

— Je viens de... là-bas et m'appelle Rien.

— Bizarre. Tu m'as pourtant l'air de quelque chose. Mais fais comme chez toi.

Rien se secoue, s'ébroue, s'époussette.

— La terre ici est couverte de poussière.

— Encore heureux ! On n'en trouvera plus bientôt, de cette denrée rare, quand on aura fini de l'asphalter et de la couvrir de tuiles et de ciment. Faut profiter des petits carrés de sable qui nous restent.

Et de la pointe de sa chaussure, Personne trace dans la poussière le dessin d'un homme debout sous un pommier et qui jongle. Rien est intrigué :

— Qui est-ce ?

— Un ancien, disparu depuis longtemps, premier propriétaire du canton.

— Propriétaire ? Il vivait ici ?

— Dans les alentours.

— Vous n'avez pas pris le temps de le coiffer, le chausser ou le couvrir d'un manteau.

— C'était du temps qu'il était tout nu.

Tout nu... Tit-Rien se concentre, sourit, puis s'exclame :

— Il était de ma lignée, j'ai vraiment atterri sur mes terres !

Monsieur Personne lève un sourcil. Puis il sort sa blague à tabac et en bourre sa pipe. Il en offre à l'autre qui tend la main, hésite, cligne des yeux.

— Tu ne fumes pas ?

— Jamais fumé.

— Bonne affaire, je te félicite. Quoiqu'à ton âge... Au fait, tu as quel âge ?

— Malaisé à dire. Quel âge me donnez-vous ?

— Tu es assez jeune pour m'avoir accordé le droit de te tutoyer.

Au-dessus de sa tête, le V majuscule des outardes. Des oies sauvages par milliers rentraient du sud. Un V parfait qui mit Tit-Rien en joie. Quelle élégance, quel rythme impeccable des ailes, quel sens inné de l'ordre et de l'équilibre! Pour former une figure si harmonieuse, ces oiseaux avaient dû s'exercer durant des millénaires, répétant indéfiniment les mêmes gestes, obéissant à un instinct sûr et... Soudain le V se disloqua, l'oiseau de tête se détacha du groupe et s'en vint prendre la queue, causant un léger chambardement dans les rangs qui brisèrent la figure parfaite. Rien vit les oies s'affoler et craignit qu'elles ne partent dans toutes les directions. Il retint son souffle et voulut leur crier de tenir, de ne pas lâcher, que le but était presque atteint. Il fit un effort surhumain pour avaler un surplus d'air et :

— Courage, revenez, refaites la figure, rentrez dans les rangs!

Petit à petit le grand V se reforma, les derniers prirent les places d'en avant, et le clan, sans mettre patte à terre, poursuivit sa route en plein ciel et s'en fut tranquillement franchir l'horizon. Tit-Rien se frotta les mains, sifflant et piaffant : il avait remis le ciel en place.


Il se tourne vers l'ouest et découvre l'horizon en feu. Que se passe-t-il? Les outardes, au passage, l'ont-elles incendié? Voyons! on ne peut laisser faire ça. L'horizon est la ligne de démarcation entre la terre et le ciel, la délimitation du monde, personne n'a le droit de le détruire, la nature appartient à tous. Jamais Rien n'oserait croire que de braves oies sauvages, en apparence si pacifiques et inoffensives, pratiqueraient la politique de la terre brûlée. Ce n'est pas parce qu'on vient du sud que... les garces! Mais les flammes s'épuisent et s'éteignent d'elles-mêmes. Il aperçoit un dernier reflet rose qui vire au mauve, au turquoise, à l'ardoise, au noir profond de nuit.

Sa première nuit. Et il tremble, effrayé. S'il fallait qu'il y soit retourné! Là-bas!

Ohé! y a quelqu'un?

Ses anciens compagnons des limbes, ses compatriotes apatrides, ces laissés-pour-compte, éternellement en attente... tous disparus? l'avant s'est-il éteint aussi, comme le jour?

— Arrête, Tit-Rien!

Il a reconnu sa propre voix et ça l'a rassuré. Il se répète que la nuit est sûrement un phénomène naturel avec lequel il doit composer. Il sombre dans un étrange engourdissement. Doux... douce... douceur d'une ouate qui lui enveloppe le cerveau, d'une langueur qui s'infiltre dans la moelle de ses os, fige ses muscles, ses nerfs, ses boyaux et tuyaux, ne lui laisse plus que ses poumons qui tout à coup prennent une importance démesurée, gargouillent des sons rauques et creux, vrai dialogue de sourds... sourd, il n'entend plus rien, Rien ne s'entend plus... pluuuuuuuus...

Oh, mais alors!

Des personnages envahissent son territoire. Ça gigote, barbote, clapote tout autour de lui. Au début, il ne distingue que des fragments, des bribes de visages, un nez en forme de cheminée, une bouche qui débouche sur un profond tunnel, un œil immense, miroitant, miroir qui lui rend son image, Tit-Rien se voit pour la première fois, ne se reconnaît pas tout de suite, puis finit par grimacer et se dire : Rien que ça? Une oreille se déploie comme un papillon qui pénètre dans sa tête, Rien le suit, s'engouffre à l'intérieur, flotte, nage, puis avance prudemment, découvre au bout du premier couloir une porte qui s'ouvre sur une chambre plus vaste, vide mais agréable, il se dit qu'il pourrait en faire un atelier pour rafistoler le monde, mais la chambre est percée de plusieurs portes, il les pousse l'une après l'autre, explore les pièces inhabitées et pourtant garnies de placards, de rayons fixés aux murs, d'alcôves, de lucarnes, de recoins, d'escaliers en colimaçon qui montent vers un grenier à poutres, poutres qui dessinent un plafond en pattes d'oies... les oies sauvages qui mettent le feu à l'horizon!

— Arrêtez!

Ce cri de Rien l'a réveillé. Il sort du rêve, la tête en feu, les yeux éblouis par un soleil nouveau qui le bombarde de ses rayons. Alors notre héros se secoue, s'étire, se dresse, puis fait à l'astre du jour une profonde révérence. Après quoi :

— T'aurais quand même pu me laisser achever mon rêve, j'étais en train de me bâtir un logis.

— Vous appelez ça un logis?

Rien se retourne d'un coup sec. Personne. Et pour se donner de l'importance :

— Je croyais, dit Rien, qu'on se tutoyait?

Les deux compagnons s'avancent l'un vers l'autre, Rien en six pas, Personne en un seul, et se serrent la main. Puis, heureux et fier, Tit-Rien s'assoit dans l'herbe du matin et aussitôt frissonne et rebondit sur ses pieds. Il a mouillé sa culotte. Pas mouillé lui-même, nenni, c'est la faute à la rosée. Mais il n'en est pas moins gêné devant le grand monsieur Personne, assez sage pour avoir su attendre le plein jour avant de s'asseoir dans l'herbe, et assez généreux pour ne pas étaler sa sagesse devant Rien.

Depuis quelques heures, ils marchaient côte à côte, ou côtes à genoux, les yeux de Tit-Rien n'atteignant pas le nombril de Personne. Nombril... Rien songea : Se pouvait-il que son compagnon fût affublé de cet étrange attribut? Leur compagnonnage était encore trop jeune pour que Rien se permette de s'en enquérir. Aller fouiller le ventre des autres lui paraissait d'une indiscrétion indigne de son nouveau statut. En temps et lieu... Il s'arrêta même de penser en des termes aussi clichés : temps et lieu! apprends à parler, Tit-Rien. Mais il ne pouvait s'en vouloir, après tout, il était bien neuf en la matière. Dans son trou noir, aucune langue n'avait encore pris forme.

— La langue est le plus noble moyen de communication, mais ce n'est pas le seul.

Comment son ami avait-il deviné? Rien était sûr de n'avoir pas ouvert la bouche.

— Vous lisez dans les pensées, maître?

— On avait décidé de se tutoyer, mon ami. Et puis je ne lis pas les pensées, je les écoute.

— Ça veut dire que je pense tout haut?

— Ton corps pense, et je l'entends.

— Oh… j'ai intérêt à l'avenir à retenir mon corps qui a tendance à s'exprimer de bien des façons.

Les deux échangèrent de joyeux éclats qui mirent Rien en appétit et Personne en alerte. Il se pencha vers Tit-Rien et :

— Ta forme a beau être réduite, tu dois quand même l'entretenir. De quoi as-tu l'habitude de te nourrir?

L'autre faillit répondre : de rêves de rien, mais se ravisa à temps. Maintenant qu'il était quelqu'un, Tit-Rien sentait qu'il devait ajuster sa vie à ses moyens qui lui paraissaient inépuisables. Le monde regorgeait de biens comestibles et accessibles. Des arbres fruitiers alignés dans les vergers, des plants de légumes variés qui se pointaient dans les sillons, du blé en herbe, des poissons en liberté, des sources, des étangs, des puits… Il en aperçut un à portée de jambes, y courut et fit jouer la margelle qui grinça. Il voyait monter le seau débordant d'une eau si claire que sa bouche en dégoulinait déjà.

— Quoi-ce tu fous là, 'spèce de vaurien?

Rien ne reconnut que la dernière syllabe de son nom et se crut appelé. Mais le ton de la voix ne lui disait rien de bon. Il lâcha le câble et entendit le seau frapper plusieurs fois la paroi avant d'atteindre le fond du puits qui poussa un plouf! désagréable.

Le géant se tenait au-dessus de lui et le toisait. Rien ne bougeait plus. La Terre s'était arrêtée de tourner, le monde s'était figé, la vie à tout instant pouvait s'éteindre.

— Et la propriété privée, ça te dit rien?

Non, Rien ne connaissait rien de privé. D'où il venait... Mais il était sans voix pour l'expliquer au monstre. Il suppliait mentalement ses bronches d'arrêter de pomper, de lui couper l'air, de le faire disparaître des yeux de l'ogre qui se préparait à le dévorer. Plus rien ne pouvait le sauver, il allait retourner à ses origines et attendre encore une éternité, personne ne pouvait le secourir...

Personne?

— PER-SON-NE!!

Il le vit approcher, à pas lents, mesurés, calculant chaque mouvement, mettant le temps de son bord, le temps d'intriguer l'adversaire et de le morfondre. Rien vit le géant se recroqueviller sur lui-même, perdre petit à petit de sa hargne et de sa hauteur et finir par ne plus dépasser la taille de Personne. Alors les deux hommes se mirent tranquillement à discuter, marchander et finirent par s'entendre sur un prix qui laissa Rien éberlué. L'eau avait un prix! L'eau, indispensable, inépuisable, universelle, vitale, l'eau qu'il sentait gargouiller dans son corps, dans ses boyaux et sa vessie et lui monter imperceptiblement aux yeux. Seule sa gorge était sèche et avait un goût amer.

Alors il comprit le sens des mots *propriété privée*. Il avait à son insu transgressé une loi, bafoué la règle de la propriété. Le pauvre petit avait encore beaucoup à apprendre et, durant un instant, en voulut à l'auteur de ses jours. Mais lui-même l'avait nargué et avait désiré prendre la clef des champs.

Personne vint lui-même lui porter à boire de l'eau du puits du voisin. Un voisin devenu soudain tout aimable et conciliant. Il avait justement des choux frais, des haricots verts et des oignons plein son potager, si ces messieurs voulaient bien se donner la peine.


La seconde aube de sa vie de Rien le trouva en pleine forme.

— Personne, viens ici que je te raconte.

Il en était si exalté que ses idées explosaient de son cerveau en ébullition et sortaient de sa bouche en grumeaux informes et gluants. Un mot à la fois, lui recommanda Personne :

— … et liés les uns aux autres pour en construire des phrases subordonnées à la principale qui exprimera clairement le fond de ta pensée. C'est quoi au juste que tu cherches à me dire?

— J'ai songé qu'il était grand temps de devenir propriétaire.

Personne en eut le sourcil gauche légèrement pointu, mais finit par le rabaisser.

— Bien, voilà une phrase parfaitement construite.

Tit-Rien se rengorgea :

— Que penses-tu de mon idée?

Personne prit le bras de Rien et l'entraîna à l'orée de la forêt pour leur permettre à tous deux d'échanger en toute quiétude sur le sujet.

# 3

Le printemps venait de sortir de son long effort et grimpait avec enthousiasme vers le zénith. Les fougères s'écartaient sur leur passage et la jeune mousse se trémoussait. Les branches des bouleaux, des érables, des hêtres, des frênes, des chênes, des peupliers, des saules et de leurs semblables se courbaient au-dessus des deux voyageurs pour exprimer leur reconnaissance à la nature de les arracher encore une fois à leur léthargie. Rien vit les feuillus s'ébrouer puis hennir comme des poulains en liberté. Et au bout de chaque branche, des myriades de bourgeons geignaient, craquaient, se fendillaient puis éclataient pour laisser se faufiler des feuilles si menues que Rien risquait en un geste brusque de les réduire à néant. Néant, le mot le fit frémir. Puis il aperçut les sapins, épinettes, ou autres conifères barbons qui n'avaient pas semé leur feuillage durant l'hiver et qui jetaient un regard condescendant sur les ébats des jeunes exaltés. Revenez-en! qu'ils leur disaient, le printemps réapparaît tous les ans. Mais Rien comprenait l'enthousiasme des feuillus endormis durant une éternité, privés de respiration, de mouvement, de lumière... La montée de la sève, l'éveil, le retour à la vie, c'était la sortie des limbes de la nature!

— Prends garde où tu poses le pied, Personne, n'écrase pas les plantes toutes neuves qui arrivent à la vie.

Personne sourit à la candeur de son protégé, heureux de le voir si réceptif dès sa première leçon d'histoire naturelle. Et les deux compagnons s'assirent sur une racine de saule pleureur assoiffé qui serpentait à fleur de terre pour atteindre au plus vite le ruisseau.

— Depuis la nuit des temps, les poètes n'ont pas tari d'éloges sur la nature. C'est à qui mieux mieux… que commença Personne sur un ton grand-paternel.

Rien se déchaussa et laissa ses pieds barboter dans l'eau glacée du ruisseau. Cause toujours, vieux maître, qu'il ricanait sans ouvrir la bouche. Mais attention aux clichés usés à la corde : *la nuit des temps… ne pas tarir d'éloges sur la nature… à qui mieux mieux…* Il jouait des orteils dans l'eau, quand il entendit Personne chantonner : *The darling buds of May*.

Rien tressaillit. Il aperçut au-dessus de sa tête un bourgeon qui venait de s'épanouir en une feuille si tendre, d'un vert si pâle qu'un seul regard pouvait le ternir. Personne avait trouvé ça, cette image superbe. Et un Petit-Rien comme lui venait mentalement de lui faire une leçon de langue !

— Tu es un grand poète, monsieur Personne. *Le bourgeon chétif et chéri de mai.*

— Je citais un bien plus grand poète que moi.

Rien baissa la tête et sortit ses pieds de l'eau. Puis il entendit de nouveau son maître citer : *L'esprit sert à tout, mais il ne mène à rien.*

Le disciple sourcilla… et tout à coup se ragaillardit :

— S'il mène à Rien, j'ai donc encore une chance d'en avoir un jour ?

Son compagnon le dévisagea, avant d'éclater d'un bon rire franc. Puis dans une moue un brin goguenarde :

— Mais tu as raison, lutin, je dois aussi protéger ma langue contre les phrases toutes faites et trop faciles.

Rien eut une preuve de plus que le maître lisait dans les pensées. Et il se sentit plus que jamais tout nu.

La forêt occupait une part si importante de l'espace terrestre de nos voyageurs que Tit-Rien se demanda s'ils couraient le risque de n'en plus jamais sortir. Partout où il tournait la tête, il ne voyait que des arbres, parfois alignés en colonnes de temple antique, parfois poussés en hâte n'importe où et n'importe comment, pressés de voir le soleil. Mais ce faisant, c'est à lui que les rameaux cachaient la lumière. À peine si des rayons tenaces et souples réussissaient à s'infiltrer entre les branches et à s'en venir jouer durant quelques instants sur le fourré. Mais quels instants bénis des dieux! Le soleil se permet-il de chatouiller la mousse, les fougères, le revers des feuilles, et voilà la nature qui s'excite et se met à chanter. Rien s'astreignit alors à guetter chaque rayon, à espérer son arrivée, éprouva un tel bonheur dans cette attente qu'il pardonna à la forêt de lui voler sa part de lumière et de chaleur.

— D'autant plus, ajouta Personne, qu'on ne perd rien pour attendre l'été.

Rien sentit un flux de sang lui monter au cerveau. L'été! Cette allonge de temps qu'on lui promettait si chaleureux, tranquille, paisible, tout en douceur, se pourrait-il – trop c'est trop – qu'on finisse par s'en lasser?

Un bruit sourd et lointain.

Rien leva les yeux sur Personne. Le grondement, qui semblait venir de loin, avait pourtant l'air de s'approcher. Ça ne pouvait être des chutes ou des cataractes, qui mettent des milliers d'années à bouger d'un pas.

— Elles ne bougent pas, mais nous allons vers elles, fit Personne.

Rien s'arrêta. Pour éviter d'affronter le danger, on n'avait qu'à ne pas courir après. Évidemment.

Surtout quand l'adversaire ne bouge point d'un pas en mille ans.

Mille ans, ça doit sembler long. Du temps des limbes, c'est-à-dire du temps d'avant le temps, Rien n'avait rien senti du temps, il attendait mais indéfiniment, ne sentait pas le temps passer. Or depuis sa venue au monde, il avait appris l'urgence, développé une effroyable capacité d'accélération, voire d'impatience et d'impétuosité.

— Allons-y, décida-t-il dans un sursaut d'énergie. On va quand même pas attendre mille ans.

Personne sourit à la réaction tout à fait prévisible de Rien. Il se leva lentement, prit le temps de remplir ses poches d'une poignée de glands à peine mûrs et de quelques petits fruits prématurés, puis rattrapa le joyeux lutin qui de son fouet de vergne écartait le danger comme l'on fauche les fougères. Leur marche se prolongea durant des heures longues comme le jour avant que Rien ne s'avisât d'aborder avec son ami la question du droit de propriété. Il n'avait pourtant pas cessé d'y songer depuis la veille ou l'avant-veille… il ne savait plus… et continuait d'échafauder des plans dans sa tête qui grandissait plus vite que le reste de sa personne. Des chutes naturelles, perdues au cœur d'une forêt vierge, venaient sans doute du début des temps et n'appartenaient par conséquent à personne.

— À personne et à tout le monde, répondit le maître en plissant légèrement le front.

— Et nous on est dans le tout le monde, donc…

Personne répondit avec un soupir. Alors Rien se hâta d'enchaîner :

— Et tout le monde, ça veut dire chacun, un à la fois, chacun pour soi. Premier arrivé, premier servi.

Au moment où Personne allait ouvrir la bouche, Rien le précéda dans une exclamation qui allait les distraire tous deux de leur but.

— Tu vois ce que je vois, maître?

Oui, Personne avait vu. Un écureuil venait de surgir d'un nœud de bouleau blanc, les joues gonflées comme un chiqueur de tabac, et disparaissait à la vitesse de l'éclair dans la broussaille. Nos deux héros se dévisagèrent. Ils ne s'étaient nourris l'un et l'autre depuis le matin que de pensées abstraites et de réflexions générales, et Rien en déduisit que les songes creusent l'appétit. Il se frotta les mains, se dilata les narines et sauta sur l'occasion. Mais n'atteignit pas le pied du bouleau.

— Non, Tit-Rien, ces noisettes sont propriété privée.

— Comment! Mais on est en pleine forêt sauvage, sans doute les premiers à passer par ici.

— Les premiers après les écureuils dont ce sont les provisions cueillies avec acharnement durant tout un automne.

— L'écureuil est un animal, or l'homme mange l'animal, donc l'homme peut manger les provisions de l'écureuil.

Personne ne put retenir le gloussement qui dégringola comme des notes de musique tout le long du nerf qui lie la gorge au cerveau. Son jeune disciple avait bonne tête.

En entendant rire Personne, Rien crut la partie gagnée et gonfla le torse. Un torse qui n'avait pas encore achevé sa croissance, hélas pour lui! et qui fit sauter sa bretelle. Et Tit-Rien en perdit sa culotte. Un philosophe avec la culotte aux chevilles a mauvaise mine et Rien comprit qu'il venait de reculer d'une manche. Il leva sur son ami un regard si piteux que Personne fut à un cheveu de s'attendrir.

Rien serra ses bretelles et se tint coi. Il se dit que Personne finirait tôt ou tard par se rappeler le proverbe du ventre affamé qui n'a point d'oreilles... et point de raisonnement. Mais, encore un coup, il avait sous-estimé la prévoyance de son ami qui sortit de sa poche sa poignée de glands et de petits fruits des bois. Et en grignotant, les deux achevèrent de gloser sur le droit de propriété. La réserve de noisettes avait mis en verve le maître à penser qui en profitait pour élaborer sur le sujet une longue théorie qui fit bâiller Tit-Rien... qui voulait bien apprendre, mais sans pour ça s'arrêter à chaque éclaircie de forêt pour débattre du sexe des anges. L'expression, qu'il avait dû entendre dans son passé obscur, le mit en joie.

— Au fait, y a-t-il des anges mâles et des anges femelles? Vivent-ils en famille?

Personne comprit que le petit Rien avait le goût de s'amuser. Et du tac au tac :

— Et toi, avant de naître, du temps de tes limbes, tu étais de quel genre?

— Moi?... J'étais Rien.

— Hmmm, hmmm. Rien.

— Ça veut-y dire que...

— Ça veut dire ce que tu veux. Mais tu as bien des croûtes à manger avant de...

Personne s'arrêta net. Il n'aurait pas dû parler de croûtes, avant-goût du pain. Il lut dans l'œil fuyant de Rien que ventre creux... Et il songea qu'avant le blé et les céréales, les hommes s'étaient nourris de la chair des animaux. Carnivores, ils étaient carnivores. Et la forêt, le lieu privilégié de la chasse.

Le maître examina le petit, taquina son humeur :

— Tes bretelles, elles peuvent toujours servir à quelque chose.

Tit-Rien rougit. Avait-on besoin de tourner le fer dans la plaie?

— Mieux qu'à tenir des culottes, poursuivit l'autre, elles vont servir à tendre des collets à lièvres.

L'eau vint à la bouche de Rien. Il songea à sa culotte, mais s'il devait choisir entre exposer son postérieur ou garnir son estomac...

— Chic! dit-il, et ça presse.


Tit-Rien fut bien forcé de s'entraîner à la patience, parce que les lièvres, eux, ne semblaient pas du tout pressés de se laisser dévorer. Et comme pour le faire exprès, ils s'exhibaient un peu partout, sous la feuillée, sur les taillis, entre les fougères, dansaient et folâtraient comme des elfes en liberté. Si ces bêtes n'avaient pas été les plus rapides des bois, Tit-Rien était sûr qu'il aurait pu en plonger une demi-douzaine dans la casserole. À la condition de disposer d'une casserole, bien sûr. Mais une branche fine et pointue allait suffire à les embrocher, l'un après l'autre. Faire un feu était un jeu d'enfant pour des hommes qui l'avaient découvert avant d'inventer la roue. Restait à attendre qu'un premier lièvre voulût bien passer sous un nœud de bretelle de Rien qui avait l'air de s'être accrochée à une branche de pin comme ça, par pur hasard, au cœur de la forêt.

Après des heures de patience et d'attente infructueuse, Rien commençait à douter même de la sagacité de son maître. N'importe quel animal intelligent allait bien voir que des bretelles suspendues à la branche la plus basse d'un vieil arbre rabougri, ça n'était pas naturel, qu'il y avait anguille sous roche, qu'on n'allait pas si aisément leur passer un sapin... Eh bien, si ! précisément, c'est un sapin qu'on passa entre les pattes d'un gros lièvre repu, une branche de sapin pendue à des bretelles qui n'avaient même pas su tenir une culotte de Rien !

Et notre jeune héros qui dévorait son premier repas chaud et juteux en compagnie de Personne comprit qu'on pouvait durant une éternité rêver de naître, de vivre et de mourir pour ça !


Les deux compagnons avalèrent soudain de travers, Rien en s'engottant, Personne en s'arrêtant de respirer : ils l'avaient aperçu en même temps, l'ours noir d'une demi-tonne. Mais l'ours, quant à lui, ne les avait pas vus, pas encore, trop occupé à humer le lièvre rôti à la broche. D'ailleurs, cet animal a la vue courte. Mais attention ! l'ouïe et

l'odorat fort développés. Rien voulut demander…
mais sa gorge sèche et nouée ne laissait passer
qu'un râle inaudible. Il voyait approcher lentement
l'animal, droit sur eux, sans même écraser les
brindilles sous ses pas… Ce n'était pas possible,
une masse pareille, il se dit qu'il devait rêver… Mais
en se redressant, il trébucha sur le corps de son
compagnon allongé sur le sol et qui lui enjoignait
d'en faire autant. L'ours ne les avait toujours pas
vus, ou les ignorait complètement, il n'avait de
museau que pour le lièvre embroché que nos deux
braves lui abandonnèrent d'un commun accord.
Rien voulut bouger, mais Personne le cloua au sol
de son bras et lui chuchota : Fais le mort. Le pauvre
Rien fut forcé de rester mort durant tout le repas de
l'ours qui en lécha jusqu'aux feuilles et branchettes
imprégnées de l'odeur du lièvre à des mètres à la
ronde. Notre héros fut sur le point de proposer à
l'ours de dire les grâces puis de se signer avant de
se lever de table, mais… Fais le mort, qu'il entendit
penser son compagnon.

Il avait eu une éternité pour s'adonner à ce jeu-là,
il connaissait. Aussi surprit-il Personne en jouant
si bien son rôle que l'animal le frôla à peine du
bout du museau, puis s'éloigna en gratifiant nos
macchabées d'un magistral pet d'ours qui résonna
dans la forêt, l'air de leur dire qu'un gigot d'homme
ne valait pas un lièvre rôti à la broche.


La réaction de Tit-Rien au sortir de sa première
frousse étonna son maître.

— T'as vu ça? se plaignit-il, il nous a rien laissé,
pas même les os.

— Mais considère-toi chanceux qu'il t'ait laissé
les tiens intacts, bougonna maître Personne.

Quand le jeune étourdi allait-il enfin se mettre
à raisonner, sortir tout de bon de l'âge frivole de
la vie instinctive et primaire! Rien avait-il lu à son
tour la pensée de Personne?

— Pourquoi faut-il à tout de reste faire passer la raison avant l'instinct? Crois-tu que l'ours et le lièvre et l'écureuil se mettent à réfléchir avant de se manger les uns les autres? J'ai appris, en arrivant au monde, à respirer sans y penser, à laisser mon cœur battre tout seul...

— À dire à tes mains de se débrouiller pour te construire un piège à lièvres?

Et nos deux valeureux compagnons s'enfoncèrent plus profondément dans les bois.

Au deuxième jour :

— Elle est à qui, cette forêt?

Personne attendait la question.

— Bien public, qu'il fit.

Rien réfléchit avec éloquence. Tit-Rien-du-tout, comme tout un chacun, n'était-il pas du public? Si oui, la forêt était son bien. Il pouvait donc se l'approprier, l'admirer, la tailler à sa guise, y bûcher, s'en nourrir, s'y loger, exploiter ses richesses, pourquoi pas! Ce qui était à tout le monde était à lui. Comme l'air qu'on respire, comme les rayons du soleil qui nous éclairent et nous réchauffent.

Personne laissa longuement gloser son compaing. Puis :

— Le soleil est à des années-lumière d'avoir commencé à entamer sa réserve de rayons. Et l'air...

Le maître s'arrêta, comme sous la piqûre d'un aiguillon, la mine renfrognée.

— ... l'air, faudra bien un jour y songer. Mais la forêt, elle, est épuisable, mon ami, à long et à court terme.

Tit-Rien n'avait pas du tout l'intention de se laisser convaincre. Avec le nombre d'arbres, la grosseur des racines, l'infinie prolifération des lierres, lianes, vergnes, pousses, touffes, buissons, avec pareille richesse, il ne pouvait imaginer qu'on en vînt de son vivant à l'épuiser. Personne attrapa au vol l'expression *de son vivant* et entraîna son jeune

Tit-Rien sur la voie de service, c'est-à-dire une clairière qui venait de surgir comme par enchantement au plus creux des bois. De leur vivant, il était encore possible à nos deux héros de ne pas voir mourir les derniers bouleaux blancs, les derniers érables rouges, les derniers grands hêtres, les derniers peupliers, les derniers pins, les derniers chênes majestueux; sans doute ne seraient-ils point témoins de la forêt clairsemée, de la fin du gazouillis et des bruits qui ruissellent et se querellent sous la futaie. Mais...

— Les descendants?

— Qui ça?

— Les autres qui viendront après nous?

Le lutin fit la moue. Fallait-il passer sa vie tant attendue à préparer le terrain à ceux qui attendaient toujours, attendraient peut-être toujours? Ne méritait-il pas de vivre, enfin! vivre pleinement, jusqu'au bout, profitant des biens de ce monde si longuement désiré? N'était-ce pas là le plus grand hommage à son Créateur que de lui démontrer tout le plaisir qu'on prenait à goûter aux fruits...

— ... défendus?

Le mot de Personne coupa la verve et l'appétit du pauvre Tit-Rien. Comment pouvait-on gâcher son enthousiasme à ce point! N'avait-on pas résolu une fois pour toutes cette désuète question morale de l'arbre du bien et du mal et du fruit défendu? Monsieur Personne fut surpris de la vitesse de croisière d'un si jeune cerveau. À peine sorti des limbes, Rien possédait déjà un bagage de connaissances étonnant. Se pouvait-il que la vie d'avant la naissance l'eût enrichi d'une mémoire inconsciente immémoriale?

— De toute manière, j'aurai pas de descendants.

Voilà la question tranchée.

Personne leva un sourcil.

Pour toute réponse, Rien lui décocha une sentence bien arrondie :

— Personne peut naître de rien, ni rien de personne.

Et pour s'assurer de ne pas perdre ses bretelles, il s'abstint cette fois de bomber le torse.

Heureusement! Car s'il lui eût fallu perdre sa culotte sous les yeux rieurs du fouineur espiègle qui pointait le museau sous la broussaille! Celui-là, Rien le vit avant Personne. Il était de sa taille, un peu de sa couleur, et le fixait avec l'air de lui faire des avances.

Le renard.

— Grouille pas, Personne. En voilà un que je reconnais. Me semble même que j'ai joué avec toute ma vie.

Les animaux auraient-ils eu, comme eux, un passé, des limbes d'où certains – un sur des milliards de milliards – parvenaient à s'échapper? Personne ne voulut pas troubler la réflexion de son jeune disciple et le laissa se débattre avec ses démons.

— Dis-moi, maître, les bêtes ont-elles comme nous une mémoire au creux du ventre?

Personne, embarrassé, fut sauvé par le renard qui éclata de rire, disons cria des sons qui descendaient la gamme du rire. Et c'est le geste qui rassura Personne, le confirma dans sa croyance qu'il n'eût jusque-là osé révéler.

— Les animaux ont une mémoire si instinctive, si proche de la nature, que tout porte à croire qu'elle loge là d'où sort la vie.

Rien fut estomaqué de la réponse du maître. Car si la vie ne sortait que...

— Et moi!?

Il voulut aussitôt réparer, camoufler son secret, mais comprit que ses efforts étaient inutiles, que Personne en savait sans doute aussi long que lui sur sa mystérieuse origine.

— Toi, moi, le renard, le saule qui pleure ses sanglots de sève sur la mousse, tout ce qui respire garde la mémoire inconsciente de ses lointaines origines.

Rien, en écoutant son maître, n'arrêtait pas de fixer le renardeau qui lui parlait en silence. Est-ce qu'il l'invitait à partager ses jeux, à se faire rusé avec les rusés, bête avec les créatures de rien? Cherchait-il à le ramener au temps de l'inconscience, de l'innocence…

Il eut juste le temps de sauter derrière Personne en lui huchant de regarder derrière le gros chêne : c'était bien lui? Le loup! Mais Personne lui caressa la nuque. Tranquille, Tit-Rien, le loup sans sa meute ne s'attaque pas aux hommes, il vient pour le renard.

— Pour le renard? Grand Dieu! Il va en faire une bouchée! Faut lui barrer le chemin.

— Pas nécessaire, c'est déjà fait.

Rien cherchait à comprendre, cherchait le renardeau disparu, s'affolait. Puis il l'aperçut derrière lui, la fourrure rousse du rusé fondue au beige terreux de sa culotte.


Le grondement des chutes se rapprochait de plus en plus, nos voyageurs n'avaient donc pas trop dévié de la route.

— Curieux, quand même, osa exprimer Rien, en forêt on croirait courir un tel risque de tourner en rond. Tous les arbres se ressemblent, aucun sentier battu…

— Mais des signes qui ne trompent pas : le soleil qui se lève à l'est se couche à l'ouest, le ruisseau qui remonte à sa source mais coule vers le fleuve qui se jette dans la mer et le bruit des chutes qui s'amplifie.

Rien était impressionné par la prudence de son maître. Malaisé au plus creux des bois d'apercevoir le soleil couchant ou de ne jamais perdre le fil du ruisseau. Restait, pour s'orienter, le son grandissant des chutes.

— Comment faisais-tu pour écouter un bruit aussi sourd et constant, quand nos oreilles se remplissaient du chant des oiseaux et du couinement des petites bêtes sauvages? Des chutes, à la longue, c'est monotone. Et on finit par ne plus les entendre.

Personne eut l'air d'acquiescer, une musique de fond n'est jamais qu'un accompagnement. Puis il interrogea la cime des arbres, se concentra et finit par s'enfoncer les index dans les oreilles. Il fit signe à son jeune disciple de l'imiter. Rien, toujours à l'affût de joyeuses distractions, planta ses doigts avec un tel empressement au creux de ses canaux auditifs qu'il geignit. Puis il attendit. Rien. Aucun son, le silence total. La nature avait cessé de muer et de pousser, le monde de respirer, le temps de passer, la vie de... Il retira ses doigts des orifices, reconnut sitôt le bruit sourd et lointain et respira. Le monde reprenait vie. Il recommença le jeu, se boucha les oreilles, déboucha, puis cria de tout son gosier à Personne que les chutes étaient toujours là, bien vivantes. Et comme s'il venait de redécouvrir tout seul que la Terre était ronde :

— Décidément, fit-il en martelant chaque mot, faut pas négliger de prêter l'oreille à ce qu'on croit avoir entendu toute sa vie.


Et la longue marche reprit.

Personne, par précaution, proposa à Rien de ne pas s'éloigner du ruisseau. Les cours d'eau depuis leurs premiers voyages avaient servi de guides autant que de routes aux grands découvreurs. Et il se mit à instruire son jeune ami sur les expéditions d'Ulysse en Méditerranée, de Christophe Colomb et de Jacques Cartier sur l'Atlantique, de Magellan sur le Pacifique et l'océan Indien, et sur le Mississipi, de Marquette et Jolliet et...

— Personne! regarde!

Rien venait de découvrir son premier barrage. Une colonie de castors s'affairait à transporter des tonnes de bouts de bois, de brindilles, débris de forêt qui créaient sur l'eau des huttes de branchages et des digues de la largeur du ruisseau. À la nage, traînant dans leurs gueules des branches plus longues que leurs queues, les rongeurs érigeaient, pièce par pièce, le plus gros barrage du centre de la forêt. Rien en fut époustouflé. Sans plan d'ingénierie, sans dessin d'architecture, sans solives ni piliers de soutien, avec des restants de bois éparpillés bout-ci, bout-là, des castors qui n'avaient jamais appris à raisonner, calculer ou réfléchir bâtissaient une structure capable de défier le temps et les intempéries.

— Tout ça pour s'inventer un torrent!

— Tout ça pour assurer leur survie, corrigea le maître.

Hmmm, hmmm... n'empêche. Si de modestes castors dénués de raison raisonnante étaient capables d'ériger une digue sur un ruisseau, imaginez ce qu'un cerveau inventif pourrait tirer de chutes inexploitées, sauvages et vierges qui depuis des millénaires déversaient leurs eaux limpides du haut des falaises. Toute cette eau, trésor naturel, richesse potentielle... Rien en jubilait et gambadait et...

— Attention!

Personne lui saisit le coude et l'attira hors du sentier. Rien se retourna au bruit de la tornade qui écrasait les buissons et chercha d'où venait le vent. Puis les deux compagnons se collèrent au tronc d'un bouleau pour laisser passer un troupeau de chevreuils qui arrivaient en trombe. Les castors eurent le même instinct, mais pas la même chance : les pauvres bêtes réussirent à sauver leur fourrure, pas leur barrage. Et ce fut la catastrophe. Les huttes revolèrent, la digue s'effondra. Il ne restait plus planche sur planche. Rien en eut le cœur chaviré. Tout ce travail de patience, une construction minutieuse, laborieuse, ingénieuse, retournée en un amas de débris abandonné au courant d'un ruisseau indifférent.

— C'est pas juste. La nature est donc une marâtre? Pas de pitié pour les humbles, les petits, les sans-grade? Les grands et forts ont tous les droits!

Ils n'avaient pas parcouru cent mètres qu'ils perçurent un mouvement inhabituel à la surface du ruisseau.

— Pas vrai! que s'exclama joyeusement Tit-Rien devant la procession de castors qui remontaient le courant, gueule serrée sur des brindilles, des copeaux, des petits billots ronds et durs, tout un amas de matériaux de construction.

Et notre jeune héros de Rien confia à son maître Personne qu'il n'hésiterait pas à inclure dans son blason, le jour venu, la figure du castor. Le maître fut à la fois attendri et amusé. Il savait que les armoiries ne sont pas offertes à tout vent et à tout venu, que les grades et décorations se méritent, que n'a pas de blason qui veut, que de toute façon Rien était encore bien jeune pour rêver de s'illustrer et lui, trop vieux pour y aspirer encore. En somme, l'essentiel…

L'essentiel… le mot vint gratter le fond de tiroir d'une mémoire envolée. Rien se souvenait vaguement de l'avoir entendu, connu, d'en avoir discuté avec quelqu'un… mais qui? Es-sen-tiel… Elle lui avait demandé s'il connaissait l'essentiel. Il ne connaissait pas mais voulait partir à sa recherche. Alors elle… Elle? Qui était-elle? Et qu'est-ce qu'elle était devenue?

Le bruit éclata avec une telle force et si soudainement que nos deux voyageurs furent surpris de ne l'avoir pas entendu venir. Depuis des jours qu'ils le traquaient, pourtant : le grondement des cataractes. Elles surgirent dans toute leur majesté, gigantesques, écrasantes, impétueuses. Rien se jeta sur son ventre, s'aplatit devant tant de grandeur. Personne contemplait les chutes en silence. Et les deux restèrent ainsi sans bouger, en attendant. Attendant quoi? que l'eau s'arrête de tomber? que la source tarisse?

— Et dire que cette eau remontera jamais plus à ses origines.

— Si, elle y retournera, mais par un long chemin. Ces tonnes d'eau qui tombent à la seconde et alimentent le fleuve et s'en vont se jeter à la mer qui rejoint les océans remonteront au ciel sous forme de nuages et retomberont sur terre sous forme de pluie.

— Et la pluie imbibera la terre qui fera surgir les sources qui créeront des ruisseaux qui recommenceront le cycle éternel qui mène aux cataractes qui ne sont rien d'autre au fond qu'une…

Il cherche le mot capable de réduire cette force de la nature à sa vraie dimension.

— … rien d'autre qu'une échancrure.

Personne s'en voulut d'avoir gloussé spontanément devant cette trouvaille de Rien : des chutes, une échancrure dans le long parcours des eaux.

— La vie est de notre bord, pas du sien.

— Ah bon !

— De l'eau, ça ne sera jamais que de l'eau. Nous, on est bien autre chose.

Et le petit Rien en se rengorgeant s'étouffa dans trois gouttes de salive trop épaisse pour un gosier si menu.

# 4

La route qui sort de la forêt est longue et jonchée de surprises. Pourtant, rien n'avait été aussi simple que d'y pénétrer. Deux voyageurs accueillis par tant de fraîcheur printanière! Les fluets et chétifs bourgeons de mai; le flux des sources et le bruissement du ruisseau; la danse des fougères que chatouille le suroît; la surprise de la mousse à se sentir si douce; le cri du geai bleu qui avertit les moineaux que le carouge s'en vient leur disputer leurs nids; la folie des bestioles qui s'éveillent et s'acharnent et crient à la vie de les attendre, qu'elles arrivent, que le monde est né avec elles et ne saurait poursuivre son histoire sans l'apparition, chaque printemps, des plus petites et des plus humbles créatures de rien.

— Il est peut-être temps de songer à sortir du bois, fit Rien.

— Et le torrent? fit l'autre.

— Le torrent?...

Le bruit des chutes les forçait à se crier par la tête.

— Les cataractes, on les abandonne à leur sort éternel, on renonce à se les approprier?

Rien, qui s'imaginait n'avoir jamais rien oublié, se souvenait soudain de sa première grande ambition en s'aventurant dans la forêt. Il tournait la tête, passait du grondement majestueux des chutes à la tranquille interrogation de Personne, et finit par baisser les yeux.

— Il est vraiment temps de sortir du bois, fit-il par signes, réservant son reste de voix pour des projets de dimensions humaines.

À son étonnement, il vit s'ouvrir à ce moment-là une clairière qui débouchait sur un bosquet donnant sur des landes couvertes de bruyères, de vergnes et de joncs. Enfin des pousses à sa hauteur! Rien eût voulu sauter au cou de Personne si ce cou avait été accessible à un lutin de sa taille, mais se contenta de siffler un ouiiiche qui en disait plus long sur les états d'âme d'un naufragé de la forêt profonde qu'un discours officiel d'un vétéran de la Grande Guerre.


Un petit Rien de petite taille. Maître Rien-du-tout. Il lui faudrait bien un jour planter dans sa caboche cette vérité première. Il arrivait de loin, sortait de nulle part, atterrissait tout nu et sans bagage, dépourvu de tout avantage, sinon d'une mémoire infaillible.

Mé-moi-re in-failli-ble!

Il répéta le mot dix fois pour ne pas l'oublier.

Personne ne pourrait lui enlever ce privilège d'être né, d'avoir fini par séduire quelqu'un, un démiurge, un destin, un voyant, peu importe, par attirer l'attention, fût-ce d'un créateur fourbu, d'un dieu mineur, d'un auteur à bout de souffle en panne d'inspiration. Ouais... se dit Rien en grimaçant et en cherchant à déglacer ses mots englués dans sa salive : une créature oubliée des dieux. Et son menton lui tomba jusqu'à la phalle qu'il avait au plus bas.

Monsieur Personne balaya les aulnes et fit asseoir son ami entre les cenelliers, les chardons et les roseaux. Des framboises, tiens! Toutes jeunes. Rouges et juteuses. L'été venait de poindre, discrètement, en réveillant les baies sauvages.

— Et les petites fraises des champs?

— Déjà passées.

— Comment ça, passées! Pendant qu'on se perdait dans les bois?

Personne ne pouvait répondre à ça.

— On se moque des gens? Pour qui les fraises, alors, si personne n'est là pour les cueillir?

Une variété d'oiseaux s'en étaient rassasiés. Les fraises sauvages n'étaient pas perdues pour tout le monde. Tit-Rien comprit et sentit que dorénavant il aurait pour concurrents des créatures encore plus petites que lui. Et dire qu'il avait ambitionné de maîtriser les cataractes hautes de trente ou cent fois la taille de Personne!

Il se recroquevilla, s'assit sur ses jambes et se mit à jongler. Pendant qu'il apprenait à tendre des collets à lièvres, ou suivait avec attention la construction d'un barrage de castors, ou jouait au mort sous le ventre poilu d'un ours d'une demi-tonne, le Temps, sans l'avertir qu'il venait de réveiller discrètement les petites fraises des champs, passait et s'en allait plus loin sortir de terre les framboises et les bleuets. Rien comprit que le Temps ferait le tour des saisons avant de revenir aux petites fraises. Le dépit lui cogna le front. Merde et merde et pis merde!

Il entend. Des sons résonnent dans sa tête. Ça vient de très loin. C'est sur ces mots-là qu'il avait entendu rire pour la première fois. Et qu'il l'avait aperçue. Elle. Il se souvient. Il se tourne d'un coup vers Personne. Son maître connaît-il ses origines? Ignore-t-il tout de son étrange naissance? de sa mystérieuse arrivée au monde? Rien va-t-il se décider à déboutonner sa chemise pour lui dévoiler son ventre lisse, sans nombril?

— Personne ne sait d'où il vient.

Rien est pris de court. Voilà Personne qui s'est chargé de décider pour lui. Personne sait. Autant pousser son enquête plus loin, profiter du moment de grâce. Il avale une longue gorgée d'air puis l'expire en levant les yeux sur le front de son maître :

— D'où vient le monde?

Personne ne sait, ne saurait répondre à ça.

Et le petit Rien comprend que le Temps n'a pas encore achevé son grand tour du globe et des saisons, n'a pas fini de faire pousser les fruits, grandir les oreilles des lièvres et la queue du renard et des castors, ou germer dans la mémoire des héros les images qui les guideront comme des phares.

Soudain, Rien sent frétiller des bluettes dans son cerveau :

— Qui a engendré Personne?

— Personne, de père en fils.

— Réponse de Normand.

Tiens, tiens! voilà le jeune Rien qui connaît des expressions qu'on n'apprend en général que sur les bancs d'école. Quelles écoles avait eu le temps de fréquenter un si petit Rien?

Comment! Et le disciple s'insurge contre son maître.

— Primo, on n'est pas plus bête pour être plus petit; secundo, on n'apprend pas que dans les écoles; tertio, il existe aussi une science infusée au creux des entrailles et cachée au commun des mortels, c'est le maître qui l'a dit.

Personne se gratte le crâne, cherchant à se souvenir quand il avait pu dire ça.

— Et quartio... quatro...

— Quarto, corrige le maître.

— D'accord, quarto... quatrièmement... je sais plus... j'avais un quatrième argument qu'un vilain vent du nord m'a soufflé.

Tant mieux, Personne a réussi à le distraire et à gagner du temps. Mais non.

— Ah! j'ai trouvé. Quarto, par des chemins de traverse, tu ne cherchais qu'à gagner du temps. En somme, tu me caches quelque chose, refuses de me révéler ton lignage et ton passé.

Ça serait peut-être que t'as eu une enfance malheureuse? un apprentissage difficile? Quelques fautes de jeunesse, ça se pourrait? Tu sais, te gêne pas, j'en ai vu d'autres.

Personne s'attendrit devant la candeur de celui qui, n'ayant encore rien vu, se gonfle de phrases toutes faites. Mais il s'émerveille devant sa ténacité. Car il sait que la curiosité bien ancrée dans un cerveau encore lisse est une arme plus forte et plus sûre qu'un bagage de connaissances glanées au fil d'une vie terne et sans ambition.

— Tu iras loin, qu'il se contente de répondre à son jeune ami.

Et le jeune ami comprend qu'il n'en apprendra pas davantage ce jour-là sur le mystère de Personne. Mais…

— La vie est longue, réfléchit-il à haute voix, et comme la Terre est ronde, à ce qu'on dit…

Il n'a pas le temps d'achever sa phrase qu'il la voit se détacher de sa langue et s'envoler comme une feuille au vent : elle danse, tourbillonne, s'enroule autour du globe, déchaînée, téméraire, folle de liberté.

— À ce qu'on dit, la Terre est ronde! Ce qui, dit autrement, voudrait dire que rien ne nous interdit d'en faire le tour.

Rien est pris soudain d'un délire comparable seulement à sa première extase devant la splendeur du monde aperçu du haut d'une butte d'écorces de bois au jour un de son existence, pris d'un tel ébahissement qu'il avale sa respiration.

— Je l'ai!

Son projet de vie est né. La planète lui appartient, la conquête du monde est possible. Rien n'empêchera personne, ou personne n'empêchera Rien de parcourir le globe à la quête de son sens, de ses mystères, de ses richesses visibles ou cachées. Rien et Personne! Ils ont tous deux une vie devant eux. Le temps ne saurait leur manquer.

— La Terre est ronde, l'horizon, le firmament et le cosmos sont ronds, l'heure qui fait le tour de l'horloge est ronde, de même la vie, comme tout le reste, sera ronde. Écoute ça, Personne, enfourne-le dans ta vieille caboche : la vie, qui est ronde, n'aura pas de fin, elle tournera, tournera en rond, toujours...

Et Tit-Rien-tout-neuf prend son élan et tourne sur lui-même, toupie, automate tournant, monté pour l'éternité.

Brève éternité. En moins de deux minutes, la tête vire toute seule, décrochée de son corps tombé à plat sur l'herbe. Et Personne vient arracher le jeune Rien à son étourdissement à coups de taloches sur les joues. La Terre est ronde, mais immense et couverte d'aspérités. La seule façon d'en faire le tour sans perdre la tête est de suivre son rythme qui est très lent.

— Comment lent?

— Un tour de soleil en un an; en un jour, un tour sur elle-même. Donc, pour la suivre...

— On doit soi-même faire en un jour le tour de soi. Rien de plus facile.

— Ah bon?

— Regarde, maître.

Et le jeune héros se met à tourner doucement, un cran à la seconde, pour constater au bout d'une minute qu'il a fait le tour de Rien. En fin de compte...

... La vie n'est pas si simple, qu'il répète sans s'avouer qu'il a déjà entendu ce discours longtemps, longtemps passé. Pas si simple... pas si... pas...

Le maître reste discret, voulant éviter de s'immiscer dans le dialogue personnel entre le personnage et son auteur. Il attend. Rien ne sert de courir...

— Il faut partir à temps, partir tout de suite.

La Terre est ronde,
la vie est longue,
on est au monde,
c'est déjà ça.

Personne se demande où veut en venir le Tit-Rien qui semble avoir retrouvé si soudainement ses esprits. Il le voit sauter comme un ressort, épousseter ses vêtements picotés d'aiguilles d'épinette, frapper l'une contre l'autre ses chaussures maculées d'humus des marais et, montrant le poing au soleil, renifler comme un bœuf prêt pour l'arène. On n'a pas attendu pour rien une éternité, que la vie se le tienne pour dit!

Nord, est, sud, ouest?

— Est! que s'exclame Rien.

— Pourquoi?

— J'ai entendu dire que le diable se cache à l'est.

Personne garde la bouche close mais les oreilles entrouvertes. Il se dit qu'un petit Rien né d'hier a dû entendre bien avant tout le monde des bribes de croyances vieilles de mille ans. Mais qu'est-ce que mille ans pour un être sorti à l'arraché de ses limbes éternelles? Et le maître se promet d'être de plus en plus attentif aux dires d'un Rien-du-tout doté dès sa naissance d'un flair prodigieux.

— Bien, qu'il fait, si le diable se cache à l'est, allons l'y dénicher par là… Par là, Tit-Rien, l'est est par là.

— Oh, pardon!

Et Tit-Rien fait demi-tour.

À pas rapides, allègres, sautillants, ne s'embarrassant ni de brindilles ni de broutilles, indifférent devant le soleil qui à quelques reprises bigle sous les nuages, et criant au vent qu'il peut s'essouffler tout à son aise jusqu'à en perdre haleine si le cœur lui en dit, les pieds de Rien ne cesseront de sauter dans les pistes de Personne en route vers leur commune destinée.

Rien leva les yeux pour rejoindre ceux de Personne qui regardaient ailleurs. Alors le petit s'égosilla pour atteindre ses oreilles que le sifflement d'un farouche nordet obstruait. Ohé! Ohé! maître!

Au bout de plusieurs plongeons et pirouettes autour des jambes de son guide, le lutin finit par attirer son attention sur la question. Est-ce que leurs deux destins avaient une origine et une fin communes? En somme, leur rencontre était-elle purement fortuite, ou bien secrètement planifiée par les dieux… par un dieu mineur? Rien se souvint de l'expression mais refusa de s'y attarder. S'accommoder d'un destin mineur couperait les ailes au plus téméraire des anges, alors que dire d'un petit Rien-du-tout qui n'avait encore rien prouvé! Personne vit l'angoisse grimper le long de l'épine dorsale de son disciple et décida qu'il était temps de s'arrêter.

— Le nordet s'obstine, qu'il fit, laissons-lui tout le loisir de faire des siennes. On reprendra la route après.

Mais le prétexte ne trompa point Tit-Rien, habitué depuis le temps à la délicatesse de son maître. Tant mieux, on ferait d'une pierre deux coups, le vent commençait sérieusement à lui barrer les jambes. Curieux, cette nature déchaînée, ces éléments pris dans la tourmente alors qu'ils ont disposé de milliards d'années pour s'acclimater. On n'a donc pas appris, depuis que le monde est monde, à jouer chacun son rôle : le vent à venter, le soleil à ensoleiller, la terre à se laisser marcher dessus de long en large sans ambages ni empêchements? Le monde serait si beau si chacun y mettait du sien!

Personne écoutait penser si fort et si haut son compagnon que les veines de ses tempes se gonflaient, que son cou se raidissait. Valait mieux laisser passer la tempête.

— C'est ça, une tempête? J'imaginais qu'elle serait blanche et ne viendrait qu'en hiver.

— Elles viendront en leur temps, les tempêtes d'hiver. En été, ce sont des orages, superbes aussi.

Rien se tut, le temps de reprendre son souffle. Lui en fallait le double pour combattre le vent qui faisait rage. Petit à petit, il dut pourtant s'ajuster à son rythme, apprendre à respirer à contretemps,

prendre même plaisir à l'exercice. Peuhh… heufff…
Et le vent, surpris, finirait par lui chatouiller la peau
du cou. Personne sourit, content surtout d'avoir
réussi à chasser l'angoisse métaphysique du cœur
de Rien.

— Nos communs destins, commença Rien dans
une respiration toute neuve…

Ah bon! se dit Personne, c'était donc le propre d'un
Rien de ne rien oublier. Et, résigné, il s'assit sur une
souche et proposa à son vis-à-vis de prendre place
sur la branche la plus basse d'un orme solitaire.

Le destin! Chacun a le sien, qu'il se dit. Mais
pour rassurer l'autre :

— Tous ne le connaissent pas.

— Moi si!

— Déjà?

— Pas déjà, depuis toujours.

— Mais tu n'as pas toujours été Rien.

— Ah non? J'étais donc qui avant Rien?

Personne s'embrouilla, puis reprit le dessus,
conseilla à son jeune compagnon de ne pas déplacer
les virgules dans la phrase pour éviter toute ambi-
guïté. Rien et rien sont deux choses, selon qu'elles
portent ou non la majuscule.

— Même chose pour Personne, enchaîna du tic
au tac Rien.

— Tac au tac, corrigea Personne.

Et les deux, en hochant la tête, finirent par se
mettre d'accord qu'ils étaient en train de se noyer
dans du crachat de poule. La vie était beaucoup
trop large, l'univers bien trop mystérieux, la nature
trop grandiose pour laisser nos deux voyageurs
s'enfarger dans les brindilles séchées de la route
avant même d'avoir franchi l'horizon.

— Mais celui-là, on ne le franchira jamais, sourit
le maître sans se douter qu'il venait d'ouvrir un
nouveau débat.

— Comment ça? Si on n'arrive pas à dépasser
le premier horizon, comment allons-nous nous
dépasser nous-mêmes?

Bonne question. Mais insoluble. Pas de dépassement possible de l'horizon qui ne cessera de
s'éloigner. Quant au dépassement de soi… presque
aussi difficile, quasi impossible…

Rien l'interrompit. Il venait de se rappeler une
phrase d'auteur :

— *Rien d'impossible chez les possibles.*

Personne comprit qu'il n'était sorti ni de l'auberge,
ni du bois, ni du trouble. Il devait reconnaître une
fois pour toutes qu'il avait en face de lui une créature
sortie de rien, mais bien sortie, et déterminée à ne
pas faire marche arrière. Le destin de Rien… Ah! puis
pourquoi s'être aventuré sur ce terrain miné!

Évidemment, Petit-Rien n'allait pas laisser passer
le mot sans l'attraper au vol.

— C'est de ça que je voulais te parler, qu'il
aborda de biais…

Mais le Temps ne lui laissa pas achever son idée,
pas encore, ce n'était pas le moment.


Plus tard, les deux compagnons reconnurent
n'avoir rien vu venir. Le maître n'avait pas
d'excuse, il aurait dû, l'événement était prévisible
pour un ou une Personne de sa qualité. Ce genre
d'incident arrive communément aux héros de
mystérieux voyages qui risquent chaque jour leur
existence qui ne tient, à la fin, qu'à la fantaisie du
vent ou d'une inspiration. Quant à Rien, il restait
complètement abasourdi. Son contrat de vie ne lui
avait rien indiqué de tel; en prenant le large, il ne
pouvait prévoir que sa destinée, par pur caprice et
sans avertissement, échapperait à son contrôle, en
quelque sorte se jouerait sans lui. Le pauvre petit
Rien-tout-nu découvrait l'impondérable.

— Crache, lui commanda le Maître.

— Quoi?

— Ces questions qui t'obstruent le cerveau, le
cœur, la gorge, crache-les.

Le petit restait ébaubi. Il n'aurait pas su par quel bout prendre la première qui lui bloquait l'entrée des autres. Il avait voulu vivre, tant voulu s'incarner, sortir de son Rien éternel, père de tous les possibles. Et voilà qu'il était devenu un Rien flottant comme lors de son séjour dans les limbes, il sentait sa liberté enchaînée, sa volonté arbitraire, il n'était plus maître de Rien. Tous ses gestes lui parurent soudain déterminés, comme s'il devait suivre obligatoirement le chemin de la prédestination. Et pour la première fois de sa courte et longue vie, il s'engotta dans un infini sanglot et laissa couler un torrent de larmes. Personne en eut le cœur noué. Et s'en réjouit secrètement, s'avouant qu'un cœur qui se noue prouve qu'il bat et par conséquent existe.

Le maître fut le premier à se pincer, puis invita l'autre à en faire autant. Tit-Rien obéit, n'ayant plus rien à perdre.

— Tu as senti quelque chose? que fit monsieur Personne.

— La peau qui se rebiffe et regimbe.

— Tu as senti la douleur.

— Eh oui.

— Ça, c'est du nouveau, du concret, tu ne l'avais pas expérimenté avant.

— Avant...

— Je comprends. Tu as peur de ta liberté à la fois débridée et enchaînée. Tu sens encore bouger les fils du marionnettiste accrochés à tes épaules.

Rien n'avait plus de voix, ne faisait que dodeliner de la tête. Alors le maître poursuivit :

— Pourtant...

— Stop!

Cette fois, le petit ne laissa pas continuer Personne, il venait d'avoir une illumination. La marionnette... les fils...

— Vite, maître! des ciseaux! Il faut couper les fils.

— Comment!

— Si fait, le fil à la patte, coupons-le! Plus d'attaches, plus d'amarres, plus d'entraves! Dégageons-nous une fois pour toutes. Libres, totalement libres!

Et Rien se planta devant Personne, les bras croisés sur sa mince poitrine, le toupet dressé, l'œil résolu, les lèvres serrées sur les dents.

— Tu sais, mon brave, que l'univers est vaste et raboteux, que la vie sera longue...

— Tant mieux, on a besoin de temps.

— Mais viendra un temps où le vertige pourrait s'emparer des intrépides qui avancent pas à pas au-dessus des précipices, sans filet...

— Sans filet, sans fils!

— C'est ce que tu veux?

— Ce que je dois.

Et comme si pour la première fois il s'adressait à l'univers :

— Vous n'imaginiez pas, Personne, que la Terre allait continuer de tourner, que la vie allait partir en voyage sans Rien?

Il se fouetta les cuisses et :

— Droite, gauche, droite, gauche, hop! tout droit, dans la vie!

Il s'arrêta net, figea sur ces derniers mots qui venaient de le frapper comme un boomerang. Un fil, menu fil de rien, flottait dans la queue de ses plus lointains souvenirs.

# 5

C'est Rien qui avait choisi l'est. À cause du diable qu'il espérait bien un jour débusquer.

— Le temps me dure de le déniger, çuy-là.

Maître Personne sentit des pépins de restants de pomme lui gratouiller le gosier. Il s'arrêta, le visage en point d'interrogation. Rien sourit et se hâta de prendre les devants.

— Jamais je croirai que le seul nom du diable te fait pareil effet, maître.

Personne secoua la tête de droite à gauche. Le diable? Non, c'est la langue de son disciple qui le laissait perplexe.

— D'où te viennent tes mots, Tit-Rien?

— Mes mots? Mais du fond de ma gorge, diable!

L'autre ne releva pas la boutade, mais restait intrigué. *Le temps me dure... déniger... cuy-là...* voilà des expressions que Personne n'avait pas entendues depuis...

— Depuis quand les gardes-tu en mémoire? Cette langue ancienne, où l'as-tu ramassée?

— Ragornée, tu veux dire?

Comment? Par quel mystère cette langue des ancêtres s'était-elle fixée dans son arrière-mémoire?

— Te souviens-tu de ta langue première, Tit-Rien?

À deux mains, le lutin se secoua la tête, se cogna le front, se frotta les oreilles, ouvrit toute grande la bouche... rien. Aucun souvenir. Alors ses mains se détendirent et glissèrent jusqu'à sa panse arrondie, sans nombril. Ses paumes s'arrêtèrent soudain : pas d'orifices, mais une multitude de petites pustules qui éclataient sur la peau. Il se mit à se gratter, grafigner...

— Ça vient de là !

— Quoi ?

— Les mots, les souvenirs antiques.

Faute de se rappeler, Rien s'efforça de réfléchir. Se pourrait-il que, veut, veut pas, on traîne en venant au monde de ces imposteurs qui profitent du passage des uns pour s'introduire dans la vie des autres ? Comme si des souvenirs sournois cherchaient à s'infiltrer par l'épiderme.

— Regarde, Personne, ça me sort par la peau du ventre !

Le maître scruta le petit abdomen et constata l'étrange phénomène des borborygmes qui lui perçaient la peau en s'éclatant. Des mots, des phrases, des images, un monologue, des arguments, des syllogismes sortaient des entrailles de Rien et s'introduisaient dans le monde, effrontément.

Les deux compagnons échangèrent de drôles de regards en enregistrant en même temps leur importante découverte : au creux du ventre était lové un bagage immémorial et sans doute universel.

Tit-Rien s'insurge :

— Comment, universel ? C'est mon ventre qui contient ce trésor, pas celui du monde.

— Eh oui, ton ventre, Tit-Rien-tout-nu, c'est bien ton ventre. Mais faudrait savoir que le ventre est un attribut commun à tous les mortels. Donc tout un chacun devrait pouvoir y lire son histoire ancienne, ses connaissances infuses.

Cause, cause toujours, songe le brave Rien-du-tout en cognant du pied sur les cailloux de la route, mais je sais, moi, d'où je viens, me souviens que... Non, justement, il ne se souvenait plus très bien, n'avait pas su tout à l'heure se souvenir de l'origine des mots qui sortaient malgré lui de sa bouche. Alors sa bouche, sa tête… Il se tourne vers Personne, perplexe :

— Ça se pourrait-y peut-être que…

Personne ne se donne pas la peine de corriger la redondance et laisse le petit se vider le cœur.

— Je veux dire que peut-être que ça se pourrait que les souvenirs soient pas tous logés là-dedans, qu'il fait, l'index sur la tempe.

Et, de nouveau, il entend gargouiller sa panse. Mais cette fois, Rien échange sa philosophie contre une réflexion plus savoureuse ; il s'assied sur une roche plate, les jambes sous les fesses, et invite son compagnon à dévoiler le contenu du panier à provisions qui commençait à se faire lourd. Puis, joyeusement :

— Les entrailles, qu'il dit, sont rien qu'un paquet de viscères qui nous parlent de boire et de manger.

— Boire, manger et dormir…

— Dormir, manger et boire…

— Boire, dormir et manger !

Alors les deux voyageurs qui n'avaient pas encore franchi le plus proche horizon s'empiffrèrent de fruits des bois, d'œufs de cailles et de perdrix et du meilleur gibier à plumes sauvage avant de sombrer dans un bienheureux sommeil.

Le maître s'éveilla en sursaut. Le cœur agité, le front en sueur. Allait-il raconter son cauchemar à son fringant disciple ? S'il fallait que les rêves soient prémonitoires !

— Va, raconte, fit Rien. J'aime les belles histoires à faire peur.

Personne lui scruta les reins :

— Tu sais, entre la fiction et la réalité, le fil est mince.

Le fil… allons donc ! on avait coupé tous les fils, plus rien pour entraver leur liberté.

Personne songea à l'extrême jeunesse, l'âge sans âge de son compagnon, et laissa filtrer entre ses dents un tut-tut! qui contraria fort l'assoiffé d'inconnu. Il était un Tit-Rien-tout-neuf, d'accord, imberbe et jouvenceau, d'accord, mais Personne ne devait pas oublier sa prodigieuse naissance. Si quelqu'un savait distinguer le réel du fictif... Il fronça ses sourcils rebelles et se gratta la nuque.

— Raconte, mon vieux! commanda Tit-Rien d'une voix qu'il avait cru racler au fond de sa gorge mais qui pour son malheur lui était montée en filet à la tête.

Le maître s'assit, ouvrit le panier de pique-nique, prit sa voix normale qui était celle du vieux sage et conta :

« ... Le rêve avait tourné au cauchemar au moment où les deux promeneurs s'apprêtaient à prendre la mer sur un rafiot abandonné le long des côtes atlantiques depuis des temps que Personne ne pouvait dater. Le temps des découvreurs? des corsaires? des pirates? Temps nébuleux, de plus en plus fuyants et qui semblaient courir ou voler d'un siècle à l'autre. Personne avait alors demandé à son compagnon s'il consentait à... mais Rien avait pris les devants avec une telle assurance et une telle rapidité que les deux s'étaient sentis emportés loin du rivage avant même de connaître la destinée du navire. Très vite d'ailleurs ils comprirent que toute interrogation se révélait inutile, le voyage n'avait aucune destinée. Ils étaient montés à bord d'une embarcation à la dérive.»

Tit-Rien retient son souffle, mais fait signe au conteur de continuer.

« ... Une dérive en apparence folle, complètement improvisée, mais qui, dans des zigzags étourdissants, des volte-face impromptues, des courbes, des détours, des va-comme-je-te-pousse à donner le vertige, n'en visait pas moins fidèlement l'étoile du berger. À moins que ce ne fût Vénus elle-même qui ne se soit déplacée pour rester dans le sillon du navire.»

Pourquoi pas! s'enflamme Tit-Rien, voilà un rêve qui n'a rien d'un cauchemar. Sans s'en rendre compte, le spectateur venait de s'introduire dans le rêve du conteur. Personne n'y prend garde et poursuit.

«... Vénus avait dû se sentir interpellée. Car elle se mit à grossir, briller de tous ses rayons et finir par attirer l'embarcation qui se détacha de l'océan pour naviguer dans l'atmosphère.»

Le petit Rien ne voit pas approcher l'Hydre, le Lion, le Taureau, le Scorpion et la Grande Ourse. Il ne voit rien venir, ne sent pas le danger, ne courbe même pas la tête que frôlent au passage les constellations. Il a quitté la Terre, s'envole au-dessus de ses turpitudes, bassesses, infamies, s'éloigne du temps qui use, des heures qui sonnent sans arrêt le glas de quelqu'un, s'en va vers la grande aventure qui l'emmène... le mène... le ramène tout droit vers... Il s'étouffe! Tit-Rien vient d'entrer dans le cauchemar. Il a voulu sauter de pied ferme dans le rêve, sans laisser Personne se borner à le lui raconter, et voilà qu'il découvre vers quel abîme l'entraîne le conte.

— Arrête, Personne! laisse-moi descendre! ramène-moi à terre, grand Dieu!

Et le conteur s'arrêta net de conter. Alors le pauvre Tit-Rien affolé, les cheveux en bataille, le cœur coincé dans le gorgoton, avala une pinte d'ozone qu'il recracha aussitôt.

— L'atmosphère a un sale goût de grisou.

— Tout doux, Tit-Rien, tout doux. On est revenus, retombés sur la terre ferme et dure.

Rien la cogna des deux pieds pour être sûr. Et dans un geste qui surprit Personne, il se jeta à plat ventre et baisa le sol en lui marmonnant des excuses. Le nouveau venu reconnaissait sa trahison, il avait insulté la planète, traitant d'infâme et de mortel son espace-temps qui l'avait arraché au néant. Et s'essuyant le nez dans un geste résolu, il s'engagea à ne plus jamais tromper sa terre d'accueil, mais à la défendre, la protéger, calfater ses brèches ou crevasses, combattre ses ennemis ou ses fils infidèles, en somme se lança dans une véritable profession de foi envers son existence d'adoption qui s'appelait la vie.

Son maître sourit puis soupira. Ce n'était pas le moment d'instruire son protégé sur les liens dissimulés entre les songes et la réalité. Mais il n'en écarta pas moins pour l'instant le dessein de prendre la mer. Aucune urgence, qu'il se dit, l'océan est relativement stable depuis des milliers d'années.

Rien commençait-il à lire dans la pensée de Personne? Le lendemain de l'épisode de la traversée de l'atmosphère, il se tenait sur ses gardes.

L'occasion toutefois se présenta plus vite que prévu de reprendre la route. Comme si la route, au lieu de les attendre, s'était déplacée pour venir à leur rencontre.

— Vois-tu ce que je vois?

Si fait, Personne voyait. En même temps que l'autre, il avait eu la vision des arbres qui s'approchaient d'eux.

— Ça serait-y Dieu possible que...?

Il n'eut pas le temps d'achever sa phrase que son maître l'attrapa par sa queue de chemise et le plongea dans le fossé. Et c'est de là, dans l'eau jusqu'aux genoux de Personne et aux épaules de Rien, que nos héros assistèrent au défilé d'un régiment camouflé sous d'épais feuillages.

La réaction spontanée du petit fut d'éclater de rire à la face de son maître qui avait eu peur pour rien. La vérité fut que Personne avait eu peur pour Rien, en effet. Car Personne, responsable du salut de son protégé, ne savait à qui appartenait ce corps d'armée. On avait toutes les raisons de se croire en territoire ami, mais ce camouflage lui paraissait louche. Tant d'incidents malheureux avaient perturbé la vie tranquille des citoyens depuis quelque temps : des soulèvements inattendus, des fraudes, des exactions, infractions, frictions qui pouvaient passer au début pour des peccadilles et finissaient par... Rien l'interrompit :

— Emmène-moi, je veux vivre ça !

Le maître s'assombrit. L'écervelé, sans grande expérience de la vraie vie, ne se doutait pas de ce en quoi il rêvait de s'embarquer.

— S'embarquer, voilà le mot ! que s'écria tout joyeux Tit-Rien. Embarquons-nous. Jamais je croirai qu'après l'avoir si longtemps attendue, on va laisser passer la vie sans l'attraper au col.

L'attraper au vol, qu'il veut dire, mais il apprendra. L'urgent, c'est qu'il apprenne au plus tôt à regarder les deux côtés de la vie, à distinguer le bien du mal, l'agréable du périlleux, le voyage de la mésaventure...

— Je n'ai encore rien vu, c'est toi qui le dis, tout juste sorti du bois, un ignare, un âne...

Personne n'avait rien dit de tel, mais n'eut pas le loisir de protester car déjà Tit-Rien avait le pied à l'étrier.

— Aide-moi, Personne, ce cheval est bien haut.

— Où as-tu trouvé cette monture ?

— Elle broutait tranquillement dans le champ d'avoine, une bête égarée. Animal sauvage.

Personne s'attrapa la tête.

— C'est une mule, et toutes les mules sont domestiques, c'est-à-dire propriété de quelqu'un.

Rien se renfrogna. Encore la propriété ! N'allait-on jamais sortir de cet esclavage ? Et comme s'il avait oublié ses récentes ambitions de s'emparer des chutes :

— Au nom de quoi, fit-il, que cette mule appartiendrait à Pierre, Jean ou Jacques, plutôt qu'à Personne ou à moi ? Hein, au nom de quel droit, de quelle loi ?

Personne fut tenté de lui répondre la vérité : « Au nom de la loi du plus fort », mais s'abstint, car la mule avait vraiment l'air égarée et toute l'apparence de sortir d'aucune étable ou écurie, le petit avait raison. De toute façon, au rythme où se déroulaient les événements depuis un certain temps, l'équipage ne pourrait se rendre bien loin avant que le propriétaire légitime, si propriétaire il y avait, ne le rattrapât. Et sans plus, il enfourcha la bête, lui caressa d'une main la nuque, puis de l'autre ramassa son disciple qu'il cargua dans son giron.

— Hue, dia ! tout droit par là ! commanda le petit Rien en agitant les bras dans toutes les directions.

Et la mule obéit en tournant sur elle-même.

— Mais qu'est-ce qui lui prend ?

— Elle suit les indications de son maître qui lui montre en même temps les quatre points cardinaux, répondit Personne en devinant que la bête avait dû s'échapper de quelque manège ambulant.

Il s'empara alors de la crinière de la mule qui remit le cap sur l'horizon.

— Au galop, au galop ! hurlait de joie le petit jockey de Rien.

C'était sa première course à obstacles à califourchon sur une mule qui clopinait, cahotait, culbutait sur un caillou, une brindille ou le moindre dénivellement de la route, tantôt ânonnant, tantôt hennissant, ne sachant plus distinguer le cri de son père âne de celui de sa mère jument. Rien s'exclama devant la science universelle de son maître, mais surtout devant sa propre illumination :

— Ce qui veut dire, si je comprends bien, que les mulets sont bilingues.

Et Personne :

— Si un cri animal était une langue, en effet !

Et Rien :

— Les langues ne sont-elles pas d'abord des cris ? N'ont-elles pas commencé comme ça ?

— Si on veut.

— Veut, veut pas, la mule se fait comprendre, donc elle nous parle.

Personne jaugea la curiosité du petit Rien qui galopait plus vite que sa monture et décida de ralentir.

— Arrêtons-nous sur ce plateau, qu'il proposa, de là nous aurons une vue plus large sur le monde.

Et le disciple comprit que le maître avait des idées derrière la tête, des leçons de choses à lui transmettre. Il descendit de la mule pour enfourcher le dada de Personne qui en effet sentait le moment venu d'instruire Tit-Rien sur l'évolution du langage.

Au commencement, qu'il commença... mais ne dépassa pas le prélude du début du commencement qu'éteignait déjà le bâillement sonore de Tit-Rien. Il voulait bien apprendre, connaître, il était venu au monde pour ça, mais sans pour autant s'attarder dans de longues argumentations avant d'arriver à la conclusion.

— Impossible, objecta Personne, les prémisses sont essentielles à toute discussion. On ne saurait s'instruire sans passer par la réflexion, par l'apprentissage...

— ... ennuyant et mortel, enchaîna la pensée de Tit-Rien. Les bancs usés d'école ! Les vieilles maîtresses qui font ânonner des heures durant la rangée d'élèves adossés au mur d'une classe qui sent ses six ou dix générations d'abrutis qui contemplent par la fenêtre les buissons qui les appellent et les attendent.

Il reprend son souffle :

— Non, jamais je croirai qu'après avoir réussi à sauter cette étape de mon enfance, je doive tomber en plein stage d'apprentissage ! La vie sera trop courte pour...

Il s'arrête, pris de vertige. La vie... sa vie aurait-elle une fin ? Il lève la tête vers son maître qui cette fois décide d'ignorer sa question. Le jour viendra qu'il sautera seul, à ses risques et périls, dans la conclusion. Apprendra que la terre est rugueuse, couverte d'aspérités et immense, que pour en faire le tour ça pouvait prendre à un Tit-Rien tel que lui une vie d'homme. Une vie d'homme, pensez donc! Comme si un Tit-Rien-tout-nu avait des vies d'hommes en réserve!

Il s'assied en Sauvage, plante son menton dans ses mains et continue de bouder.

De toute façon, le jour où il en aura assez des radotages du maître, il aura toujours la possibilité de prendre la clef des champs, de partir avant l'aube sur la pointe des pieds, de se laisser guider par le grand V des outardes qui volent vers le nord… ou vers le sud… enfin vers un lieu sûr où les guide leur instinct. Et puis il sait maintenant comment capturer les lièvres au collet, faire le mort face à l'ours, négocier avec les propriétaires de puits, s'orienter en suivant le cours d'un ruisseau qui rejoint forcément le fleuve qui se jette dans la mer. La mer! Il veut prendre la mer, sur les traces des grands découvreurs. Il trouvera bien un rafiot quelque part… une embarcation… un navire piloté par un vrai capitaine qui fera de lui son mousse, puis matelot, quartier-maître, second, finalement commandant et maître après Dieu! Un jour, il commandera, puis invitera à bord son ancien compagnon pour lui faire faire son premier tour du monde… sa traversée de la forêt ténébreuse, sa découverte des chutes, sa rencontre avec…

Et en songeant au long périple déjà parcouru en compagnie de Personne, Rien se lève d'un bond et vient sauter au cou de son maître en ravalant un long sanglot.

Les deux compagnons partirent directement vers l'est où l'Atlantique venait mouiller le continent. Combien de temps les séparait de la mer? Le lutin ne se plaignait pas, n'osait pas interroger le ciel silencieux ou le soleil qui s'éclipsait, réapparaissait, jouait avec de petits nuages folâtres et moutonnés. Il faisait confiance au maître qui marchait d'un pas tranquille et sûr. Pour témoigner de sa bonne foi, il aurait bien voulu ajuster son rythme à celui de Personne, mais un pas de l'un en exigeait six de l'autre. Ils finirent pourtant par arriver en même temps à destination.

— C'est ça?

— En plein ça, la mer dans toute sa splendeur.

— Mais elle avait pas à tant pavoiser, elle est pas si vaste que ça.

— Comment!

— Même moi, du haut de ma taille, j'en vois le bout.

— Tu penses? Ce que tu aperçois à l'horizon, ce sont des îles, des barres ou langues de terre parsemées le long du rivage. Attends d'avoir pris le large avant de mesurer la largeur et la profondeur de l'océan.

Rien s'excita :

— Dans ce cas-là, dépêchons-nous, allons-y.

Maître Personne le toisa en abaissant les yeux. Décidément!... Puis il se réarma de patience et commença lentement à raconter à son disciple l'histoire de la mer. Ses origines, son étendue, son évolution, ses variations, ses ressources et richesses inépuisables, son caractère imprévisible, son calme trompeur suivi d'une fougue subite qui en avait attiré plusieurs à leur perte. Tit-Rien écoutait de la tête, tandis que ses jambes gigotaient d'impatience.

— Allons tâter le terrain, qu'il annonça en levant le pied, oubliant que la mer est un terrain mouvant qui ne se prend pas n'importe comment.

Son premier pas dans l'eau le lui fit comprendre toutefois, mais surtout les pas suivants qui calaient plus creux à mesure qu'il avançait. C'est alors qu'il se rappela le songe de Personne. Le vaisseau volant. Le navire qui les emportait tous deux vers le lieu de non-retour. Et la face de Tit-Rien-tout-nu tomba. Le maître le voyait se débattre avec ses démons et se dit qu'il était temps de l'éclairer sur les véritables enjeux du voyage vers l'inconnu. Avait-il vraiment besoin de partir? En avait-il le goût? Les yeux à pic du lutin répondirent pour lui : il mourait d'envie de tout tenter. N'était-il pas venu sur terre justement pour ça? Personne gloussa derrière sa large main : un autre qui se prend pour un messie. Mais il s'abstint de commentaire.

— Je me prends pour Rien, venu en ce monde pour le découvrir, l'explorer jusqu'au bout, qu'il cria sans appel. Un bateau! vite, nous faut un bâtiment!

Personne comprit que les démons, quelle que fût leur allégeance, avaient fait pencher la balance et que les dés étaient jetés. Alors il résolut que le premier navire à paraître à l'horizon... Le maître, d'ordinaire d'une prudence légendaire, devait se mordre les pouces plus tard d'avoir été aussi intempestif. Car ce premier navire parut à l'est à la tombée du jour.


Un vaisseau d'or! Rien en clignait des yeux. Et s'émoustillait. Et s'extasiait. Personne dut le calmer en lui expliquant que tous les bateaux s'allument sous les rayons du soleil couchant, et suggérait d'attendre le jugement du soleil du matin pour se faire une idée. Se faire une idée! Mais n'était-ce pas Personne en personne qui avait promis que le premier navire à paraître à l'horizon...

— Une promesse est une promesse, que scanda des deux pieds Tit-Rien, sûr de la loyauté de son maître. Pis prenons la chance quand elle passe.

Sans attendre la levée du jour, Rien et Personne se dirigèrent résolument vers le quai où se préparait à accoster un navire étranger.

# 6

Les négociations durèrent toute la nuit. Maître Personne avait dû déployer des talents insoupçonnés d'agent et d'entremetteur, s'efforçant de faire comprendre sans l'avouer qu'il était dans les faits mandataire de Rien.

C'était le propre du petit, quand il était mal pris ou se toquait de quelque chose, que d'accorder une confiance absolue au grand. En peu de temps, il avait appris que le maître était là pour instruire et surtout aider le disciple à sortir de l'impasse. Or le navire, qu'il avait passé la nuit à fouiller de la cale à la poupe à la proue, était une vaste impasse. Une fois à bord, aucune issue. Seule une passerelle le liait à la terre ferme, mais en haute mer, l'échelle flottait dans le vide. D'ailleurs, pourquoi monter sur un bateau sinon pour prendre le large? Restait à Personne de convaincre le capitaine d'accueillir à bord d'un pétrolier passablement vétuste deux passagers sans papiers et sans destination précise. Tit-Rien lui avait tiré la manche :

— Pas une destination, mais une destinée, un destin. Explique-lui.

Le maître avait écarté son disciple d'un geste discret puis repris les négociations. Pour aboutir, au petit matin, dans les cuisines. Une longue personne démesurée escortée d'un lutin de rien, devenus plongeurs et fripe-sauce !

— Tu parles !

Non, le sage ne parlait pas, il s'efforçait plutôt d'astiquer de son mieux les écuelles de granit écaillé, sans dire un mot.

— Ça va durer combien de temps?

Personne ne répondit à cela que par un haussement d'épaules qui l'allongea de six pouces. Tit-Rien-du-tout se sentait de plus en plus abaissé, craignant un moment de voir sa taille réduite à presque rien.

Il lève la tête d'un coup sec, s'étire le cou à se l'arracher du tronc et de sa langue lèche le duvet de soie d'une moustache imaginaire. On allait bien voir s'il était moins que rien!

— Je suis irremplaçable, indispensable et unique!

Puis il replonge dans les casseroles en même temps que dans son imagination pour voir dans chaque marmite une barque qui l'emportera au-dessus des flots vers des îles mystérieuses.


Personne était fier du petit Rien qui s'était si rapidement adapté au tangage et au roulis de sa nouvelle vie. Au point que dès le premier jour de forte mer, il était le seul avec le capitaine à ne pas sentir la vague. Son maître, qui commença par s'en réjouir, finit pourtant par s'en inquiéter. Se pourrait-il que le si petit estomac de Rien fût insensible aux mouvements du navire? Mais notre jeune héros cette fois se montra le plus fort : l'estomac n'y était pour rien, tout se passait dans la tête. Il avait saisi que la nausée venait du vertige qui prenait racine dans un minuscule canal caché derrière l'oreille. Or Tit-Rien n'avait d'oreille que pour ce qu'il voulait bien entendre. Et justement il ne voulait pas entendre parler de maladie à l'instant où il venait de découvrir l'importance de son personnage. Il était en vie et en santé, il habitait un monde somptueux, plein de ressources, et voguait vers une destinée unique, quoique encore inconnue. Son aventure terrestre commençait, pas de temps à perdre avec des balivernes d'étourdissements, de vomissements, de… eurk!… Qu'est-ce que c'est? Les marmites étaient mises soudain à flotter, ses yeux les voyaient danser dans les airs, se cogner les unes aux autres dans un bruit de casseroles infernal.

— Maître! suffoqua dans un cri sourd le petit Rien affolé, maître! on s'en va tout droit direct… mais ne put achever sa phrase ni sa pensée.

Il avait perdu le fil, l'équilibre et sa tranquille assurance de personnage indispensable et unique. Il avait beau appeler au secours, il ne vit approcher Personne qu'au moment où celui-ci l'attrapa par le fond de culotte pour le ramener à terre. À terre, façon de parler, le ramener sur le pont; car sans savoir pourquoi, Rien s'apprêtait à grimper dans les haubans. Pensait-il échapper aux démons en fuyant vers le ciel?

— Ça n'est rien, le consolait son maître, ça va passer. Le mal de mer disparaît aussi vite qu'il arrive et sans laisser de traces.

Rien aurait voulu le croire mais découvrait bien visibles les traces de sa mésaventure qui fleurissaient son devant de chemise. Hé! que les temps sont durs! disait sa mine piteuse et déconfortée. Mais Personne se détourna et de la chemise et de la mine déconfite.


La mer se calma, comme après chaque grand remous. L'équipage, suivi de nos deux recrues, remonta sur le pont, se secoua, jeta un œil à l'horizon pour s'assurer que la vie reprenait. Et comme si aucun des marins n'avait jusque-là découvert la présence sur le navire de Rien ni de Personne, tous les yeux se tournèrent en même temps vers leurs hôtes et prirent la mesure de cette apparition équivoque :

— Vous avez vu ça?

— La boule et le bâton!

— Pas besoin d'accoster, on va jouer au croquet en pleine mer!

Et un autre, en laissant couler son regard tout le long du maître :

— L'escogriffe qui voudra empoigner ce bâton-là devra grimper au fait du mât.

Personne saisit le bras d'un Tit-Rien fougueux qui se prépare à sauter dans l'arène.

— Salut, messieurs, lance-t-il au cercle des curieux de sa voix la plus grave et la plus courtoise. Je suis Personne et voilà Rien, deux compagnons de voyage.

L'amas de marins, maintenant agglutinés les uns aux autres, écartent les lèvres sur leurs gueules béantes aux relents de rhum et de tabac. Puis le plus primaire :

— Personne et Rien pantoute. J'ai des visions, j'avais pourtant cru aviser queque chose et quequ'un.

Le ton est donné et les rires fusent :

— Pus Personne à bord.

— Y a Rien là.

— Dites Rien à Personne.

— Y viendra pus Personne, Rien à faire.

— Qu'on laisse Rien à Personne.

— Combien de Personnes en Dieu?

— Une seule qui sert à Rien.

Et de s'esclaffer, et de s'attraper les côtes, et d'inventer des quiproquos de plus en plus salaces et de moins en moins drôles.

Rien sent une démangeaison au creux de ses paumes. Ses pieds se mettent à piaffer. Il ouvre la bouche… mais son maître la couvre de sa longue main et prend les devants :

— Au… gaaarde-à-vous!

L'amas de têtes grotesques fige, puis le cercle se disloque, ahuri. La voix de Personne a sonné le gong qui appelle l'équipage au poste. Petit à petit, chacun retrouve ses esprits et se met à étudier l'étrange figure du personnage. Le lutin a le temps de se calmer et même de se sentir offensé par toute l'attention dirigée sur l'autre. Est-il réellement devenu un Rien-pantoute? Il les regarde mesurer son maître, s'intriguer de son corps tout en hauteur et quasi transparent, et se demande en quoi son compagnon peut inspirer autant de curiosité, alors que lui, petit Rien né de Rien... Il est le premier surpris d'entendre sa voix monter de sa gorge et s'envoler comme un oiseau :

... Non, rien de rien,
Je ne regrette rien.
Ni le vide fait de rien,
Ni la vie d'avant rien...

Personne sourit à la voix aiguë mais si juste et pure de son disciple qui vient d'attirer l'attention sur lui. Il voit alors l'équipage s'en approcher pour le toucher et le bombarder de questions sur sa provenance, son métier, son pays d'origine. Et à chacune des réponses du petit, les matelots retrouvent leur vraie nature et se tapent les cuisses, remerciant les dieux de leur envoyer en pleine mer un divertissement de fête foraine.

— Tes origines, la puce?
— Le néant.
— Hé-hé!
— D'où-ce tu sors?
— De rien.
— Ton père et ta mère?
— Crayon à mine et Page blanche.
— Ho, ho, ho!
— Quel âge que t'as?
— L'âge de tes premiers parents, Gros-Jean.
— Hâ, hâ!
— Tant d'années et pas même haut comme trois pommes?
— J'ai tout mon temps, le pommier a pas fini de pousser.
— Ouche!
— Et ton vrai nom tout au long?

— Tit-Rien-du-tout
tout-nu-tout-neuf,
tout-juste-sorti-de-l'œuf,
tout-frais-sorti-du-trou.

Et l'équipage qui se tord et se roule sur le pont...
puis se redresse d'un bond à l'entrée en scène du
capitaine.

Chacun dut retourner à bâbord, à tribord, à la
barre, à la cambuse, aux machines, aux cordages,
au gaillard, aux cuisines. Rien leva sur Personne ses
yeux d'artiste déchu. La gloire en ce monde était
bien éphémère. Et son maître le vit mâchonner son
amère découverte jusque tard dans la nuit.

— Tu dors, maître?
— Pas encore.
— Moi non plus.
— Je vois.
— Mais non, on voit rien dans c'te sale fond de
cale.
— Hmmm, hmmm.
— Tu veux dire que tu devines.
— À peu près.
— Et tu devines quoi?
— Ce à quoi tu penses.
— Je pense à rien.
— Ce que j'avais deviné.
Rien se mordit les pouces. Il pensait effectivement
à son propre sort, faisait le tour de son personnage.
Un sort misérable qui n'aboutirait nulle part.
Et merde et merde et... il entend des bruits
insolites qui filtrent par les écoutilles.
— Vite, Personne, y se passe de quoi là-haut!

Tout le monde est sur le pont.
Noir presque total, nuit sans lune et sans étoiles
qu'éclairent seuls quelques fanaux dansants. Le
capitaine commande à voix basse et les matelots

glissent comme des panthères sur les planches mouillées, transbordant des sacs et des tonneaux d'un navire à l'autre...

... À l'autre?

Rien l'aperçoit qui se balance à bâbord, immense nid de fourmis flottant où des matelots affairés charrient à la file indienne des poches de poudre blanche en échange de barils de pétrole. Il cherche des yeux Personne qui se tient à l'écart et regarde ailleurs.

— Qu'est-ce que c'est?

— Chut!

Et plus bas :

— Fais le mort.

Tit-Rien se souvient alors de son passage en forêt, jouant le mort sous le ventre poilu de l'ours. Dans quel guet-apens est-il de nouveau tombé? Deux fois le mort, c'est un grossier pied de nez au Destin, son cœur commence à sauter un temps, puis deux temps, le troisième saut pourrait lui être fatal.

— Bouge pas, petit, et il ne se passera rien.

À chaque secousse inhabituelle de la vie, Rien risque d'y passer. Mais n'est-ce pas ce qu'il voulait : qu'il se passe quelque chose? N'avait-il pas précisément rêvé à la vie pour ça? La vie où tout se passe, pour le meilleur et pour le pire.

— Le pire qui peut nous arriver, tranche enfin Personne, c'est qu'on songe à nous échanger.

La face de Tit-Rien tombe si bas qu'elle rejoint son ventre qui s'arrondit en pièce de monnaie d'échange. Le capitaine étranger a dû le distinguer à ce moment-là. Car Personne l'a vu hocher de la tête à son vis-à-vis et...

Tit-Rien a tout juste eu le temps de se sentir soulever, transporter puis lâcher sur le pont du bateau d'en face. Il s'ébroue, se secoue, crie : Personne! Personne! Mais Personne est resté sur l'autre pont, sa longue silhouette perçant le ciel au-dessus de la mêlée des marins inconscients de la joute de deux Destins qui se disputent la vie de leurs protégés.

Quand Rien vit les bateaux s'éloigner, l'un emportant Personne vers l'est, l'autre avec lui à bord mettant le cap au sud, il sombra dans un désespoir dont rien ni personne n'aurait pu le tirer. La vie dont il avait tant rêvé, son existence qu'il avait pratiquement inventée, plus rien n'avait de sens ni de goût, plus personne ne pouvait le consoler... hormis Personne, Personne en chair et en os et en esprit et en...

— En transe! Transi d'eau froide et salée.

Il était là, à ses côtés, plus long que jamais, plus transparent, à peu près translucide, comme si l'essentiel de son être était invisible pour les yeux. Rien s'arrêta de respirer, dut commander à ses poumons de reprendre leur activité comme il avait fait à son premier jour : euhhh!... peufff!... et retrouva assez de souffle pour demander :

— Maître... comment as-tu fait?

— Rien fait, presque rien... sinon m'accrocher à ce bout de Rien, le suivre des yeux jusqu'à forcer le reste du corps à emboîter le pas.

— Si je comprends bien, comme d'accoutume, tu m'as pas perdu de vue, en bon maître que tu es. Mais quand même, y a du mystère là-dessous.

Pour l'instant, le disciple comprit surtout qu'il avait gagné au troc. Finies les cuisines, la plonge et les casseroles. Il avait servi de monnaie d'échange, n'était donc pas rien. Façon de parler, il resterait éternellement Rien, petit Rien-tout-nu, tout-neuf, tout-fou, mais devenu soudain marchandise de contrebande, c'était clair, fallait pas le prendre pour un naïf qui n'avait jamais rien vu. Il était donc une valeur ajoutée, il avait un prix, un poids? Sa tête fit trois petits tours et...

— Ça voudrait donc dire, Personne, qu'on est quelque chose comme des... otages?

Personne ne répondit pas, d'ailleurs répondre à Rien en ce moment était pure futilité, le petit ne

72

laissant dans son discours aucune plage pour le dialogue. Et la conversation se déroula à sens unique, c'est-à-dire faisant le tour de Rien. Il échafaudait dans son cerveau – dont la matière grise avait pris les couleurs arc-en-ciel de son imagination – un achalandage de projets accrochés les uns aux autres dans un fragile équilibre. Il se consolait d'être passé des cuisines au pont du navire où il jouissait d'une totale liberté, limitée seulement par la mer infinie, qui même infinie finissait toujours par accoster dans quelque port ou sur une île perdue. Quant à l'avenir, tous les rêves étaient permis, Rien et Personne réussiraient bien à se sauver, on n'était pas nés d'hier quand même. Quoique...

— En débarquant de ce rafiot, compte sur moi, maître, on dénichera un bateau de plaisance, un yacht, un paquebot, rien de trop beau pour les aventuriers qui ont entrepris leur premier tour du globe. La Terre n'est pas ronde pour rien. Ou si fait, elle est ronde justement pour permettre à Rien et à Personne d'en faire le tour, j'en fais serment. Solen-nel-le-ment.

Personne ouvrit la bouche pour lui répéter sa sentence préférée, mais s'abstint de rappeler à Rien de ne pas jurer.

Le maître finit pourtant par admettre que les serments de son disciple étaient nécessaires au héros parti de rien. Chacun de ses vœux l'ancrait plus profondément dans l'existence. Intarissable énergie d'être. Devant cette vie sans répit, en constante création, en état de veille même au plus creux du sommeil qui le bombardait de rêves et de songes prémonitoires, le maître s'épuisait. Mais il ne s'en réjouissait pas moins de constater que l'auteur des jours de ce Rien n'avait pas eu tort de lui laisser beaucoup de corde sur la nuque.

Pourvu qu'il n'ambitionne pas sur le pain bénit. Car justement il l'apercevait à l'instant même en plein troc avec des matelots en train de lui vendre des miches fraîchement sorties du four contre...

contre quoi? Personne se fit discret en disparaissant quasiment derrière sa propre image et s'approcha de l'attroupement autour de Rien qui sortait de ses poches des objets des plus hétéroclites. D'où venaient ces bricoles étalées sous les yeux des mousses et matelots intrigués? Il n'allait pas tarder à découvrir que rien n'est impossible à celui qui s'est frotté aux possibles durant une si longue éternité.

En l'examinant de près, pourtant, Personne allait bientôt découvrir que les créations de Rien n'avaient d'impossible que les apparences.

— Magie blanche!

Le mot, sorti si spontanément de la bouche de Personne, atteignit les oreilles de Rien comme une flèche. Le disciple se tourna vers son maître en le suppliant des yeux de ne pas le trahir. Précautions inutiles, Personne n'avait aucune intention d'empêcher son protégé de se servir de tous ses dons. Il contemplait, admiratif, ses tours de passe-passe et d'illusion et se demandait où ce petit Rien avait bien pu apprendre la prestidigitation. À aucun moment le maître ne l'avait initié à cette science. Encore un coup, Personne fut obligé d'admettre que le temps suspendu des limbes n'était pas du temps perdu pour tout le monde, que certains êtres à venir pouvaient bien l'employer à se bourrer de connaissances infuses qui, l'heure venue, s'épanouiraient telles des fleurs sauvages.

En attendant, nos deux compagnons purent se régaler de pain frais à l'écart des matelots qui s'accusaient mutuellement de vol et d'escroquerie, chacun ayant perdu un objet, une bricole, qu'il reconnaissait dans les mains d'un compère. Le sifflet de Pierre-bras-de-fer entre les lèvres de Jean-le-farouche, la blague à tabac de Jean dans la paume de Jacques-le-hardi, l'harmonica de Jacques…

Personne jugea qu'il était temps d'éloigner son disciple de la bagarre qui se préparait et de lui demander de rendre des comptes. Rendre à César...

— César ne fut-il pas le premier à s'emparer du bien d'autrui? Pas lui qui a conquis la Gaule et la Bretagne?

Le maître resta interloqué. D'abord de l'érudition précoce de son disciple, puis de l'usage quelque peu tordu qu'il en faisait. Il entendait le raisonnement bouillonner dans le jeune cerveau à peine dégrossi :

— Comment ça se fait que le conquérant romain qui envahit les terres de son voisin passe à l'histoire pour avoir arrondi son empire, et qu'un Rien-du-tout n'aurait pas le droit d'arrondir sa propre vie en...

— ... en dérobant le pain d'autrui?

— Pas dérobé, échangé contre... Un spectacle de magie ne vaut-il pas une miche de pain?

— Hum-hum!

Le maître comprit qu'il devrait ajuster ses principes pédagogiques à la taille de son élève dont le sens de l'éthique ne progressait pas au rythme de sa créativité. Il se dit que la vie se chargerait de le dresser. Elle s'en chargea plus vite que n'avait imaginé Personne. Car cette nuit-là, les deux furent arrachés au sommeil par une secousse des hamacs qui se cognaient à la paroi du navire et les jetait au fond de la cale.

Tit-Rien interrogea Personne qui le poussa sur le pont.

Le navire cantait dangereusement, échoué sur un récif.

Oh, oh!

Et l'enquête commença.

Qui était de quart à cette heure-là?

Nos héros assistent inquiets à l'interrogatoire silencieux du capitaine qui fourvoie du regard son second, qui toise le maître qui se tourne vers le quartier-maître, qui désigne le matelot, qui regarde le mousse, qui cherche à se glisser entre Rien et Personne, qui ne bougent pas. Tout l'équipage sait d'expérience qu'on ne perd rien pour attendre, qu'à la fin tous subiront le même sort à des degrés divers correspondant à leurs galons et à leur âge. Rien se dit que pour l'heure il ne risque pas grand-chose, étant le tout dernier et chargé de rien, et que son ami Personne saura sûrement se prévaloir de sa qualité de *Persona non grata*, c'est-à-dire arrivé de nulle part et ne représentant personne. De plus, pour un assoiffé d'aventures, Tit-Rien est servi. On va même pouvoir mettre pied à terre, le haut-fond au lever du soleil s'étant révélé un récif de corail, denrée précieuse s'il en est. Et le petit se frotte les mains :

— Enfin, y va se passer des choses !

Mais la première chose qu'il vit passer fut l'aileron d'un requin qui nageait en surface. Les avertissements de Personne furent superflus, le petit Rien avait d'ores et déjà décidé de rester à bord. De toute façon, la manœuvre de renflouage allait s'avérer plus ardue que ne l'avait imaginé un apprenti aventurier. Et il décida d'attendre la tournure des événements. Or les événements, comme le capitaine, tournaient en rond. La mer était au beau fixe, la vie au calme plat.

Qu'allait-il se passer ? Ils étaient tous les otages de la mer qui détenait tous les pouvoirs. Rien se rebiffa. La mer ? qui n'a même pas l'usage de raison ?

— Tu veux dire, Personne, que toi, moi, le capitaine maître après Dieu, tout un équipage de matelots expérimentés et aguerris, doués d'intelligence et de connaissances, nous v'là rendus...

— ... peu de chose face à Neptune et Zéphyr, divinités qui règnent sur la mer et les vents. Les éléments de la nature sont plus forts que nous, petit, quand ils se déchaînent ; et la raison est impuissante devant leur force tranquille quand ils décident de ne pas bouger.

— Mais, en attendant... qu'allons-nous devenir ? Espérer que la garce de mer veuille bien se grouiller et faire des vagues ?

— La traiter de garce n'est pas le meilleur moyen de l'amadouer.

— L'amadouer! C'est-à-dire que l'homme doué de raison, de cinq sens, plusse de sensibilité et d'imagination, serait réduit à se mettre à genoux devant de simples éléments composés de... de...

— ... d'hydrogène et d'oxygène.

— D'accord, de petites molécules d'hydrogène et d'oxygène, des atomes de moins que rien vont décider de la vie et de la mort de personnes comme nous!

— Décider de la vie, en effet, car sans oxygène...

Tit-Rien-tout-neuf en a soudain le vertige d'imaginer la vie qui naît là, au creux de cette masse informe de corpuscules dénués de raison mais capables pourtant de lui rendre ou de lui enlever son existence. Il lève les yeux sur le front de Personne et humblement :

— Demandons à la mer de se gonfler et de bouger. Elle est plus forte que nous.

— Elle le fera en son temps. En attendant, patience.

Petit-Rien-tout-nu sent son esprit frémir et son corps frissonner. Si seulement il pouvait imaginer une sortie honorable, une prouesse, pondre une idée géniale capable de séduire les dieux de la mer et du vent! Dans ses limbes obscurs, alors qu'il était moins que rien, n'avait-il pas, par son seul désir de vivre, attiré sur lui le regard de l'auteur de ses jours? Et maintenant, doué d'existence et de réalité, mûri par l'expérience, libre de toute attache... Oh-oh! libéré de ses liens avec son auteur, voilà le hic! Il ne pouvait faire appel à personne, à son créateur, à la mère qui l'avait mis au monde et qu'il avait joyeusement expédiée. Il devait se débrouiller seul désormais, c'est bien ce qu'il avait voulu. Personne le voyait s'enfoncer dans l'angoisse et était tenté de lui prêter main forte. Mais tendre la main à un Rien flottant sur une mer impassible équivalait à souffler sur un fétu dans l'espoir de faire bouger l'univers. Notre petit héros se mit à suivre la pensée de son maître qui sillonnait son front et se demandait où elle pourrait bien aboutir.

Un fétu en liberté qui s'envole oblige l'air à s'ouvrir pour lui laisser le passage, se dit-il, et ce faisant crée un léger vent d'abord imperceptible qui secoue légèrement un nuage qui dormait tranquillement qui en se réveillant effleure une feuille au sommet d'un arbre qui n'avait pas l'intention de bouger mais qui doit quand même se gratter l'écorce sous la chatouille. Tit-Rien rit à cette pensée. Car pour se gratter, l'arbre n'a d'autre choix que de remuer le bout d'une branche qui attire l'attention de ses voisines qui s'ennuient. Bientôt la forêt est en mouvement, en pleine activité de répondre aux chatouilles d'une petite brise de rien du tout et qui ne comptait pas mal faire. Mais le mal est fait. Ou le bien, si l'on préfère. Rien préfère en effet le bien. Veut surtout tirer les conséquences de la logique qui creuse le front de son maître et, selon sa bonne habitude, sauter des deux pieds dans la conclusion.

— Trouve-moi un fétu, maître, et le monde est à nous!

— Un fétu? Tu sais ce qu'est un fétu?

— Toi-même viens de l'inventer, un moins que rien sorti du cerveau de Personne. Mais ce brin de paille sous ton souffle est parti semer la pagaille partout, et finira par remuer ciel et terre, tu verras.

Maître Personne en resta abasourdi! Ainsi son disciple, par la seule force de son imagination, était en train de faire bouger l'univers.

Il arriva exactement ce dont rêvaient depuis des jours le capitaine du navire et son équipage : une marée haute qui souleva la coque de plusieurs brasses, la secoua, la dégagea légèrement. Pas assez, toutefois, pas encore. Et les matelots laissèrent s'éteindre le vent dans un ahhh! qui sonnait comme une élégie.

Il n'y a pas pire désolation qu'un espoir déçu, Tit-Rien le découvrait sur le visage de ses compagnons de voyage. Encore des jours à attendre la prochaine haute lame. Attendre, toujours attendre! Il interrogea son imagination, sonda ses reins et son cœur, se cogna le front, se gratta la nuque, rien. Mais de rien sortent toutes choses, avait-il entendu dire. Entendu, il ne se rappelle plus, mais il le savait, avait dû l'entendre dans son autre monde. Il fouilla les recoins de sa mémoire et découvrit une nouvelle sentence : On est assis sur sa propre fortune. Avait-il réellement entendu ça? l'avait-il inventé? La fortune... assis dessus... le récif, les bancs de coraux!

— Personne! Vite, tout le monde, matelots, mousses, pas de temps à perdre!

L'équipage se demande ce qui prend au petit nouveau de s'exciter comme ça. Ne comprend-il pas dans quel pétrin on a échoué? Justement il le comprend, on a échoué sur sa propre fortune, une forêt sous-marine de coraux. On dispose de temps, peut-être peu, dépêchons-nous, cette matière précieuse est leur propriété, ils en sont les découvreurs.

Une demi-douzaine de marins écartent les lèvres sur leurs rangées de dents longues et pointues. Ricanements. Grimaces. Haussements d'épaules. Petit à petit on s'interroge. Des coraux? C'en prendrait combien pour faire fortune? Une forêt de coraux rouges, d'une rare qualité. On se dévisage, se scrute. Le quartier-maître les voit fixer la mer et s'approche. Qu'est-ce que c'est? Un premier roule ses manches, un autre jette une sonde à l'eau puis bouscule son voisin qui lui obstrue la vue. Tit-Rien veut intervenir. Allons! poussez pas, y en a pour tout le monde. Non... jamais assez pour tout le monde, l'appétit vient en mangeant. Rien le constate au moment où il voit Jacques-le-hardi se jeter à la mer tout habillé et sans corde à la ceinture. Chacun retient son souffle jusqu'à la remontée du plongeur qui étale sur le pont de superbes fleurs de corail d'un rouge flamboyant. Et l'expédition s'organise. C'est-à-dire que du quartier-maître au dernier mousse, l'équipage saute à l'eau en masse et en même temps. Et c'est la ruée vers l'or. L'un après l'autre on remonte, poches et besaces pleines. Rien a perdu le contrôle. Son idée vole de ses propres ailes, gonfle les ambitions insatiables des désœuvrés d'un navire à la dérive, échoué sur un coffre au trésor.

Mais le corail n'est ni or ni pierre précieuse : pour tirer profit de l'aubaine, il faudrait extirper à la mer des montagnes de calcaire. Qu'à cela ne tienne, le trésor est inépuisable et on a tout le temps. Le temps que le capitaine et son lieutenant, qui n'ont pas dessoûlé depuis huit jours…

— Assurez-vous de remplir leurs cruches à mesure.

Le temps que le maître à bord ne les voie pas charger le navire au-delà de sa capacité.

Le quartier-maître veut sonder le fond et constate que la cale s'est déjà enfoncée de trois brasses. Les yeux se creusent dans tous les fronts. Comment délester le navire ? Les regards glissent sur les barils cordés comme du bois de chauffage.

— Corail contre pétrole.

C'est le dénommé Pierre-bras-de-fer qui défonce le premier tonneau à coup de hache. Et un ruisseau de mazout se répand à la mer. Tit-Rien voit alors rouler sur le pont dix tonneaux, vingt tonneaux, une centaine de tonneaux que poussent les matelots et les mousses vers Bras-de-fer qui s'acharne à les éventrer avec rage.

— Arrêtez ! arrêtez ! Vous allez tuer la mer et les poissons, crie notre puceau en sautant sur un baril. Et la planète ! qu'est-ce vous faites à la mer et à la terre de vos enfants !?

Le Bras-de-fer n'avait pas d'enfants, et surtout pas envie de laisser un Tit-Rien-pantoute lui barrer la voie de la fortune. Et d'un coup de talon dans le ventre du lutin :

— Dégage, la puce ! On va la faire dégueuler, ta putain de mer !

Ces paroles, pires qu'un pied dans la poitrine, s'étaient enfoncées dans le cœur de Rien et avaient réveillé dans sa chair un souvenir qu'il n'avait jamais cru porter. La mémoire vieille comme la sortie du paradis terrestre de... de quoi? Il n'aurait pas su dire, mais la sentait bouillonner dans ses veines, bourdonner dans son cerveau... Caïn et Abel?

Le Caïn en lui lève les yeux et fixe dans les haubans le poids suspendu à un câble juste au-dessus de la tête de Bras-de-fer.

Personne arriverait-il à temps? Avait-il deviné les pensées meurtrières de son disciple? Il s'avança en enjambant les cordages emmêlés, puis envoya rouler une demi-douzaine de barils entre les jambes des matelots en train de défoncer à coups de pioches les réservoirs de pétrole. Tit-Rien avait eu juste le temps de sauter sur les épaules d'un vieux marinier qui arrivait en même temps que Personne dans la mêlée. Et c'est ainsi juché que notre jeune héros put suivre la suite du déboulement des événements. Plus rien n'avait de sens, tout se chamboulait, se mêlait dans sa tête, plus loin que sa tête, au creux de son inconscience où gisait la masse informe d'un remords... Caïn ou Abel? Lequel des deux l'avait précédé dans ses limbes? Il était le fils de qui?

La conversation qui suivit entre Rien et Personne pouvait se passer de mots. Leurs yeux parlaient assez fort pour que le petit comprenne tout l'enjeu de son geste, geste avorté mais non moins inscrit dans son inconscient.

Il s'apprêtait à devenir assassin?

Tuer celui qui tue.

Qui tue quoi et qui?

La nature, la planète, la mer et ses poissons, le plantain sous-marin pour des générations à venir. Empêcher le tueur de tuer la vie.

Mais la vie de la victime et de sa descendance?

Ce bourreau n'avait pas d'enfants.

Fallait-il tuer les bourreaux?

Ne fallait-il pas défendre la vie?

Tuer la vie n'est pas la défendre. L'engrenage, une fois parti, n'a plus de fin.

Plus de fin... empêcher la roue de tourner... empêcher la vie de tuer le mal de tuer la vie de tuer... de tuer... de tuer... Il songea à ce Pierre-le-bras-de-fer qui comme tous les autres avait attendu dans les limbes des années-lumière que passe sa chance et qui, par la faute d'un Rien tel que lui, était passé à un cheveu d'y retourner. Et le petit Rien-du-tout veut écarter les lèvres pour remercier Personne de lui avoir fait éviter le pire, quand il aperçoit l'œil du maître qui glisse sur la surface de l'eau sillonnée d'ailerons.

— Les requins!

Comment avait-il pu les oublier, lui qui se prévalait en toutes circonstances de sa mémoire infaillible?

— Une douzaine d'hommes sont à l'eau, qu'il huche à son maître.

Rien s'apprête à partir à gauche, à droite, n'importe où, faut faire de quoi... Personne s'empare d'un câble et l'enroule autour de la ceinture de Rien, puis attache le petit au mât.

— On ne bouge pas, qu'il dit.

— Mais des marins et des mousses sont en mer, que répète désespéré Tit-Rien-tout-neuf qui gigote de ses quatre membres.

Personne ne l'entend pas. Il se saisit de l'autre bout du câble et sous les yeux effarouchés de son disciple disparaît dans l'océan. Il refait surface un peu plus loin, non pas du bord du récif, mais côté ouest, à la rencontre des requins. Son jeune compagnon veut crier, mais ça ne sert à rien, aucun son ne sort de sa gorge. L'équipage, qui le voit se débattre, n'a pas l'air de comprendre. Jusqu'au moment où un moussaillon inexpérimenté s'écarte de la masse des plongeurs et se laisse emporter par un courant traître et fort vers le soleil couchant. C'est alors que le vieux marinier resté sur le pont aperçoit le condamné qui se dirige tout droit dans la gueule du loup; d'instinct, il se saisit du câble enroulé à la taille du lutin et se met à tirer. Curieusement, le mousse revient, amarré au câble. Il ignore qui le lui a passé sous les aisselles, ne sait plus comment il s'est sorti de là et crache des seaux de saumure et des chapelets de jurons pour se montrer un homme.

L'un accroché à l'autre, les plongeurs remontent en toute hâte sur un navire encerclé de requins affamés. On se compte, il ne manque personne.

— Si fait, y manque Personne!

Non, surtout ne pas retourner là-bas, ne pas laisser de corde au désespoir, lui faut se détacher, sauver son ami, empêcher Personne de disparaître avant lui.

— Qu'est-ce qu'il fait, le petit, amarré là-haut?

— Il se débat comme un diable dans l'eau bénite.

— R'tenez le vaurien, y est en train de faire tanguer le vaisseau!

Et le vaisseau en effet tangue, roule de bâbord à tribord. Le capitaine, réveillé par le craquement de la coque, s'amène éméché sur le pont et cherche à reprendre les commandes. Qui a secoué Neptune? Que fait ce moussaillon là-haut?

— Descendez-moi ce vaurien du mât, qu'il jappe.

— Y est amarré à la vie à la mort.

— Quasiment soudé à son sort.

Et le capitaine attrape le bout du câble et tire. Rien ne bouge. Alors le lieutenant s'agrippe au capitaine, le quartier-maître au lieutenant, les matelots au quartier-maître, les mousses aux matelots. L'équipage au grand complet décide d'avoir raison de Rien amarré au mât et, dans un dernier effort collectif, fait rouler le navire et dégage la coque qu'une vague de suroît soulève et remet à flot.

Hourraaa!!!

On s'éloigne en toute hâte du récif que les plus entêtés chercheurs d'or, avant de retourner à leur poste, ont tout juste le temps de voir à regret disparaître.

Tit-Rien-tout-neuf avait-il compris qu'un vilain sort s'était jeté sur sa petite personne, mais que sa rage de le combattre avait eu raison du destin et que c'est lui, Rien, qui finalement avait gagné la bataille? Il n'avait pas eu le loisir de réfléchir sur son nouveau statut de héros malgré lui. Pourtant il avait sauvé le bateau sans même qu'un seul de ses compagnons d'infortune songe à l'en remercier, sans que jamais personne lui sache gré de... personne?... Si fait, Personne!

Personne apparut sur la proue, traînant son corps mutilé... il avait laissé la moitié d'un bras dans la gueule du Léviathan. En le reconnaissant, blessé mais vivant, Rien réussit, ne sait comment mais du premier coup, à dérouler le câble qui l'amarrait au mât. Et sautant aux pieds de son compagnon d'armes :

— Maître... maître...

— Vite, fais-moi un tourniquet.

Rien criait, appelait au secours, tournait comme une toupie.

— Un tourniquet, Tit-Rien, pour arrêter le sang.

Rien n'avait encore jamais vu le sang couler, ne savait pas par quel bout commencer.

— Au-dessus du coude... enroule ta chemise, serrée, et bloque l'artère.

Il arracha sa chemise en faisant sauter tous les boutons, l'enroula autour du bras, ferma les yeux et serra de toutes ses forces, des forces si faibles que l'artère résistait et faisait gicler le sang sur son visage. Sa bouche s'ouvrit, aspira tout l'air que lui soufflait le suroît, puis poussa un au secours si strident qu'il finirait bien par réveiller quelqu'un.

— QUELQU'UN!

... Quelqu'un, en effet, le même vieux loup de mer qui avait vu le mousse s'éloigner dans le courant dans la direction des requins, un marinier qui ne naviguait plus que par accoutumance et nostalgie.

— Tu as besoin de quelqu'un?

— Vite, aidez-moi à faire un tourniquet, il perd son sang.

— Je vois, il a même perdu la moitié d'un bras.

Et le marinier à la retraite trouva une hachette qui traînait entre les cordages...

— Nooon!

... ignora le hurlement de Rien, dégagea la lame tranchante, se saisit du manche et fit au bras de Personne un tourniquet qui sitôt arrêta le sang.

Tit-Rien-tout-vif respira, vida ses poumons de son dernier filet de souffle, puis éclata en larmes. Alors Personne s'accorda vingt secondes d'évanouissement avant de reprendre ses sens et de remercier ses deux sauveurs.

— Vous êtes quelqu'un, soupira-t-il en décryptant la figure burinée du vieux loup de mer. Comment vous appelez-vous?

Le vieillard, qui semblait n'avoir entendu que le début de la phrase, répéta :

— Quelqu'un...

Plus tard, quand Rien et Personne descendirent la passerelle dans le premier port d'un nouveau continent, ils virent le loup de mer mettre ses pas dans les leurs. Les deux compagnons échangèrent un regard complice et ne soufflèrent mot. Quelqu'un désormais les suivrait dans leurs pérégrinations.

C'est ainsi qu'ils furent trois à se remémorer la suite des événements qui s'étaient déroulés à la vitesse des vents qui emportaient le navire vers le sud.

— Ça prenait Quelqu'un comme vous pour sauver la vie d'un homme qui avait sauvé la vie des autres... des ingrats qui ont vite fait d'oublier la menace des requins...

Quelqu'un se permit de corriger Tit-Rien :

— Point oublié les requins, que non!

Et il rappela aux deux autres les reproches des chercheurs de trésors à l'adresse de Personne qui dans sa coulée de sang avait attiré les affamés sur eux.

Personne leva son bon bras pour calmer un Rien fougueux qui ne pardonnait pas. Abandonner à son sort un mutilé, un blessé de guerre, un héros qui s'était sacrifié pour eux!... Le manchot dut cette fois se servir de son moignon pour empêcher le petit de retourner sur ses pas, seul contre tous, et... Personne sortit de sa besace intérieure une autre de ses maximes de vieux sage : Pas pire conseiller que le goût de la vengeance.

Et Rien vit se dérouler dans sa mémoire la fin du film de son voyage initiatique en mer.


Ni le capitaine ni son équipage ne s'étaient préoccupés du sort de Personne remonté sur le pont, amputé d'un bras. L'avaient-ils seulement vu? Peut-être pas, il semblait à Rien qu'ils auraient hésité, le temps de faire accroire tout au moins qu'ils étaient... Tit-Rien se ressaisit, s'attrape la tête, il entend radoter sa propre mémoire, reconnaît les premiers mots encore informes et pourtant signifiants sortis de son être en devenir, il se souvient... *Vous êtes passés tout droit. Je vous ai vus, tous les deux, serrés l'un contre l'autre, souriants, presque heureux, un brin inquiets...* Avait-il enfin pardonné? Pouvait-il oublier? Son angoisse de ne jamais exister était revenue le hanter au moment où il avait craint pour la vie de Personne, son maître. Comment pardonner aux insensibles forbans qui laissaient un homme mourir au bout de son sang sur un pont de navire à la dérive? L'avaient-ils seulement vu? Il ruminait la question.

Soudain il se cogna le front en écarquillant les yeux :

— *Persona non grata.*

Lui-même l'avait ainsi défini en voulant le soustraire à la malveillance du capitaine. Son compagnon arrivait de nulle part et ne représentait personne. L'équipage ne l'avait pas vu! tout simplement pas reconnu!

Et voilà comment Personne avait su les soustraire tous deux à leurs geôliers au premier arrêt du navire de contrebande dans un port clandestin. Rien l'avait aperçu qui étirait sa personne en hauteur jusqu'à la réduire à son profil. Puis dans un filet de voix l'appeler à le suivre. Comment le capitaine et son équipage avaient-ils pu, les yeux ouverts, laisser Personne et Rien, leurs otages, descendre tranquillement la passerelle?

— Parce que nous sommes Rien et Personne, voilà pourquoi! qu'il s'exclama enfin en clignant de l'œil du bord de son Destin qui n'aurait pas trouvé ça tout seul.

Quant au vieux marinier, un quelconque sans importance et sans intérêt, on l'avait vu, besace sur le dos, s'en aller crever dans un trou perdu. Les contrebandiers de pétrole n'avaient aucun scrupule à délester leur navire de bouches inutiles et laissèrent s'éloigner un vieux loup qui les avait précédés sur toutes les mers du monde et sauvés plus d'une fois du désastre.

— Ce quelqu'un-là peut plus servir à rien ni à personne.

S'ils avaient su!

# 7

Rien, Personne et Quelqu'un prirent la route de leur nouveau pays d'accueil qu'aucun des trois ne connaissait. Même pas le vieux marinier qui avait pourtant fait plus d'une fois le tour du globe.

— La surface du globe a deux fois plusse d'eau que de terre, qu'il répondit à Tit-Rien-l'œil-à-pic.

Mais l'œil de Rien se mit à clignoter :

— Il te fallait bien mettre pied à terre de temps en temps. J'ai entendu dire que les marins s'ennuient pas dans les ports.

Et dans une pirouette :

— *A girl in every port.*

Ses compagnons furent aussi surpris l'un que l'autre : Quelqu'un de l'entendre parler des mœurs des matelots, Personne, de l'entendre en parler dans une langue étrangère. Le lutin fut le seul à ne pas s'étonner. Il voyait le fil ténu qui liait la vie réelle au néant chargé d'ombres et d'échos et se disait qu'avec un peu d'effort, il aurait pu savoir autant de choses que le monde en avait vécu, gardé en réserve, vaste réserve inconsciente. Pour tout connaître, il lui eût suffi de suivre le fil de sa mémoire jusqu'à ses racines.

Les deux autres se taisaient, laissant couler à flots le monologue intérieur du héros qui cherchait à remonter à la source de son subconscient.

Personne fut le premier à briser le silence. Fait rare, et Tit-Rien en resta la bouche de travers. Pour une fois, un autre que lui sentait l'aiguillon de la curiosité. Ce maître qui entourait sa propre vie de tant de discrétion était donc rendu à fouiller le passé de Quelqu'un?

— Un marin au long cours n'a pas dû commencer son apprentissage sur un pétrolier de contrebande.

— Jamais eu d'apprentissage.

— Pas né en mer, tout de même!

— Quasiment. Petit crapaud ramassé entre des coquillages sur le sable d'une île perdue.

— De race ni noire ni blanche, vaguement brune, vaguement jaune.

— Vaguement tout ça, à votre service.

Non, on protesta. Le rescapé des îles inconnues ne serait au service de Personne ni de Rien, mais bel et bien un homme à part entière, citoyen de partout. C'est Tit-Rien-tout-nu qui cogna le plus fort pour enfoncer dans les faits le principe de l'égalité.

— Chances égales pour tous! qu'il martela des deux mains.

Personne hocha la tête de façon si ambiguë que Rien se demanda...

— ???

... mais ne reçut aucune réponse. Son maître montrait l'œil de celui qui semblait se méfier des principes. La vie se chargerait bien de jauger la loi du bien et du mal.

Alors Quelqu'un ramassa un bâton de coudrier au bord du fossé et sortit du sol une barque à l'allure d'arche de Noé. Ses origines remontaient loin dans le temps. Il n'en avait aucun souvenir mais s'était fait raconter. De chaloupe en barge en bac en patache en chaland en galiote en galion en péniche en dragueur en paquebot... Tit-Rien commençait à s'amuser à la narration du marinier qui s'était mis à tracer dans la poussière de la route tous les navires que la mer avait portés durant des siècles. Quelqu'un, depuis toujours, avait navigué.

Mais pour le compagnon qui aujourd'hui marchait à leurs côtés, son premier bateau...

— Avait la forme d'un ber, qu'il dit.

— Un berceau trop grand pour un bébé naissant.

— Mais bientôt trop petit pour un enfant qui allonge de tous ses membres comme des algues flottantes.

Et un jour il avait sauté par-dessus bord et échoué chez les moussaillons qui ciraient les bottes des quartiers-maîtres. Il avait pratiqué tous les métiers à bord, passé d'apprenti à mousse à matelot, fourbi les ponts des frégates, puis des navires marchands, des paquebots transatlantiques, pour finir dans la mer de Chine sur un baleinier.

— À fourbir le dos des cachalots?

— Ris point, tit-gars, ç'avait rien de drôle.

Les joues de Rien figèrent. La suite en effet le plongea dans une angoisse pire que sa nausée devant les oiseaux de mer englués dans le mazout. D'une voix étrange qui semblait monter des grands fonds, le vieux imita le chant des baleines les nuits qui précédaient leur massacre. Les mères appelaient les petits, les rassemblaient en cercle, organisaient la défense, mais les créatures douées de l'intelligence intuitive la plus raffinée n'avaient aucune chance devant les pièges sortis du cerveau des plus grossiers chasseurs de baleines. Les deux compagnons se turent pour laisser passer la boule de coton ouateux qui leur obstruait la gorge.

Puis Personne ramena Quelqu'un à son récit, son aboutissement sur un bateau de contrebandiers qui charriait ses sacs de poudre blanche et ses tonneaux de pétrole frelaté.

— Point abouti, capturé.

Les deux autres furent ahuris à la pensée que la bande de joyeuses canailles dont ils avaient partagé la vie durant des mois étaient en réalité des pirates. Ils apprirent cependant que les corsaires des temps modernes portaient des noms plus sophistiqués : pègre des mers, trafiquants illicites et clandestins à la solde de compagnies fantômes. Personne restait perplexe :

— J'avais cru pourtant vous entendre dire que…

— … que j'étais un vieux marinier à la retraite qui naviguait par accoutumance et nostalgie. Exact. Point connu d'autres pays que les océans. Ça fait que le jour où c'est que mon temps était fait, que je pouvais plus servir à grand-chose, on avait le choix de me balancer par-dessus bord ou de me larguer dans la vie. Je connaissais rien à la vie et avais point encore le goût d'aller boire à la grand'tasse, ça fait que j'ai choisi de rester.

Sans tapage. Il s'était caché derrière son ombre, et petit à petit son ombre elle-même s'était fait oublier. Il avait fini mascotte du navire, en remplacement du dernier matou crevé au large des mers du Sud.

— Ça fait que… tel que vous me voyez…

Tit-Rien, pour se distraire de son émotion, s'efforça de relancer le conteur :

— Pour un qui servait plus à rien et connaissait pas la vie, vous saviez faire un tourniquet et sauver la vie d'un homme.

Et Personne :

— Pourrions-nous connaître les motifs qui vous ont amené à nous suivre ?

Quelqu'un allait répondre… mais se tut.

Et ses deux compagnons comprirent à la mystérieuse expression qui illumina son visage que l'octogénaire goûtait pour la première fois à un semblant de fraternité.

Ce soir-là, on se nourrit de figues et de raisins verts et dormit à la belle étoile.

Le lendemain était un jour tout neuf. Quand Tit-Rien sauta de son nid de feuilles et de brindilles, ses pieds perdirent l'équilibre, ses jambes n'étaient plus de la même taille. Hé ! Personne, Quelqu'un ! Le sol de ce pays n'est pas à niveau. Et il rejoignit les autres à cloche-pied. Mais quand son maître voulut lui mesurer les jambes :

— Te faudra réapprendre à marcher sur la terre ferme, lutin, c'est tout.

Rien que ça. Après sa traversée de la forêt et son parcours en haute mer, il lui faudrait apprivoiser les chemins de terre. Parcourir le globe par la grande route. Il ajusta la plante de ses pieds au dénivellement du sentier rocailleux, fit jouer ses caps de genoux, roula ses hanches sur son bassin pour épouser le rythme de la Terre qui tourne, et hop! les amis, la vie est par en avant.

Les compagnons ne se donnèrent pas la peine d'expliquer à Rien que l'avant de la vie se trouvait parfois derrière, parfois à tribord ou en dessous, que de toute façon, de quelque côté qu'on la prenne, on était en plein dedans.

— Ce qui veut dire, conclut Personne, qu'y a de la vie partout.

Tit-Rien le dévisagea de son air de jour du Jugement dernier :

— Comment se fait-il alors qu'on ne la sente réelle qu'aux moments les plus doux, plus denses, plus forts? Je me souviens bien plusse des temps forts que des heures creuses, qu'il enchaîna. J'ai complètement oublié par exemple les longues heures passées dans les cuisines du navire, les mains dans l'eau de vaisselle, écœurante, dégueulasse, abrutissante!

Et pour décrire le temps oublié, il enchaîna un chapelet d'injures gardées toutes fraîches en mémoire. Quelqu'un gloussa, Personne fit tut-tut! et Rien, en déchiffrant leur sourire, prit un virage à quatre-vingt-dix degrés. Il n'avait pas assez vécu pour avoir eu le temps de faire le dégoûté : longues et courtes, creuses et denses, toutes les heures qu'il se rappelait – et Rien ne pouvait rien oublier – lui apparaissaient riches et palpitantes.

— Tu te souviens, maître, de l'ogre qui voulait me vendre l'eau de son puits? Et de l'ours qui nous a laissés pour morts? Et du Fier-à-bras qui se préparait à m'assommer parce que je cherchais à défendre la mer et ses poissons?

Personne ne dit mot, se contentant de sourire à la mémoire... infaillible... de son disciple qui confondait Bras-de-fer et Fier-à-bras et allait même jusqu'à oublier qui avait voulu assommer l'autre dans sa lutte avec le bourreau de la mer. Non, le petit n'oubliait jamais rien, mais avait le don de transposer ses riens en des réalités à dimensions multiples.

Le maître n'avait pas achevé sa réflexion que son disciple se chargea d'ajouter lui-même de l'eau à son moulin.

— Personne, est-ce que tu constates comme moi l'anomalie de ce nouveau monde?

— Anomalie?

— Rien n'est en proportion. L'herbe de ce pays est de la broussaille, la brousse une forêt, les arbres touchent le ciel. La nature ici n'est pas naturelle.

Personne se permit de rectifier :

— Seul l'artiste reproduit artificiellement la nature. Ce que tu vois là est du plus grandiose naturel.

— Mais où sommes-nous exactement?

C'est Quelqu'un qui le premier retrouva la mémoire. Plusieurs fois il avait contourné ce continent sans y mettre les pieds. Il fallait que ce soit la terre du Brésil.

Personne acquiesça sans poser de question. Alors que Rien posa toutes les questions sans acquiescer à aucune des réponses. C'était dans sa nature d'ailleurs de confondre réponses et questions. Pour lui, la virgule était suivie d'un point-virgule suivi d'un point d'orgue qui devait déboucher invariablement sur un point d'interrogation.

— Pourquoi serions-nous au Brésil alors que cette terre est au sud de l'Amérique du Nord et qu'elle doit, ça va de soi, s'appeler Amérique du Sud?

Personne prit la relève du pauvre marin qui n'avait pas l'habitude des impromptus de Rien :

— Parce que le Brésil se trouve justement en Amérique du Sud qui est un continent composé de plusieurs pays dont celui-ci, le plus grand et le seul de langue portugaise.

De réponse en question en réponse, Tit-Rien finit par apprendre en long et en large la différence entre le portugais et l'espagnol, entre le Brésil, l'Argentine, la Colombie, le Chili, le Pérou... Le mot Pérou chatouilla ses souvenirs. L'Eldorado, pays de l'or et de l'abondance.

— Le Pérou! Pas de temps à perdre, allons-y!

Et il se redressa, tourna sur lui-même, prêt à prendre d'assaut les quatre points cardinaux en même temps.

Il s'écoula des semaines, des mois, avant que nos compagnons ne rencontrent le premier humain. Rien avait cru faire connaissance avec tous les animaux sauvages de la planète, des fauves carnivores, herbivores, omnivores, carnassiers ou ruminants, terrestres, volants, aquatiques ou amphibiens, féroces ou sournois comme le jaguar et le puma, la tarentule, la veuve noire; ou pacifiques comme le tapir, le lama et la chèvre de montagne. Et petit à petit, protégé par la sagesse de maître Personne et les connaissances pratiques d'un Quelqu'un à-tout-faire, Tit-Rien commençait à trouver la vie d'explorateur passionnante. Et c'est lui qui, découvrant un embranchement de l'Amazone, proposa à ses aînés de se joindre à une expédition en Amazonie.

— Tu sais que ce fleuve est l'un des plus longs du monde, que lui fit remarquer son maître.

— Et alors? Tant qu'à voir du pays... on est pas du genre à rien faire à moitié.

— C'est parce que je me figurais que pour un certain temps un certain Rien se sentait rassasié de naviguer.

— Mais voguer sur des eaux intérieures, ce n'est pas naviguer, dit-il avec l'aplomb de qui s'y connaît.

Le vieux marin se contenta de grincher.

Le lendemain, c'est ce Quelqu'un qui approcha Personne en conversation tacite avec un superbe perroquet et lui proposa ses services. Si l'on voulait remonter l'Amazone, il saurait négocier. Il connaissait le genre de capitaine à bord des bateaux fluviaux. Les deux hommes étaient en train de discuter des avantages, peser les risques, chercher les moyens d'entreprendre cette nouvelle aventure, quand ils furent bousculés par un tourbillon de Rien qui entrait dans le débat par la porte de sortie.

— Marché conclu. On peut s'embarquer illico... c'est-à-dire dès aujourd'hui.

Tiens! pas seulement entreprenant, mais fort en gueule, s'avoua son maître à penser. Ce petit ne cesserait jamais de le surprendre.

— Mais comment as-tu réussi à te faire comprendre? fut sa première question.

Tit-Rien voulut répondre, mais sa mâchoire se coinça. Il ne savait pas. Faut croire que l'autre entendait le français, ou que lui-même avait parlé portugais, peut-être espagnol, il ne distinguait pas très bien une langue de l'autre, illico, qu'il répéta, on pouvait partir illico.

— Et comment t'es-tu présenté? t'es-tu nommé?

— *Nada, el señor Nada de Todo.*

Le lendemain, on s'engagerait sur le long fleuve en partance vers l'Amazonie.


Les arbres grandissaient de jour en jour. Rien eut peur d'être englouti. La jungle pouvait se révéler plus dévoreuse que l'océan. En voulant chercher du réconfort du côté du vieux loup de mer qui avait tant de fois fait le tour du monde, il vit son visage décomposé. Quelqu'un venait d'apercevoir les milliers de petits poissons à grande gueule qui nageaient autour de leur embarcation. Rien se pencha par-dessus bord pour essayer de comprendre comment de si petites créatures pouvaient effrayer Quelqu'un; et se tournant vers le vieil endurci pour lui rire à la figure, il se sentit attrapé par la taille et garroché sans ménagement au fond du bateau.

... Mais qu'est-ce qu'il lui prenait, au vieux toqué, de se formaliser pour si peu! Rien n'avait voulu que se divertir, ne pouvait imaginer que Quelqu'un, un marinier par surcroît, eût peur de si menus poissons...

— Allons, mon vieux, laisse-moi aller à la rencontre de créatures plus petites que moi et leur dire enfin...

— Les piranhas... bafouilla le vieux dans un souffle.

Et, soulevant Tit-Rien-tout-nu, lui fit comprendre que ces minuscules bêtes en apparence inoffensives pouvaient en quelques secondes le dépouiller de son enveloppe jusqu'aux os. Des milliers de bouches voraces de petits poissons de rien viendraient à bout d'un bœuf de mille fois la taille de chacun d'eux. Alors imaginez ce qu'ils feraient d'un lutin tel que lui... Tit-Rien se boucha les oreilles pour ne pas entendre la suite... les piranhas qui, avant même que notre héros ne puisse dire adieu à Personne ou Quelqu'un, seraient capables de le retourner à ses origines.

— Illico, conclut le vieux pour s'assurer que son écervelé de compagnon se le tînt pour dit.

L'illico était de trop, Rien avait compris. Et le souvenir du néant le hanta toute la nuit qui suivit sa première rencontre avec le danger sournois de l'infiniment petit.

Mais rendu au matin, il avait retrouvé courage et entrain en songeant à la puissance qui se cachait sous des apparences de rien. Quand enfin le glisseur frôla la rive, le héros planta son œil à pic sur la cime d'un des plus gros arbres de la forêt tropicale, gonfla les poumons et cria au noyer dit boulet de canon :

— Un simple Tit-Rien-du-tout-tout-neuf-et-tout-nu te salue, roi de la jungle, et t'invite à en faire autant si tu en es capable!

Puis il ricana et, assis sur la proue, fit semblant d'attendre la réponse du géant sauvage et muet.

— Tit-Rien-du-tout-tout-neuf-et-tout-nu! Tit-Rien-du-tout-tout-neuf-et-tout-nu! Salut! Salut! Salut!

Rien pâlit. Figea. Puis se mit à tourner la tête à droite, à gauche, à droite, cherchant l'écho. Pas d'écho. Mais du faîte des branches, des dizaines de perroquets bleus au ventre jaune et à la figure blanche, le bec crochu et l'œil arrogant, lui renvoyaient la réponse de la jungle. Puis il entendit rire. Non, quand même, les perroquets parlent, mais ne rient point. Ça, il l'avait entendu dire toute sa vie.

— En effet, hi-hi! le rire est le propre de l'homme.

— Maître!

Et Tit-Rien voulut se jeter aux pieds de Personne qui coupa sa révérence avant qu'elle ne lui atteigne la cheville.

— La forêt est bavarde ce matin, c'est bon signe.


Quelqu'un fut le premier à retomber dans le quotidien après le cri de Tit-Rien.

— Vous avez vu ça!?

— Quoi? On ne voit rien.

— Rien justement. Depuis des jours qu'on jonche la forêt qui n'est plus rien, on abat tous les arbres.

En effet. La pire boucherie, le plus grand abattoir de la nature. Les scies mécaniques rasaient la plus belle forêt du monde, ça n'était pas possible. Le maître cette fois ne chercha pas à calmer son disciple : la cupidité poussait l'homme à détruire, abattre, déraciner les arbres cinq fois centenaires, réduire à néant les poumons de la planète.

— Faut arrêter ça! hurla Tit-Rien-tout-nu, dont le haro n'atteignit pas la souche la plus proche abandonnée sur la rive dénudée.

Personne eut du mal à consoler son protégé en furie devant les ingrats aveugles et idiots qui semblaient oublier d'où venait le monde, d'où chacun d'eux était sorti, du privilège d'être élu, entre des milliards de milliards, de la chance unique de chacun d'avoir été appelé à sauter des deux pieds dans l'existence.

— Et ça, qu'il affirma en connaissance de cause, ça n'est pas accordé à tous et ne devrait pas l'être à des imbéciles cupides et insouciants qui ne le méritent pas.

Ce soir-là, le maître eut une longue discussion avec le disciple sur le droit de chaque être à sa propre existence.

— Même ceux qui brûlent, saccagent, massacrent, détruisent?

Et disant ça, il tue du plat de la main le moustique qui vient de le piquer.

Tard dans la nuit, Personne élabora pour Rien la thèse de la nécessité de toutes choses. Des volcans qui éventrent la terre pour donner naissance à des chaînes de montagnes; des éruptions sous-marines qui créent les îles; des feux de brousse qui rajeunissent la forêt; des inondations, éboulis, tsunamis, chocs des plaques tectoniques qui redessinent la géographie des continents; de la douleur qui révèle la présence sournoise de la maladie…

— Des guerres, des génocides?

Le maître esquiva les yeux de son disciple et soupira. Un jour peut-être comprendraient-ils, l'un et l'autre. Et il conclut avant d'envoyer Rien chercher des bribes de réponses au royaume des rêves :

— Tout doit avoir du sens… mais le monde est encore trop jeune pour l'avoir trouvé.

Le lendemain, on accostait au port d'Iquitos, capitale de l'Amazonie.

— C'est le Pérou?

— C'est le Pérou.

Et Tit-Rien se tapa dans les mains qui ramassaient déjà l'or des Incas à la pelle. Mais quand le maître ouvrit la bouche pour lui dire que le Pérou... le vieux marinier acheva la phrase :

— ... c'est plus le Pérou.

Les trois compagnons remercièrent leurs hôtes et voulurent mettre pied à terre. Ils endossèrent leurs baluchons, s'approchèrent de la passerelle, saluèrent à droite et à gauche, mais... C'est alors que Personne découvrit le marché conclu entre le capitaine et Tit-Rien-tout-nu.

— Tu t'es engagé à quoi?

— À payer à la sortie.

— Payer comment?

— En lingots d'or.

Quelqu'un et Personne échangèrent des regards inquiets. Tit-Rien-de-rien, jugeant qu'il leur devait des explications, prit une profonde respiration, tourna autour du pot, autour du mât où se tenait impassible le capitaine, autour de lui-même qui tournait dix fois sa langue autour du palais avant d'articuler le mot magique : le Pérou. Il avait bien calculé son affaire et réussi à vendre son rêve au capitaine qui découvrait soudain que les trois mystérieux passagers ne possédaient dans les faits que l'or des Incas que les conquistadors n'avaient pas fini d'arracher à la terre d'Amérique. Et Personne comprit que les trois voyageurs qui n'avaient ni sou ni maille cette fois auraient maille à partir avec le maître à bord... à moins de se faire assez petits pour passer à travers les mailles du filet. Le sage s'arrêta pour constater qu'il était entré dans le jeu de Rien, le jeu de mots qui mène au mot de la fin : les petits poissons passent à travers les mailles du filet. Personne n'était rien, passe encore, Rien n'était personne, encore mieux... mais Quelqu'un était d'une carrure que tout filet bloquerait, rien à faire.

Si fait, Rien a trouvé à faire le geste que seul un rien pouvait inventer : rien faire.

— Comment?

— On fait rien. On s'arrête.

Personne pinça les lèvres, les narines, abaissa les sourcils :

— Jamais je ne peux imaginer que tu suggères un retour dans le néant.

Rien frissonna.

— Pas un retour, un arrêt, maître. Sûrement qu'un sage et savant entend la différence.

Le savant entendait mais n'osait en croire ses oreilles. S'arrêter, cesser d'avancer, c'était disparaître, perdre un temps précieux, laisser le temps filer, la vie couler sans eux.

— Le temps mort ne se rattrape plus, qu'il finit par dire à un Rien-tout-cru. Rien ne se perd, personne n'échappe au pire, pour devenir quelqu'un, il nous faudra affronter le meilleur et le...

— Maître!!

Le pire était là, l'anaconda vert, l'anguille électrique, le serpent d'eau meurtrier qui s'était mystérieusement glissé sous la passerelle que se préparaient à emprunter les passagers en liesse. Les yeux de Tit-Rien l'avaient vu et sa mémoire inconsciente l'avait reconnu.

— Personne... Quelqu'un...

Quelqu'un à son tour l'aperçut, le plus dangereux des reptiles. Personne courut prévenir le capitaine qui figea. Rien sauta sur les épaules du vieux marinier et commença à lui siffler à l'oreille des mots étranges venus des temps immémoriaux que Quelqu'un traduisait dans des gestes précis et sûrs. Il avança à pas imperceptibles, à reculons, se saisit d'une fouëne, écarta la foule intriguée, puis l'ancien chasseur de baleines atteignit la tête du serpent à l'instant où le monstre enlaçait la rampe. L'eau fit un tel bouillon que les lames de l'Amazone déferlèrent sur la rive en écume épaisse et jaune. Quelqu'un, avec le concours de Rien et de Personne, avait sauvé de la mort le malheureux qui le premier eût mis le pied sur la passerelle.

En débarquant à Iquitos, sous les acclamations de la foule et les remerciements du capitaine qui remplit leurs besaces de fruits et de viandes fumées, les compagnons se firent humbles et reconnaissants.

# 8

Durant des semaines, le maître et le vieux loup de mer durent composer avec l'humeur de Rien qui ne cessait de répéter :

— C'est ça le Pérou? c'est ça le Pérou?

Qu'attendait-il d'un pays qui avait connu des guérillas, des tremblements de terre, des inégalités économiques et sociales, la disparition d'une antique civilisation qui en des temps révolus avait rivalisé avec l'Égypte ancienne? Il attendait précisément ce Pérou-là, rival de l'Égypte des pyramides. Où était passé l'or qui remplissait les cales des galions espagnols?

— Passé en Espagne, trois siècles plus tôt.

Et Tit-Rien-tout-neuf dut reconnaître qu'il avait trois siècles à rattraper. Entre-temps, il pouvait se rabattre sur la splendeur de la plus grande forêt du monde, avant qu'elle ne tombe sous la cupidité des nouveaux chasseurs d'or. Les arbres, les fleurs, les oiseaux et papillons aux couleurs multiples, les animaux de toutes tailles et aux formes les plus cocasses, les singes grimaçants, les perroquets loquaces, Rien n'en finissait plus de converser avec une nature si abondante et variée qu'elle avait dû épuiser l'imagination du Créateur qui après six jours avait bien mérité le repos du septième.

— Quoique moi, qu'il risqua sans une once de modestie, je me serais pas donné tant de peine pour inventer le scorpion, les piranhas ou le serpent d'eau. Et entre nous, vous pensez pas qu'un singe parlant serait plus rigolo qu'un radoteux de perroquet bariolé jaune et vert?

L'un de ces radoteux, du haut d'un manguier géant, lui répondit d'une voix rauque :

— T'as qu'à ouère, asteur, t'as qu'à ouère!

Tit-Rien eut le vague souvenir d'avoir déjà entendu cette langue quelque part. Et pour le tester :

— Va dire ça à ta mère, qu'il lui hucha.

Mais le perroquet le nargua dans un silence ricaneur. Alors, pour ne pas perdre la face, Rien gueula :

— Va le dire à la première femme qui a tout déclenché, la maudite, et nous a fait perdre le paradis. Elle nous paiera ça.

Personne ne dit mot, mais toisa son disciple avec l'air de lui dire d'attendre au moins la fin de sa puberté avant de porter ce genre de regard sur la femme. Tit-Rien-tout-frais ne saisit pas l'œil du maître et continua de pérorer sur cette moitié inférieure et inutile de l'humanité dont le monde aurait pu se passer si le Créateur avait eu l'idée de l'androgynie. Prenez Rien, par exemple, il était bien sorti d'un auteur unique.

— Femme, ajouta maître Personne pour clouer le bec au jeune fanfaron.

— Ouais... Mais ç'aurait pu être un mâle, pourquoi pas? qui eût été perdant?

Quelqu'un s'assit sur une souche en s'épongeant d'une palme de bananier. Rien et Personne comprirent que le vieux avait besoin de reposer ses jambes de marinier au long cours. Mais ils se trompèrent, plus que les muscles de ses mollets, le vieil homme désirait alléger son cœur. Lentement Quelqu'un se mit à parler, d'abord pour lui-même, puis petit à petit pour Rien et Personne qui s'allongèrent au pied de la souche.

Une mère. Jamais connue. Pourtant fallut bien qu'une femme l'eût porté, neuf mois comme de raison, donc neuf mois de sollicitude, veut, veut pas, pour son enfant qu'elle allait abandonner... pourquoi? il ne saurait jamais... mille réponses s'étaient présentées à son esprit tout au long de ses quatre-vingts ans, plusieurs plausibles, aucune satisfaisante. Morte en couches? La plus acceptable, mourir n'est pas un acte répréhensible, mais ça lui coupait toutes les voies de l'espoir. Aucun rêve possible de retrouver des frères et sœurs, des ancêtres, une lignée, un nom. Quelqu'un, N'importe qui, un Quidam, tous ces noms lui convenaient. Et puis après!... tant pis! Qu'est-ce qu'un nom? Il eût préféré une figure, un visage capable de lui rendre sa propre image, une tendresse, des gestes qui se fussent adressés à lui seul, enfant perdu sur une île déserte. Mais il n'avait pas encore eu le temps d'orienter sa bouche avide et minuscule vers l'odeur du lait maternel qu'il goûtait déjà au lait de chèvre sauvage, au lait de coco, sa petite tête enfouie au creux du bras d'une vieille guenon, mascotte d'un navire égaré sur les mers du Sud. Première empreinte de tendresse au fond d'un cœur qui apprenait à battre en mesure. L'oreille collée au cœur de la femelle, il mesurait ses battements, pom-pom, pom-pom, ajustait son souffle à la respiration de l'animal qui glissait des yeux langoureux dans les siens.

Personne ni Rien ne bougeaient. Le silence qui se prolongea souda les trois compagnons en une étrange symbiose. Aucun ne pouvait transmettre à l'autre des souvenirs de tendresse maternelle, le goût du sein, le geste de mordre la tétine qui lie à jamais l'être nouveau à sa lignée qui remonte au premier... au premier...

Soudain Tit-Rien se redresse, regarde de haut les deux accroupis et laisse éclater ses joues :

— Le premier! N'était-ce pas le dernier singe avant le premier homme? Donc Quelqu'un a rejoint son lignage, l'enfant perdu fut le premier à trouver le maillon qui manquait. Nourri au lait de coco, élevé dans les bras d'une guenon, l'enfant abandonné est l'enfant premier! Quelqu'un est roi!

Rien est déjà grimpé dans le cocotier le plus proche, criant à la forêt primitive de venir saluer son prince. Et un vieux Quelqu'un ébaubi, ému, écoute le silence de la jungle qu'il croit reconnaître. Dix secondes de pause, puis les pinsons se remettent à chanter, les perroquets à jacasser, les serpents à siffler, les lézards à paresser au soleil et les singes à singer tous les autres. La vie reprend pour répondre à Quelqu'un qu'il est bel et bien vivant après quelques millions d'années, que sa mère disparue a eu le temps de le passer de branche en branche, de bras en bras...

— Jusqu'à nous! s'exclame un Tit-Rien-tout-chaud en sautant dans le bras unique de son maître.

Le voyage peut reprendre, la vie continuer, la route est longue avant d'atteindre le prochain tournant.

Pas si longue, ils n'avaient pas franchi trois boisés, une palmeraie, une bananeraie, traversé deux ruisseaux et un étang tacheté de nénuphars, qu'ils débouchèrent sur un semblant de village, une dizaine de huttes en paille groupées autour d'une fontaine. Et au bord de la fontaine...

Tit-Rien-tout-nu frissonne, frémit, fige : une longue chevelure noire coule jusqu'à la taille puis déferle sur des hanches arrondies. ELLE se penche au-dessus de l'eau sans se retourner, sans voir approcher Personne ou Quelqu'un, à peine semble-t-elle avoir senti le regard de Rien lui caresser le cou. Doucement elle remonte une carafe à demi remplie, la serre contre sa poitrine et lève la tête. Des boucles abondantes et folles encerclent un visage clair de lune percé d'yeux de jais. Tit-Rien retient des deux poumons son souffle saccadé, l'empêche de brouiller l'air du temps qui s'est arrêté. Ses jambes sont entrées sous terre de plusieurs centimètres, il ne peut plus bouger. C'est ELLE qui vient à sa rencontre, s'approche, le frôle de son parfum d'épices et de fruits sauvages, puis ses prunelles un instant chatouillent les joues et la bouche de Rien, puis elle pose la carafe sur son épaule et reprend le sentier qui mène à sa case.

Quand ses compagnons le rejoignent, le héros n'est plus rien, plus rien du tout. Ils ont beau essayer de le sourlinguer, il ne veut rien entendre, reste prostré au cœur du village, sous les yeux attendris des deux autres qui attendent qu'il retrouve sa respiration. Mais ce sont les multiples regards intrigués et légèrement bridés sortis de la jungle qui arrachent Rien à sa torpeur et le ramènent au ras du sol. Des douzaines d'habitants grouillant entre les palmiers, hommes, femmes et enfants, figent devant ce personnage étrange venu de rien. Et le personnage, en proie à un trouble non moins étrange, cherche à cerner cette émotion venue de nulle part qui a chaviré son être, lui a tordu les boyaux, puis s'est infiltré dans son cœur, sa poitrine, ses papilles et jusqu'aux lobes les plus sensibles de son cerveau.

Le reste du jour, ses deux compagnons le regardèrent tituber, s'accrocher les pieds dans la mousse et les fleurs du sous-bois, murmurer en mode mineur des mots d'une seule syllabe et sans consonnes. Jusqu'au soir où un croissant de lune le happa par la ganse de sa culotte et le souleva jusqu'aux plus proches étoiles pour l'amener faire un tour de cosmos. Rendu au matin, il avait digéré sa première cuite, achevé de cuver son premier chagrin d'amour. Il cargua les épaules pour montrer qu'on ne l'y prendrait plus et qu'il n'avait peur de rien, se passa la main sur le menton pour sentir les trois poils qui avaient poussé durant la nuit et enfonça sa glotte au plus creux de sa gorge pour donner à sa voix la gravité qui correspondait à son nouveau personnage : un Rien-flambant-neuf qui cria aux deux autres :

— Le ciel est haut, le monde est vaste, le temps vient juste de commencer et le siècle est au plus beau. Partons en quête de l'infinie beauté.

Maître personne et le vieux loup de mer, du creux des yeux, s'échangèrent des pensées folâtres et laissèrent le temps prendre en charge leur imprévisible petit Rien. Qui ne s'en sentait que mieux. Tout le jour il courait les papillons, cueillait les fleurs exotiques, mordait, à ses risques et périls, dans les fruits rares ou inconnus. Et la nuit durant, il en rêvait. Plus d'une fois son ventre se tordit sous les coliques, mais toujours son corps s'en sortait ragaillardi. Comme si le mal n'avait aucune prise sur un cœur et une tête gonflés à bloc.

— Vous avez vu les branches? Jamais elles n'ont été si longues, ni les arbres si hauts. Et la fougère, géante! Et regardez-moi ces fleurs qui s'inventent des couleurs et des pétales et des parfums chaque jour que le bon Dieu amène, jamais le monde n'en connaîtra plus fleurs que ça. Et la brise, et les rayons de soleil... et les... et les...

Il manquait de mots, ne savait plus décrire la beauté du beau, plus belle que la beauté. Il s'enfargeait la langue dans la luette, brisait les sons sur le brise-lames de sa glotte, s'engottait dans sa propre euphorie. Et faute du vrai mot que ses lèvres refusaient de formuler, il se mit à chanter la vie, à défier la nature, à s'extasier devant la beauté éternelle et infinie. Ses pieds retrouvèrent le rythme de son premier jour où, du faîte d'une pile d'écorces de pins, il s'était mis à danser sa joie d'être au monde. Tam-di-dam, tam-di-dam...

Un quart de vie plus tard, toujours aussi guilleret, il sautait et s'égosillait à crier aux oiseaux de passage de l'attendre, que plus rien ne l'arrêterait, que si la

Terre était vraiment ronde… Les migrateurs volaient très haut et ne parurent pas l'entendre, comme s'ils étaient pressés de survoler la petite île immobile et muette qui coupait bêtement l'horizon.

Le disciple tira sur la manche du maître à penser :

— On est bon pour l'atteindre à la nage?

Le maître s'arrêta de penser, et Rien se méprit :

— Peut-être que la traversée est trop large pour un manchot…

— Je ne crains pas la traversée ; c'est l'île qui me paraît bizarre.

— Bizarre!? Je sens d'ici les parfums primitifs du début des temps.

Et le lutin ne fit qu'un plongeon en appelant les deux autres :

— Ohé! à l'aventure!

… et nagea d'un trait jusqu'à l'île impassible et silencieuse qui l'attendait depuis le commencement du monde.

Il agrandit les yeux… et en eut le souffle coupé. Son regard s'enfonça dans deux narines béantes au-dessus d'une bouche rongée jusqu'au palais. L'un après l'autre sortirent des buissons des visages difformes, des moignons arrondis, des corps en décomposition, des monstres. Et Rien cacha son propre visage dans ses mains.

— L'île des lépreux, lui expliqua Personne.

Tit-Rien-plus-rien-du-tout réduit à son plus petit dénominateur voulut repartir aussitôt, quitter l'île, mais ses jambes ne le tenaient plus, il n'aurait pas su nager trois brasses.

Il trébucha sur un corps allongé qui se redressa aussitôt. Un être sans âge, comme lui. À quoi se détecte l'âge sur un visage aux oreilles échancrées, aux lèvres ébréchées, au nez biscornu, à la peau chiffonnée? Pourtant Rien avait la certitude que son vis-à-vis traînait dans sa mémoire une vie à la fois aussi courte et aussi longue que la sienne. Comme lui, chaque instant comptait pour dix ou cent. Celui-là avait-il compris dans le sein de sa mère lépreuse qu'il était déjà proscrit? Comment avait-il alors accueilli la vie, avec révolte ou avec gratitude?

Il planta ses yeux intacts dans ceux de Tit-Rien qui s'aperçut qu'ils riaient. Deux iris d'un bleu de mer profonde qui fouillaient son visage avec l'air de l'interroger : D'où te vient ce nez en bec d'oiseau? ce menton pointu? ces oreilles en coques de conques? cette peau si lisse qui glisse sous mes doigts? Et le lépreux de son âge lui caressait le visage pour le consoler d'être né hors des normes. Tit-Rien recula et voulut se saisir de la main effrontée, quand le contact des doigts décharnés le figea. Le miséreux cherchait-il à lui dire que l'existence de l'un et de l'autre tenait du miracle, qu'aucun être vivant n'avait autant qu'eux franchi un tel obstacle pour venir au monde?

Tu tiens à ce point à la vie? lui demandait mentalement Rien.

Et toi? lui répondait l'autre.

Moi, je suis…

… Rien.

Et Rien se sentit tout à coup moins qu'un lépreux défiguré né des entrailles charnelles de sa mère.

Il laissa échapper une grimace qui assombrit le regard de son jeune compagnon. Alors le lutin s'efforça de sourire, le salua de la main et s'en fut se réfugier auprès de son maître qui lui parla longuement.

Petit à petit, le lutin retrouvait le rythme de son cœur et de ses poumons, risquait un œil sur les visages et les membres de douzaines de lépreux groupés plus loin autour du vieux loup de mer qui ne semblait aucunement surpris ou gêné de la rencontre. Rien l'entendait causer de tout et de rien avec les proscrits, leur raconter son long voyage sur les mers ténébreuses et au cœur de la forêt primitive, leur décrire un monde de requins, de boas, de piranhas, de pirates et de contrebandiers; mais également d'audacieux capitaines, de vaillants intrépides, de rusés renards, et juste à côté, qui venaient de débarquer dans leur île, d'un dénommé Personne, long, diaphane, sage et savant comme un prophète, et un petit Rien-du-tout-tout-nu-tout-neuf-et-tout-surpris-d'être-en-vie, de son nom tout au long, venu au monde, nul ne sait comment, mais bien résolu à en faire le tour, de long en large, de fond en comble, pour le meilleur et pour le pire… Alors si ces messieurs-dames voulaient bien se donner la peine de lui révéler un visage de l'univers qu'il ne connaissait pas…

Rien se leva, aspira autant d'air que ses poumons pouvaient en prendre et, sans jeter un œil à Personne, s'avança d'un pas résolu vers le cercle des lépreux qui s'écartèrent pour le laisser rejoindre Quelqu'un qui le souleva de terre pour que chacun puisse le voir. Aussitôt il planta son regard dans les yeux ronds, à pic, biscornus, sans paupières, vides ou pleins, les yeux d'une retaille d'humanité qui, comme lui, avait attendu durant une éternité son heure de venir au monde.

Les nuits qui suivirent sa visite de la léproserie, Tit-Rien fit des rêves en série qui le faisaient marcher sur des fils de fer de plus en plus hauts, de plus en plus raides, à s'adonner à des contorsions vertigineuses pour atteindre à la hauteur de l'inatteignable. Rendu au matin, il balayait de sa mémoire les effiloches de ses songes et reprenait la route de l'aventure en compagnie de Personne et de Quelqu'un.

Une route, qu'au bout d'un long temps ils avaient cessé de mesurer, était sortie de la jungle, avait traversé des plaines, franchi des collines, contourné des villages, puis était venue soudain se buter au pied de la cordillère des Andes.

— La colonne vertébrale de l'Amérique, conclut avec admiration le sage Personne.

Le vieux marinier qui avait tant de fois fait le tour du globe en resta tout drôle. Cette Terre au dos rond avait aussi une épine dorsale?

— Je croyais pourtant la connaître d'un pôle à l'autre, la boulotte.

Et les deux aînés, les yeux au ciel, cherchèrent à les poser sur le pic de la plus haute montagne. Quant au lutin, il eut un tel élan d'enthousiasme devant tant de majesté que ses jambes firent un bond qui laissa les deux autres interloqués. Ni Quelqu'un ni Personne n'eurent jamais imaginé qu'un si petit Rien fût capable de les dépasser d'une tête. Mais leur émerveillement se changea très vite en terreur en reconnaissant les griffes du condor enfoncées dans les épaules de leur minuscule compagnon.

— RI-EEEEN! hurla Personne en voyant disparaître son protégé dans les montagnes, mais sa voix se fondit à l'écho qui lui rendait des «Ri-eeeen» de plus en plus faibles en sautant d'une colline à l'autre avant de s'évanouir complètement.


Rien entend à ce moment-là le chuintement rythmé des ailes du condor qui battent l'air au-dessus de sa tête et sent des griffes solides serrer ses omoplates. Aïe! Aïe! C'était ça la liberté? l'inconnu? la grande aventure? Il se tord, cherche à se dégager des pattes de son ravisseur, s'agite, bat des pieds, puis penche la tête pour risquer un œil en bas… oooh!… Il ferme les yeux et s'agrippe des deux mains aux tenailles de l'oiseau. Pas le moment de lâcher prise.

Des vents de plus en plus forts le fouettent, l'air glacial lui raidit les membres, la peur lui creuse la poitrine, sa tête tourne, ses oreilles sifflent, son nez coule, il veut hurler, mais sa bouche n'est plus qu'un abîme où s'engouffre une buée épaisse qui engourdit ses poumons. Tit-Rien-plus-rien ouvre les yeux pour laisser se déverser le flot salé qui gonfle ses paupières, veut jeter un dernier regard sur ce monde qu'il aura si peu connu en fin de compte… le passage sur terre est si court!… songe aux dernières paroles du mourant qui, selon la croyance, revoit en un clin d'œil l'ensemble de sa vie et à l'instant ultime appelle sa mère… sa mère… Même Quelqu'un n'aurait pas su nommer sa mère… alors lui, Rien-de-rien…

Et dans un cri :

— Pourquoi m'as-tu abandonné?

Un sourire narquois lui gonfle les joues malgré lui, malgré la gravité du moment. Il n'avait d'autres attaches en bas que Personne et Quelqu'un qui poursuivaient leur longue marche de par le monde.

Personne et Quelqu'un ne marchaient plus, ils volaient. Mieux que des ailes il leur était poussé à tous deux des antennes qui les attiraient, les orientaient, les transportaient de plaines en collines, en bosquets, en faubourgs, en villes, en villages perdus dans les montagnes.

— Vous n'auriez pas aperçu un condor, monsieur, emportant un enfant dans ses serres? Non?… aucun rapace n'est passé par ici, n'a survolé ces lieux?

— …??

— Madame… dites-moi, les condors ont-ils l'habitude d'emprunter ce passage, ce col?

— *Quizás, señor, pero no lo sé.*

Et Personne reprenait la route en devançant Quelqu'un de dix pas.

— *Señor, por favor, el condor…*

— *Si, si, lo vi el condor… por allá, por el sur.*

Vite, Quelqu'un!

— Par là! Au sud suroît!

Durant ce temps, Tit-Rien, qui n'aspirait plus qu'à retrouver son souffle, agrandit les prunelles et…

— *Mamma mia!*

A-t-il reculé dans le temps? Cette forteresse, juste en dessous, ruines grandioses, capitale antique, qu'est-ce? où est-il? Il voudrait se tâter mais n'ose pas desserrer les mains de sa bouée, ose à peine respirer…

— Suis-je en train de faire le voyage à rebours du temps, à contre-courant de l'Histoire? Où m'entraînes-tu, Condor? Réponds-moi! Où sommes-nous? dans quel espace-temps?

Machu Picchu! la ville antique des Incas! Rien se souvient. Entre la multitude de mots dont son créateur avait bourré son crâne au premier jour de son mystérieux voyage, Tit-Rien découvrait des trésors d'images et de connaissances qu'il triait comme des joyaux sans prix.

— Heureux héritier de l'univers! qu'il s'exclame soudain en agitant les pieds au-dessus du vide.

Plus de vide, plus de vertige, plus rien ne l'effraie, l'atmosphère est aussi réelle que l'eau, la plaine ou la montagne. Il est vivant, le monde qu'il habite est le sien, sienne aussi la durée de son existence.

Il tire sur la patte du condor et lui crie :

— Plus bas, bel oiseau, descends que je voie de près cette neuvième merveille des temps anciens.

Et le condor obéit.

— Non, pas si bas, tout de même, pas au ras du sol, la beauté antique se reconnaît mieux à distance.

Les pierres, de trop près, sont effritées, certaines biscornues, qu'il se dit. Mais vu de haut, quel splendide ensemble! Quelle cité que cette capitale des Incas! Et il cherche à se remémorer la rencontre de deux civilisations, dont l'une devait finalement dévorer l'autre. Et pourquoi? Était-ce absolument nécessaire de détruire un monde pour bâtir le nouveau sur les ruines du premier? C'était donc ça la marche de l'Histoire? Ce qu'il donnerait en cet instant pour consulter son maître Personne.


Maître Personne eût donné davantage encore pour avoir à ses côtés, sous son aile, ses petits pas dans les siens, son disciple unique, son presque fils. Suivi du fidèle Quelqu'un, il parcourait la terre péruvienne, enfilait les sentiers, les cols de montagnes, interrogeait de jour chaque berger, chèvre ou lama et, de nuit, interpellait les étoiles. Les deux compères mangeaient sans s'arrêter, dormaient debout, s'abandonnaient à leurs instincts qui en pareilles circonstances se moquent éperdument de la logique et de la raison raisonnante.

Les instincts du lutin, durant ce temps-là, le poussent à commander au condor, comme si l'oiseau de proie géant avait pour la première fois trouvé son maître.

— Par là, l'ami, monte un peu que je voie l'ensemble.

Et l'oiseau en trois battements s'élève de cent mètres.

— Tu vois? Admire la beauté des ruines de cette cité perdue. Dire que ta race l'a vue de haut, dans toute sa splendeur, quelques centaines d'années avant notre arrivée sur Terre à toi et à moi. Mais t'en fais pas, même décrépite, la forteresse garde sa noblesse et le souvenir du passage en terre d'Amérique de l'une des civilisations les plus achevées. Enfin, c'est ce que prêcherait mon maître, monsieur Personne, un grand et savant personnage, qui pourrait t'en dire bien plus long que moi sur l'histoire de l'humanité, mais...

Tit-Rien se penche, s'arrache les yeux pour mieux voir, n'ose pas du premier coup se fier à sa vision, tire sur les serres de sa monture...

— Descends, Condor, descends, vite...

Et avale autant d'air que peut en prendre sa poitrine qui se bombe...

— Hey... hey! Personne! Quelqu'un!... suis là! juste au-dessus! ici!

Personne allonge son corps diaphane jusqu'à disparaître aux yeux des touristes qui circulent entre les ruines de Machu Picchu. Et du bout des doigts, il effleure, puis agrippe fermement les minuscules mollets de Rien que le condor, sur ordre de son cavalier, vient de lâcher.

Les trois compagnons s'étreignent de leurs cinq bras et un moignon, gesticulant, criant de joie, sous les yeux apeurés d'une foule qui croit voir apparaître les fantômes des rois précolombiens.

Ce n'est qu'en entendant les trois étranges personnages jacasser dans leur langue que les touristes français se rassurèrent et comprirent que Cuzco, surplombé de l'ancien site de Machu Picchu, était bel et bien un lieu de mémoire comme tant d'autres, passés de l'un à l'autre, de la Mésopotamie à l'Égypte, à la Grèce, à Rome…

— Pas comme les autres, la voie royale du peuple inca ne sort ni de Rome, ni de Grèce, ni d'Égypte, ni de nulle part ailleurs.

C'est Tit-Rien, planté au milieu du cercle des curieux, à califourchon sur le cou de son maître, qui a emprunté le micro. Grouillement et jacassement chez les touristes. D'où venait ce petit fanfaron assez hardi pour se substituer au guide officiel, un authentique descendant de la race des Incas qui connaissait Machu Picchu depuis qu'il était haut comme ça…

— Descendu! répliqua Tit-Rien. Mais pendant que vous descendiez, moi je me tenais là-haut.

Tous se pincèrent le nez et les lèvres devant l'audace du jeune héros. Qui était le blanc-bec? Mais bientôt ils se groupèrent autour de son socle, c'est-à-dire du personnage quasi transparent et tout en longueur de Personne qui portait l'enfant prodige enroulé sur son cou. Car ce petit qui avait l'air de rien était en train de décrire aux visiteurs le plus grandiose site historique des Amériques, tel qu'il l'avait vraiment vu d'en haut! Mieux, comme s'il l'avait vu sortir de terre voilà plus de 500 ans! Et encore mieux, comme s'il avait lui-même partagé la vie de cette race royale, rivale dans les temps les plus reculés des plus grandes civilisations de la Mésopotamie et de l'Égypte ancienne.

— Et pourtant sans que celles-ci se soient jamais frottées à celle-là.

Tit-Rien était le premier surpris de son éloquence et de son érudition. D'où lui venait le flot de paroles qui avait l'air de monter de sa panse? Il se remémorait le spectacle aperçu du ciel, accroché aux griffes de la divinité mythique des Andes, et cherchait à se rappeler si le condor lui avait réellement parlé, transmis sa vision et son savoir. Sa mémoire devait-elle monter plus haut?

Tit-Rien avala d'un coup ses dernières phrases, s'engotta sur des mots qu'il ne reconnaissait plus et se tut, laissant en plan une foule enthousiaste et gourmande. Et la foule renifle et piaffe. Qu'arrivait-il à l'érudit personnage pour s'arrêter ainsi d'un coup sec?

Les visiteurs tournaient la tête de droite à gauche à droite :

— A-t-il perdu la parole? la mémoire?

— Serait-il possible que ce soit un charlatan?...

— On s'est fait avoir.

— Bluffeur!

— Marchand de vent! vendeur d'illusions!

— Fabulateur!

— Fumiste!

— Menteur!


Maître Personne comprit qu'il leur fallait décamper. Il laissa à Quelqu'un le soin de fermer la file et de barrer la route à une engeance devenue enragée, capable à l'intérieur d'une heure d'adorer ce qu'elle avait brûlé et de brûler ce qu'elle avait adoré.

Mais quand les trois compagnons eurent réussi à disparaître aux yeux de la foule et à s'éloigner de l'antique cité, Personne voulut sonder son disciple sur son étrange comportement. Tit-Rien planta ses yeux dans ceux de son maître et ne sut répondre. Il était là, vacillant, transi de doute et d'anxiété, incapable de démêler les fils inextricables qui brouillaient sa pensée. Il avait eu peur, en un éclair, de reconnaître un visage, une voix, les doigts du marionnettiste qui le manipulait. Il finit par détourner les yeux et marmonner pour lui-même :

— Rien… vraiment Rien… jamais autre chose qu'un Rien-entoute, Rien-pantoute, moins-que-Rien…

Le sage Personne mesura l'ampleur du désarroi de son protégé et le laissa seul à digérer son angoisse métaphysique. Cette fois, la lutte pouvait se prolonger, la blessure semblait profonde, le petit devrait toucher le fond avant de rebondir, retrouver au plus profond de lui les ressources de…

— Maître! Quelqu'un! écoutez! que hucha aux deux autres un lutin en transe.

Ah bon? déjà?

— Je sais que je suis Rien, sans autres souvenirs que ceux qu'on a bien voulu me laisser emporter dans mon étroite mémoire de petit fœtus de rien, bribes de souvenances embrouillées et confuses, un fétu qu'une simple distraction de son auteur…

Ses compagnons le dévisagent puis se résignent à le laisser digérer jusqu'au bout son doute ontologique.

— … mais je suis! en attendant qu'on m'anéantisse, je suis!

Quelqu'un se demande, Personne respire et Rien poursuit :

— Peu importe pour combien de temps, peu importe le tracé de la route, il faut la suivre, et sait-on jamais? il peut arriver que le chemin débouche sur un inconnu que les dieux eux-mêmes n'ont pas prévu.

Quelqu'un se gratte la nuque, Personne sourit et Rien s'arrête, le temps de retrouver le fil d'une pensée qui débouche sur une croisée de chemins. Au sud, l'incertitude; à l'ouest, le doute; au nord, le risque; à l'est… à l'est…

Il se frappe le front du plat de la main.

— Le diable se cache à l'est!

On était revenu sur terre.

— Si on allait consulter les dieux en pierre de l'île de Pâques?

— L'île de Pâques est à l'ouest, au cœur du Pacifique, se permit de rectifier le maître.

Bien sûr, Tit-Rien le savait, l'avait su, simple oubli. Et puis qu'est-ce qui interdisait de faire un petit croche vers l'ouest, avant de s'enhardir dans la grande aventure!

— D'un coup que le diable se serait faufilé jusqu'à Pâques, pour faire enrager?

— Faire enrager qui?

C'est Quelqu'un cette fois qui s'inquiétait. Alors Tit-Rien, qui avait retrouvé son esprit batifoleur, se hâta de couper son maître qui se préparait à répondre.

— Qui, penses-tu? Qui d'autre pourrait s'offusquer des mauvais tours du diable, sinon Celui qui lui a donné le pouvoir d'en inventer des tout neufs, juste pour le contrarier?

— Qui ça?

Décidément, se dit le lutin, ce compagnon-là n'a pas connu les mêmes limbes que moi! Mais avant qu'il n'eût le temps de trouver le mot juste, son maître l'avait devancé.

— Dieu, que prononça Personne du faîte de sa hauteur.

Et le vieux marinier, nourri de lait de coco et bercé dans les bras d'une guenon, se contenta d'un vague : Ah!...

Tit-Rien se surprit cette nuit-là à réfléchir à l'absence dans l'esprit de Quelqu'un de toute référence religieuse. Le Diable et le bon Dieu, il ne connaissait pas. Le ciel, les limbes, les anges, les dieux, la Pâque, les origines, les fins dernières, la cosmogonie... vide total. Pourtant le loup de mer durant toute sa vie avait bourlingué, vu les cinq continents, nombre de pays, des îles, les mers et océans, fréquenté des peuples divers aux coutumes et croyances variées; des trois voyageurs, il était sûrement celui qui avait le plus voyagé. Mais avait-il autant que les deux autres voyagé dans sa tête?

La tête du vieil homme oscillait de droite à gauche, de haut en bas, sans regarder Personne ni Rien. Ses yeux ne cherchaient pas à dépasser l'horizon. Plus de quatre-vingts ans à respirer l'air salin, azuré, vaporeux, éventé, vicié, ambiant, courant, il avait vécu de l'air du temps plus souvent qu'à son tour. Mais s'en était contenté. Rien le scrutait et aurait bien voulu savoir. Que se passait-il dans le cerveau d'un homme sans imagination?

Quelqu'un, sentant les yeux de Tit-Rien sur son cou, tourna lentement la tête vers son jeune compagnon :

— Le temps est au beau, on pourra reprendre la route au petit jour.

— Par où, à ton dire?

— À la grâce de Dieu!

Rien et Personne n'osèrent se surprendre, Quelqu'un, comme tout un chacun, avait glané durant sa longue vie des images, des expressions rondes et douces au palais mais dont le sens s'était perdu en cours des ans. *Si Dieu le veut, selon le bon vouloir de Dieu, que Dieu te pardonne, à la grâce de Dieu, Dieu seul le sait, grand Dieu, adieu!* autant de souvenirs gravés dans la mémoire inconsciente de celui qui ne croyait ni n'espérait plus rien. La vie, riche ou médiocre, douce ou cruelle, brève ou interminable, était bonne à prendre pour Quelqu'un tel que notre brave compagnon, le troisième qui ne tarissait pas d'intriguer les deux autres. Et quand le vieillard ajouta :

— Franc sud, vous trouverez la Terre de Feu.

… Personne fut estomaqué et Rien au comble de la joie.

Entre l'île de Pâques et la Terre de Feu, on avait jeté les dés, pour la forme, car les jeux étaient faits. Tit-Rien aurait pris les deux, bien entendu, si le hasard n'avait fait naître l'ouest et le sud à angle droit, mais forcé de choisir entre deux inconnus, il opta pour le plus inspirant et le plus chaleureux : Terre de Feu. Secrètement, il songeait au feu des Enfers où trônait le diable qui n'avait cessé de l'attirer au même titre que le fruit défendu. Il ne voyait aucun risque à s'en approcher, seulement se pencher au-dessus de l'abîme en gardant les pieds accrochés à la terre ferme. Tant qu'à vivre, vivre jusqu'au bout ! Telle était la devise d'un Rien-à-tout, un héros sorti de nulle part et de rien, mais bel et bien sorti.

— Par le sud ! qu'il clama, où un bon feu nous attend.

L'écervelé ne se doutait pas du degré de chaleur qui l'attendait à la Terre de Feu !

Des mois à descendre en bâtiments de fortune le long du Pacifique, en charrette à bœufs dans les landes chiliennes puis argentines, sur le toit des wagons de marchandises, à dos d'âne, à pied, contre vents et marées, marées hautes, vents froids, froids qui figent, glacent, gercent, engourdissent corps et âmes.

— Mais la Terre de Feu ? On l'atteindra jamais ?

— On y est, pauvre Tit-Rien-tout-nu, depuis que tu as commencé à geler.

En plus d'entendre grelotter ses os, il fallut à notre héros honteux écouter jusqu'au bout la leçon d'histoire et de géographie de son maître à penser sur l'origine de la Terre de Feu. Il ne lui épargna rien : on se trouvait à l'extrême sud de la terre habitable, à $x$ kilomètres du pôle le plus froid, aussi loin qu'il se pouvait des tropiques et de l'équateur. Comme la baie des Chaleurs, ce lieu était un mal nommé, une méprise, la chaleur de l'un étant aussi trompeuse que le feu de l'autre.

— La baie des Chaleurs tire son nom des feux châlins, dits feux de chaleur, que les premiers colons aperçurent au large de la Gaspésie. De même à la Terre de Feu...

Tit-Rien réussit à entrer dans le récit, soupçonnant que les feux...

— ... tout le long de la pointe, étaient allumés par des égarés qui allaient périr de froid.

— Pas seulement!... Par des contrebandiers qui signalaient leur présence aux bateaux qui s'en venaient accoster sur les rives.

Tit-Rien et Quelqu'un durent s'incliner devant l'insondable érudition du maître.

Puis, sans perdre une seconde, le jeune transi enchaîna :

— Et si on allumait nous-mêmes un feu pour avertir le premier navire qui passe que trois naufragés ont grand hâte de reprendre la mer...?

# 9

Voilà comment nos trois compagnons se trouvèrent encore un coup à naviguer, mais cette fois sur les mers de l'extrême sud du continent.

Pourtant, avant d'être recueillis, ils avaient dû survivre tant bien que mal, plutôt mal que bien, s'étant nourris de chair de bébés otaries que Quelqu'un assommait à coups de gourdin, au désespoir de Tit-Rien qui avait vu pleurer leurs mères. Personne l'avait raisonné, lui rappelant sa tendre jeunesse dans la forêt où ils s'étaient nourris de lièvres rôtis à la broche.

— Tu veux dire où l'ours d'une demi-tonne s'était gavé sous nos yeux du lièvre attrapé au piège de mes bretelles.

— Un ours qui t'avait pourtant épargné, tu devrais le remercier.

Tit-Rien avait remercié ciel et terre d'être encore en vie, même si la vie en Terre de Feu lui avait montré plus souvent son visage grimaçant que souriant.

— Il va pas finir par passer, ce navire de pirates? avait-il répété semaine après semaine.

Il en était passé de toutes sortes, des paquebots, des voiliers, des cuirassés, des steamers, des chalutiers, des brise-glace, mais aucun assez près du rivage pour capter leurs signaux. Quelqu'un avait eu beau multiplier les feux tout le long du rivage, brûlant les dernières planches des huttes abandonnées depuis des siècles, les navires avaient filé sur l'horizon, sous les rires moqueurs des buses, des cormorans, des albatros, des mouettes à queue fourchue, et devant la souveraine indifférence des manchots des Galápagos. Et le lutin avait continué de donner des coups de pied aux mottes de glace pour se réchauffer les orteils, courir, danser, se rouler en bas des buttes pour se réchauffer le sang, dégeler son duvet de moustache et ses sourcils enneigés avec ses mitaines en peau de morse... en peau de morse... morse... le morse...!

— Quelqu'un, le morse! Trouve le code du S.O.S.!

Et à force d'allumer, d'éteindre et de varier la grosseur des brasiers, le vieux loup de mer était finalement tombé sur le bon signal de détresse.

— Pour un navire de corsaire, c'est un cinq étoiles! s'exclama un Tit-Rien-tout-ragaillardi en montant à bord.

Le maître dut corriger son disciple : les naufragés étaient recueillis par un bateau de croisière. À bord se trouvait même un groupe de scientifiques sur les traces de Magellan, dont l'un, un informaticien, avait facilement décodé le message de Quelqu'un. Et quand Rien eut à présenter ses compagnons aux passagers du navire...

— Quelqu'un est un héros méconnu. Ce n'est pas n'importe qui.

Et pour enfoncer le clou, il se mit à énumérer les fois que Personne et lui-même avaient eu la vie sauve grâce à la jarnigoine du vieux loup de mer.

— La jarniquoi? voulut savoir un philologue provençal qui s'intéressait aux langues anciennes.

— Euh... jarnigoine, bredouilla Tit-Rien, pris en flagrant délit linguistique.

Et pour sauver la face, il se donna un air à la hauteur de son savant interlocuteur :

— Cousin par la fesse gauche du mot débrouil-lardise.

Rire général et franc. Ce qui encouragea notre petit Rien à renchérir :

— Avec un quelque chose de plus hardi, plus osé : un petit dégourdi avec de la jarnigoine vous met à tout coup sur le carreau trois costauds et rusés débrouillards.

Rires renouvelés et nourris. Tit-Rien se sentit en pleine forme. Et avant que son maître n'eût le temps de le prévenir des dangers de parler latin devant les clercs, il échafaudait sur la langue des théories qui revolaient dans tous les sens.

— Par exemple, qu'il risqua, trouvez-moi le mot mystère qui lie le français académique *orge* à l'anglais courant *barley*.

Tous donnèrent leur langue au chat.

— Nul autre que l'ancien mot français *baillarge*.

— Baillarge, baillorge, orge... baillarge, barley! déclina le philologue provençal.

Il n'en fallait pas tant au Tit-Rien-en-verve pour plonger au fond de sa *gorge* en quête de tous ses dérivés : *got, goule, gosier, gorgoton, gargamelle, gargotière...* et descendre, tant qu'à y être, jusqu'aux *boyaux, rognons* et *pigrouins*. Puis il leur fit grimper le *râteau de l'échine* jusqu'au *cagouette...* en passant par le *jabot* qui en langue vieillie désignait ce que voile la chemise de dentelle avant de devenir, en langue moderne, la dentelle de la chemise.

— Ho, ho! voilà un Démosthène déguisé en bouffon.

— Diogène.

— Ithos et Pathos en un seul homme.

C'est à ce moment-là que Tit-Rien commença à se sentir Tout-nu. Car au nombre des explorateurs des mers du Sud, se présentait un sociétaire de la Comédie-Française. Se tournant alors vers son maître qui savait, lui, distinguer le grec du chinois, il l'implora des yeux de l'aider à dénouer l'intrigue d'un vaudeville qui avait fini par se donner des airs de tragédie classique.

Et quand le spécialiste des impromptus voulut pousser Tit-Rien sur les planches en lui soufflant :
*Veuillez contenter le désir qu'a ce fauteuil de vous embrasser.*

… il reçut sitôt la réplique :

*Ah ! qu'en termes galants ces choses-là sont dites.*

… déclamé d'un trait par maître Personne, à l'ébahissement du public, mais surtout du pauvre Rien-du-tout qui comprit sur le coup la différence entre la vraie connaissance et le faire-semblant.

Il faut dire que depuis qu'il était sur terre, notre héros de Rien s'était figuré que l'imagination pouvait tenir lieu d'intelligence, de jugement, de raison, et que, faute de tout savoir, on n'avait qu'à faire accroire pour finir par se convaincre soi-même que l'audace et la ruse pouvaient suppléer à la connaissance. L'univers était trop vaste pour l'enfermer dans la tête, qu'il se répétait, la vie trop belle pour l'enfouir dans un syllogisme… ce n'est pas à Rien qu'on ferait des accroires !… Mais quand il voulut lever les yeux sur son maître à penser, son maître de vie, un long et diaphane personnage dénommé Personne qui… qui depuis qu'il était au monde l'avait instruit sur tout, tiré d'embarras, arraché aux pires embûches, sauvé contre de potentiels ennemis et contre lui-même et qui, par l'ampleur de ses connaissances et la force de sa raison, avait fait d'un quasiment Rien un début de quelque chose…
Il baissa les yeux, bredouilla, s'accrocha la langue dans les dents… puis se courba, redevenu un tout petit Rien balbutiant, tâtonnant, ignorant presque tout des hommes et de leur univers. Et il résolut de se méfier à l'avenir du cabotinage et du mensonge.

Pendant les semaines que le bateau de croisière naviguait sur les mers du Sud, nos héros-compagnons prenaient des nouvelles du monde : apprenaient que l'Europe de l'Ouest abolissait ses frontières et se groupait autour d'une monnaie commune ; que les deux Amériques, chacune de son côté et chacune à sa façon, créaient des ententes de libre-échange ; que l'Asie s'enflammait, le Moyen-Orient flambait, l'Afrique...

— L'AFRIQUE !! s'écria le mousse juché dans les haubans.

Et tout le navire envahit les ponts et la proue pour voir surgir à l'horizon le cap de Bonne-Espérance.

— Un nouveau continent, une terre nouvelle !

Rien sautait d'un pont à l'autre, des courants électriques plein les jambes.

— Nouvelle ? avança sans en avoir l'air un savant anthropologue. L'Afrique est la plus vieille terre du monde, petit bonhomme.

— La plus vieille terre occupée par l'homme, se permit de nuancer un collègue géologue. Vous ne sauriez oublier, cher maître, que bien avant le singe, le poisson et l'éponge, la Terre comptait déjà des milliards d'années de vie.

— D'existence, cher collègue, mais pas de vie, si vous permettez.

— Si vous voulez, cher ami, reprit avec hauteur un géographe de renom, mais si la Terre est notre habitat, elle se mesure aux années d'existence de celui qui l'habite.

— Du point de vue de l'histoire, le mot civilisation conviendrait mieux qu'habitat, corrigea un historien qui commençait à prendre les nerfs, et en ce sens, honorable confrère, l'Afrique ne saurait rivaliser avec...

— Comment ! s'insurgea un socio-politicologue, quelqu'un ici oserait-il sans honte ni vergogne se déclarer raciste ?

Quelqu'un, s'entendant appelé, voulut s'approcher, mais fut retenu par Personne qui comprit que le temps était venu d'intervenir. Il s'approchait du groupe des savants à pas lents... trop lents, car déjà les doctes et beaux esprits en étaient venus aux poings, chacun défendant sa vision des beautés et grandeurs de l'univers avec l'énergie de ses compétences et la force de ses convictions. Tit-Rien oscillait entre la surprise et l'enthousiasme devant le spectacle d'une engueulade en règle entre les historiens, géographes, géologues, anthropologues, philologues, politicologues et autres aristocrates de la science pure qui, au moment où Personne les avait rejoints et calmés, s'étaient mis à disserter sur le sexe des anges.

L'expédition scientifique s'achevait sur la pointe du continent africain. Là se terminait également la première croisière de nos trois compagnons. Rien et Personne furent fort étonnés, en débarquant, de voir les savants, qui la veille se prenaient aux cheveux et s'adressaient des injures de haute voltige, s'embrasser et se saluer dans des termes des plus cordiaux, en s'échangeant leurs cartes de visite. Seul le vieux loup de mer resta imperturbable en entendant les adieux courtois :

— Je vous ferai parvenir une invitation pour ma causerie que je donnerai en l'amphithéâtre du Musée des Peuples primitifs sur «Les effets néfastes de la brume londonienne sur le cerveau des Anglais».

— Je ne manquerai pas de m'y rendre, honorable collègue, et vous offrirai alors copie de mon traité sur «L'usage pervers du point-virgule dans l'alexandrin de Victor Hugo».

— Admirable, cher maître, j'ai toujours eu une passion sans borne pour le point-virgule.

— Ne manquez pas de me faire part de vos exposés sur «Les changements climatiques durant les saisons chaudes en Patagonie». Je vous exposerai alors mes découvertes sur «La vie sur terre après le voyage astral des insectes mineurs», cria de loin l'historien au géologue dont la réponse se perdit dans un brouillard qui enveloppa nos trois compagnons et leur permit de disparaître sans donner d'adresse.

Disparaître n'était pas le mot juste. Car en mettant le pied en terre d'Afrique du Sud, Rien, Personne et Quelqu'un furent surpris de l'attention dont ils furent l'objet. À peine avaient-ils ouvert la bouche qu'une douzaine de noirs crépus les entouraient en les bombardant de questions sur leur pays d'origine, leur occupation, le but de leur visite et leurs besoins de transport ou de logement.

— Je crains qu'on ne nous ait pris pour des touristes, conclut Personne, contrarié.

Mais Rien-tout-neuf montra un tout autre visage et se tapa dans les mains. Un touriste? Jamais il ne s'était imaginé qu'un jour il jouirait de ce statut de voyageur attendu, accueilli, cajolé et reçu avec les égards réservés au plus haut rang. Personne eut beau essayer de lui faire comprendre qu'un touriste, de tout ce qui parcourt le monde, était l'engeance la plus ordinaire et souvent la plus encombrante, Tit-Rien ne voulait rien entendre et continuait de se pavaner au milieu des gens du pays en se donnant des airs de grand seigneur.

C'est Quelqu'un qui le premier devina les véritables motifs de réjouissance du plus petit des trois compagnons.

— Je me figure, qu'il dit, que chacun a besoin de plus petit que soi.

Personne se cogna le front de n'y avoir pas pensé plus tôt. Bien sûr. Un Rien conscient de l'être doit bien sentir à l'occasion la nécessité de se frotter à des moins que rien. Il planta alors ses yeux dans ceux de son élève :

— Serait-ce par leur couleur que ceux-là nous seraient inférieurs?

Et Tit-rien comprit qu'encore un coup son maître avait deviné ses pensées. Pas étonnant. Car ses pensées, le héros les traînait par tout son corps, dans les plis de sa peau, au coin des yeux, gravées sur le visage, et les glissait entre ses mots et dans ses moindres gestes.

— On ne peut rien te cacher, qu'il finit par avouer en jouant la carte de l'ingénu.

Puis, tant qu'à percer l'abcès :

— Que personne n'aille rien s'imaginer, pourtant. J'ai absolument rien contre les noirs, je n'accorde pas une telle importance à la couleur de la peau! Je trouve même ces négrillons mignons, ces belles négresses d'une rare élégance, ces noirs robustes et musclés, d'une courtoisie touchante... Et pis de toute façon, y a pas pire race que les racistes.

Personne sourit. Quelqu'un se tint coi. Tit-Rien se sentit bien obligé de continuer. Et ouvrant tout grands les bras sur la foule qui se tenait devant lui :

— Voilà la race la plus affable et gentille que j'aie rencontrée. Gaie, joviale, bon enfant...

— Mais...

— Mais quoi?

— Mais ils sont noirs, et tu es blanc.

— Et après? C'est pas leur faute.

— Pas leur faute, leur faute d'être noirs. La peau noire est une faute, un moins, une faiblesse, une déchéance?

— Écoute, maître, ne me fais pas dire...

— Mais je ne te fais rien dire, tu dis tout toi-même sans rien dire.

— Je dis quoi?

Personne se retira sous un cocotier, sûr que Rien le suivrait. Quelqu'un les regarda s'éloigner et resta auprès de ses hôtes à marchander quelques mangues, une miche de pain bis et un régime de bananes miniatures. Le vieux marinier connaissait assez bien les hommes pour savoir que la réflexion profonde creuse l'appétit ; et il connaissait suffisamment ses maîtres pour prévoir que Rien et Personne reviendraient de la palmeraie affamés.

Le soir même, autour d'un feu où le vieux marin faisait griller des châtaignes, Tit-Rien-tout-bien relança Personne sur le thème de l'évolution.

— Tiens-toi solide, Quelqu'un, tu es assis sur une terre sacrée.

Quelqu'un, inconfortable de sentir ses fesses posées sur quoi que ce soit de sacré, voulut du coup se lever. Mais ses deux compagnons le firent aussitôt se rasseoir, la nuit était chaude et jeune.

— Et le monde, plus jeune encore.

Quelqu'un reconnut la voix enjouée du Rien des meilleurs jours et se mit à son aise. Il accepta le tabac à pipe de Personne et s'allongea les jambes.

Le ciel était si chargé d'étoiles que les trois voyageurs restèrent un long moment à les contempler en silence. Celles-là au moins brillaient avec la même intensité sur tous les hommes, sans discrimination de couleurs et de croyances.

— La nature est la seule juste.

Les deux autres regardèrent Tit-Rien sans répondre. Car chacun songeait aux froidures glaciales des pôles, aux chaleurs torrides de l'équateur, aux ouragans d'automne, tempêtes d'hiver, inondations du printemps, sècheresses d'été. Dans la plus totale indifférence, la nature envoyait danser les aurores boréales dans l'hémisphère Nord au moment même où, dans l'hémisphère Sud, elle allumait le firmament d'éclairs de tonnerre ou du crachat enflammé des volcans. La nature, sans discrimination, affligeait chacun du pire ou le gratifiait du meilleur, à l'est, à l'ouest, au sud, au nord, le bandeau sur les yeux comme Dame Justice.

Tit-Rien fronça les sourcils :

— Comment peut-on qualifier de juste la pire des mégères ? La nature n'a donc pas d'entrailles ?

Le vieux loup fut surpris d'une si soudaine volte-face chez le petit dernier qui tantôt applaudit, tantôt s'insurge et maudit, mais toujours avec la même vigueur. Personne, dans un sourire entendu, fit comprendre à Quelqu'un de ne pas s'en faire pour Rien, que le petit n'avait pas fini de profiter ni de progresser et que l'apprentissage d'un personnage de sa qualité pouvait prendre toute une vie.

Le personnage a-t-il entendu ou pressenti la réflexion de son maître, ou est-ce le hasard qui le pousse à enchaîner :

— Une seule vie sera-t-elle assez longue pour en faire le tour?

Maître Personne :

— Le tour de quoi?

Et Rien :

— Le tour d'elle-même. Est-ce assez d'une vie pour tout comprendre, tout faire, tout tenter, tout explorer, tout vivre jusqu'au bout?

Quelqu'un se gratte l'oreille : pour vivre, explorer, faire et refaire une autre vie pareille à la première? Une enfance escamotée, une jeunesse tronquée, quatre fois vingt ans de bourlingage sur des rafiots de corsaires ou de contrebandiers, la faim, le froid, le mépris, les coups, l'indifférence, pour finir… pour finir quand même par s'en venir causer sous les étoiles des tropiques avec les deux plus accueillants et singuliers compagnons que le sort lui gardait en réserve pour ses vieux jours! Le marinier plante des yeux mouillés tour à tour dans ceux de Rien et de Personne, des yeux qui depuis l'enfance ont oublié le goût salé des larmes. Et ses deux compagnons, comme s'ils avaient refait en trente secondes le parcours d'une existence de paria, ajoutent cette page à leur expérience de vie.

Leur expérience d'Afrique ne faisait pourtant que commencer. Tit-Rien s'en rendit compte dès le lendemain à la place du marché. Le roi de la veille se sentit détrôné. Car ici, il n'était plus le touriste parmi les indigènes, mais un blanc parmi tant d'autres, plus modeste et plus démuni que les autres. Il regardait les opulents Afrikaners circuler entre les comptoirs regorgeant de fruits exotiques et de viandes fumantes, voyait des enfants s'empiffrer de délices sucrées, se faufilait partout, se glissait entre les pyramides d'agrumes, de melons, d'ananas, de noix de coco et consultait Personne et Quelqu'un sur leur réserve, si réserve ils eurent jamais.

— *What for the young master?*

Le jeune maître tournait ses poings dans ses poches, se balançait d'un pied sur l'autre, tâtait la peau d'une pastèque, d'une papaye, puis s'éloignait en prétextant qu'il était un étranger dont les devises n'avaient pas cours dans le pays. Qu'à cela ne tienne, qu'on lui répliqua sans se formaliser, on acceptait les espèces de tout genre : le dollar, le franc, la piastre, le mark, le peso, la roupie, le dinar, le sterling…

— Le *nothing?*

— *The what?*

Alors Rien prit son air le plus nonchalant pour demander la direction de la banque internationale. Puis, suivi de Personne et de Quelqu'un, il s'éloigna du danger de la tentation, surtout de l'œil d'un douanier qui au coin de la rue vérifiait les papiers.

— Oh, oh ! fit le maître qui se préparait à instruire les deux autres sur la technique des réponses évasives.

Mais à la surprise de Personne, le douanier, qui s'acharnait à fouiller les noirs, passa tout droit devant nos compagnons en les saluant de deux doigts à la casquette.

— Raciste ! fut la seule réflexion de Tit-Rien.

Et il lui cracha aux talons en le voyant s'éloigner.

Comme d'habitude, notre héros ne resta pas longtemps assis sur ses principes d'égalité et de justice. La démangeaison de repartir à la découverte du monde le reprenait déjà. Quand son maître lui énuméra, par exemple, tous les pays qu'ils devraient traverser s'ils avaient l'intention de remonter le continent africain comme ils avaient descendu l'Amérique, le disciple se mit à zézayer :

— Le Zimbabwe, la Zambie, la Tanzanie, le Zaïre... zamais z'aurais z-imaziné z-une telle mosaïque de la zéographie !

Et il prit la tête de l'expédition, le pied gauche le premier pour la chance.

Après quelques mois de brousse et de marais, de nuages de moustiques, de cinquante-six variétés de reptiles, de scorpions et de grands fauves, il se dit que la Terre était un héritage qui se gagne. Mais il était jeune, vigoureux, conscient de sa chance et toujours aussi affamé d'existence. Sans compter qu'il jouissait d'une insatiable curiosité et possédait le don de reconnaître les infimes différences dans l'infiniment pareil.

Quelqu'un leva un sourcil, et Rien plongea sitôt dans une longue diatribe sur l'art de distinguer le noir noir du noir brun, du noir bleu, du noir pâle, du noir tour court.

— Et le blanc ?

— Quoi, le blanc ?

— Comment tu fais la différence d'un blanc à l'autre ?

Personne gloussa et Rien comprit qu'il n'était pas encore tout à fait guéri de ses préjugés. Ses yeux errèrent sur le visage du vieux marin ni tout à fait jaune, ni carrément rouge, ni vraiment noir, ni complètement blanc, mais un visage humain, buriné par plus de quatre-vingts ans d'expérience de petits bonheurs, de grandes misères et d'une naturelle compassion.

— Tu n'as aucune mémoire de ce continent, Quelqu'un ? des effiloches de souvenirs, quelque chose qui te rappelle quelqu'un... quelqu'un comme toi, un semblable, un parent, une manière d'être qui te ferait revivre ta vie antérieure...

Maître Personne voulut élargir le débat, l'élever jusqu'à la théorie de la réincarnation, mais le disciple était davantage préoccupé par les origines de leur vieux compagnon de route, ne pouvait imaginer qu'un enfant né par les voies naturelles, comme la plupart des nés natifs, n'eût pas de passé. Lui seul, Rien né de Rien, pouvait se vanter de sortir du néant tout cru et tout frais. Et comme si cette condition hors norme était un plus, il prit soudain des airs de surhomme, jetant sur les deux autres un regard condescendant. Pas longtemps. Car devant le silence froid de Personne et intrigué de Quelqu'un, il retrouva sa taille de Rien... et proposa un raccourci par les landes pour passer la prochaine frontière.

Ainsi, de frontière en frontière, de saison en saison, saison sèche, saison des pluies qui invariablement débouchait sur une saison douce, florissante, où ils se disaient que ce continent était la terre des dieux, nos compagnons continuaient de pénétrer dans le cœur d'une Afrique nouvellement affranchie du colonialisme.

— Enfin maîtres chez eux! s'exclama un Rien-tout-neuf, les poings battant l'air au-dessus de sa tête.

— Tout doux, chuchota son maître, parlons bas, je vois venir une colonne de gens dont on ne connaît pas les intentions.

Et au passage de la milice, les trois s'enfoncèrent sous la broussaille.

C'est du fond de leur cachette qu'ils assistèrent au massacre. Tit-Rien, qui d'ordinaire poussait sa curiosité jusqu'au voyeurisme, cette fois se boucha les oreilles et les yeux. Il suffoquait. Était-il venu au monde pour être témoin de ça? Des hommes pareils à ceux qu'il avait vus hier s'esclaffer, se taper dans le dos, s'injurier à la blague, boire et manger et fumer en regardant se noyer le soleil derrière l'horizon, soudain surgissaient tels des dragons mythologiques qui se jetaient sur des villages endormis. Et là c'était l'orgie de sang et de cris. Hommes, femmes, vieillards et enfants, tous passés à la mitrailleuse ou à la machette, amputés, tailladés, coupés en deux… Arrêtez! Mais le hurlement de Rien ne passa pas sa gorge, son gosier était à sec. Personne serra le bras et le moignon autour des deux compagnons frétillant comme des vers. Le drame qui se jouait sous leurs yeux les dépassait, dépassait leur force comme leur entendement. Rien à faire. Et Rien s'en arrachait les cheveux.

À quoi avait servi l'affranchissement des colonisés si les nouveaux maîtres sortis de leur rang ne valaient pas mieux? Exploités par les autres ou par eux-mêmes, humiliés ou massacrés, leur fallait-il de tous côtés servir d'appât aux plus bas instincts de l'homme?

Rien à faire… Et Rien, durant les temps infinis qui s'écouleraient devant lui, resterait hanté : il n'avait rien fait.

— Personne ne pouvait empêcher ça?

Ni Rien ni Personne. Et pourtant… Quelqu'un avait réagi, s'était débattu, enserré dans le bras de fer du maître; certains braves comme lui s'étaient insurgés, au péril ou au prix de leur vie. Rien lui-même avait voulu foncer, se jeter dans la mêlée, assommer les bourreaux avant de mourir avec les victimes. Mais ses pieds ne parvenaient pas à s'arracher du sol. Une force mystérieuse le clouait sur place : le bras amputé du maître? la peur? le désir de vivre? son singulier destin?

— Pourquoi, maître, ne m'as-tu pas laissé faire?

Le maître se tut.

Tit-Rien s'étira le cou et tenta d'avaler une glu épaisse qui lui bloquait le gosier, mais rien ne passait. Il devait accepter que certaines images qu'il aurait voulu purger de son système allaient au contraire monter le long de sa tempe et s'encastrer dans son cerveau.

— À demeure? qu'il interrogea son maître.

— Aussi long que le souvenir de ton premier coucher de soleil et de ta première lampée d'ozone.

Rien comprit que ce serait la longueur d'une vie.

Et pour se donner de l'aplomb et ne pas laisser aux autres le dernier mot :

— Qui pleure vendredi rira dimanche, chantonna un Tit-Rien-gaillard en pivotant sur lui-même.

Il fut le premier surpris de vérifier dès le dimanche suivant la justesse de sa prévision.

C'était un village tout semblable aux autres : des huttes rondes en terre séchée sous un toit de paille, fumantes et grouillantes de vie, où des enfants par grappes s'agglutinaient aux quelques vieillards qui fumaient ou sirotaient leur bière aux bananes dans une calebasse creusée. Mais ce jour-là n'était pas comme les autres. Les hommes, femmes et enfants, vigoureux ou éclopés, tous accouraient vers un étrange personnage tranquillement assis sous un grand fromager, face au soleil.

— Le griot!

Comment? Son maître le connaissait? Tit-Rien aurait pourtant dû se souvenir que Personne était l'homme de savoir et de mémoire. Il leva les yeux sur lui et :

— Un griot…?

— Le conteur traditionnel, poète et grand sage, dépositaire de la culture orale et, par-dessus tout, le devin en communication avec les esprits. Approchons-nous.

Conseil inutile, Tit-Rien était déjà rendu. Le devin doublé du conteur! Et le cercle des grands et petits noirs n'eut pas le choix que de se serrer pour faire de la place à trois nouveaux venus avides d'entendre un griot conter l'Afrique. L'Afrique de toujours et d'aujourd'hui, l'Afrique éternelle. Car pour s'en assurer, le griot, conseiller des rois, se faisait de plus le chroniqueur de leur règne. Il retraçait aussi loin que sa mémoire pouvait le conduire, c'est-à-dire jusque dans la nuit des temps, les exploits de leurs aïeux dans des récits fondateurs de la grande épopée africaine. Mais en langue du pays, que seul Personne arrivait à décrypter. Rien s'étirait le cou, se frottait les oreilles, jusqu'à ce que le griot, l'avisant, s'attendrisse et passe avec l'aisance d'un instituteur au français des écoles.

Oh alors !

Devant l'engouement d'un petit Rien né de rien ni de personne qui découvrait son premier et authentique défricheur de parenté, le griot retraçait la généalogie de chaque famille, rendait à chacune les gloires et les misères d'une lignée d'ancêtres qui avec leur roi entraient tout ronds dans la mythologie.

Nos trois compagnons sans histoire ni passé écoutaient raconter l'histoire du passé des autres, une histoire plus vieille que celle des blancs d'Europe qui durant des siècles s'étaient appliqués à les civiliser. Tit-Rien savourait chaque mot du conteur, grimpait chaque arbre généalogique, laissait voguer son imagination au cœur des mythes, légendes et épopées d'une Afrique qu'il avait vue la veille s'entredéchirer.

Lentement, Rien et Personne se remettaient de leur rencontre avec la barbarie. Quant à Quelqu'un, il avait trop vécu pour s'attendre à autre chose. Le monde, noir, blanc, rouge, jaune ou bariolé, tout pareil. Entre l'ivraie, le chiendent, la bouse de vache, poussaient, ravies, la violette ou l'orchidée. On tuait la veille et le lendemain, chantait les exploits d'un peuple. C'était comme ça. Quelqu'un avait été témoin du pire et du meilleur. Et depuis longtemps avait cessé de s'arracher les cheveux ou de se frotter les mains en passant de l'un à l'autre.

— Le monde, c'est le monde. Ainsi fait.

Tit-Rien le regardait à moitié de travers. Comment pouvait-on rester à ce point indifférent devant les extrêmes?

L'Afrique, le plus vaste des continents, n'était cependant pas le plus varié aux yeux de Rien qui distinguait mal un noir d'un noir. Il fallut à Personne reprendre son disciple avec vigueur pour tenter de déraciner ses restes effilochés de préjugés.

— Mais regarde-les, maître, ils sont de même couleur, de même stature, de même allure, rien ne ressemble autant à un noir qu'un autre noir.

— Si tu les examines de près, tu finiras par constater la diversité des origines chez la race noire : le corps trapu ou élancé, la mâchoire carrée ou pointue, le nez aquilin ou aplati, les yeux ronds ou en amande, les lèvres plus ou moins épaisses, la courbe de la colonne et des hanches plus ou moins accentuée, les cheveux…

— … tous crépus. Et tous de peau noire.

— Tu sais pourquoi?

— Pour se protéger des coups de soleil.

Maître Personne baissa les bras. Puis se reprenant, il tira du Cantique des cantiques le *Negra sum, sed formosa… Je suis noire, mais je suis belle,* qu'il récita jusqu'au bout d'une voix qui enchanta Quelqu'un et laissa Rien au bord des larmes.

Puis il se dit qu'il était temps d'entreprendre la plus importante tranche de leur voyage africain.

— Armons-nous de patience et faisons le plein d'énergie. Il nous reste la plus belle page d'Afrique à découvrir : le grand rift.

Tit-Rien sent déjà un flot d'adrénaline lui gonfler les veines et lui chatouiller les nerfs.

— Qu'est-ce qu'on attend? Dépêchons-nous, faut pas le faire attendre, celui-là. Comment tu l'as appelé déjà?

— Le grand rift africain. Une faille qui a fendu le continent du nord au sud. Et t'en fais pas, elle est toujours là à t'attendre depuis ton plus lointain ancêtre.

Un ancêtre, lui? Il n'en fallait pas davantage à Tit-Rien pour lui asticoter les jambes.

Hop! tout droit, à la quête de la faille de la vie!

# 10

Pas toujours tout droit, non, maître Personne dut expliquer à son disciple que rien n'est simple et la vie pas du tout rectiligne. L'évolution a fait tant de détours et de croches pour arriver jusqu'à nous, que l'histoire de l'homme est une longue marche en zigzag.

— Pourquoi?

— Pourquoi quoi?

— Pour quelles raisons avancer de travers et en tricolant?

— Tu ne t'imagines pas que deux millions d'années, ça se parcourt comme ça en ligne droite, sans anicroches, sans accrochages ou déviations. Toi si intelligent d'accoutume, te voilà tout à coup retombé en petite enfance, comme si tu avais tout oublié ou voulais tout réapprendre depuis le début.

Tit-Rien-tout-nu sourit par en dedans. C'était précisément ce qu'il cherchait, sournoisement, remettre l'existence sur ses rails de départ; il voulait le récit complet de l'histoire à partir de sa naissance la plus obscure jusqu'à son aboutissement au sommet de sa vie.

— Mais, Tit-Rien, l'histoire ne dit pas tout, elle ne raconte pas la naissance de l'homme, celle-là appartient à la préhistoire, l'histoire non écrite, inscrite dans les fossiles.

— Raconte les fossiles.

— …?

— Va, raconte.

Maître Personne sut qu'il ne s'en tirerait pas avec un conte. Et durant des mois, des saisons à traverser la plaine et la brousse africaines, évitant les fortes agglomérations des villes et leurs banlieues pour ne pas distraire sa concentration, il entraîna ses compagnons dans les sentiers qui remontent l'histoire, la préhistoire, le temps des hominidés, bipèdes, ancêtres des...

— Les qui? Vite, Personne, amène-nous chez les ancêtres.

Encore un coup, le boulimique voulait tout savoir, mais sans se donner le temps d'apprendre. Personne dut le faire asseoir, lui expliquer que la route de la connaissance était proportionnellement aussi longue que celle de l'existence, puisque d'une certaine façon les deux marchaient côte à côte.

— Voyons donc, maître, notre existence dure depuis plus de deux millions d'années, c'est toi-même qui l'as dit. On va pas mettre tout ce temps-là pour apprendre, jamais je croirai!

Ses propres mots restèrent en travers de la gorge de Rien qui venait de donner une longueur limite à la vie. Il se hâta de se raccrocher au récit du maître bien en selle, le seul capable d'allonger son existence jusqu'au premier homme.


Le premier homme était sans doute un singe.
Tit-Rien veut tout savoir.

Tout ça aurait commencé dans cette région, alors que la Terre, encore plus instable qu'aujourd'hui, grouillait et tremblait à la moindre secousse de ses entrailles. Disons que la planète souffrait facilement de coliques à l'époque.

Quelqu'un se surprend lui-même à glousser :

— La Terre constipée!

L'un de ces séismes fut plus formidable que les autres : une collision, un choc, une explosion monstre au tréfonds de la terre. Et qui creusa la grande faille au cœur d'un continent.

— Le grand rift?

— C'est ça.

Quelqu'un s'attrape le ventre. Et les deux autres le regardent s'enfuir sous les buissons.

— Continue.

La Terre aurait pu en rester là, une crevasse de plus ou de moins. Mais celle-ci allait changer sa vie. La vie de la planète, s'entend.

Tit-Rien entend très bien.

Avec le temps – accordons-lui tout le temps qu'il lui fallut, n'hésitons pas à compter à coups de millions d'années – voilà que la faille qui n'a cessé de s'élargir a séparé les animaux qui autrefois se côtoyaient. Plus que de les éloigner les uns des autres, les a distancés de leurs propres ancêtres. Ce qui s'est passé petit à petit, par la faute des vents.

Quelqu'un revient sur ces entrefaites et veut savoir en quoi les vents, si favorables en mer, causeraient sur terre de tels dégâts.

— Pas des dégâts, vieil homme, mais la plus grandiose aventure dont puisse rêver un astre naviguant à la dérive dans le cosmos.

Tit-Rien se colle au vieux loup pour le faire tenir tranquille et du menton fait signe à Personne de continuer.

Quand on dit à la dérive, c'est vu d'ici, parce que vu de là-haut, le ciel pouvait laisser supposer un voyagement d'étoiles drôlement bien programmé. Quoi qu'il en soit...

Personne voit la tête de Tit-Rien voguer dans le cosmos et se tait, le temps de le laisser rejoindre le récit. Mais son disciple a déjà dépassé le récit du maître, navigue dans l'espace astral, encore plus loin, jusqu'au vide qui lui comprime les poumons et l'étouffe. Rapidement il revient sur terre chercher sa respiration.

— La suite, maître, les vents, comment les vents ont-ils pu nous séparer les uns des autres?

— ... Du côté est du rift, les grands vents de mer ont balayé la forêt, la réduisant à son état primitif de plaine et même de désert. Et avec le temps... du temps incalculable par notre petit cerveau...

Tit-Rien fait la moue.

— ... notre petit cerveau de l'époque enfermé dans le crâne d'un singe. Mais bientôt, c'est-à-dire dans quelques millions d'années, ce singe des plaines est descendu de l'arbre et du coup a libéré ses pattes d'en avant qui lui servaient à s'agripper aux branches.

Rien n'y tient plus et saute à pieds joints dans la narration.

— Et le voilà avec des mains! Avec des mains, il pourra tout faire : peler ses bananes, se fabriquer des outils, taper ses voisins dans le dos, faire des pieds de nez aux imbéciles, applaudir les autres, même faire la roue pour amuser la galerie.

Personne voit son Tit-Rien galoper à toute vitesse le long de l'évolution, dans sa grande hâte de voir le singe arriver jusqu'à lui.

— Avant de faire la roue, ton ancêtre devait d'abord s'entraîner à se tenir debout et apprendre à marcher sur deux pattes.

— Combien de temps?

Le narrateur ne s'arrête pas à ces détails insigni-fiants et veut poursuivre, mais Tit-Rien est tenace :

— Combien de temps ça prend pour apprendre à...?

Personne comprend, comprend enfin que les questions apparemment absurdes de Rien reflètent chez lui un vide que l'auteur de ses jours a négligé de combler. Son existence, trop pressée d'aboutir, a sauté une étape essentielle de son développement : il n'a jamais appris à marcher. Le maître le regarde avec attendrissement et bifurque.

... Car pendant qu'à l'est du grand rift on se dressait sur ses pattes de derrière, à l'ouest, la forêt devenait de plus en plus dense et séparait pour longtemps les singes des futurs *homo sapiens*.

Quelqu'un est perplexe, voudrait dire quelque chose mais hésite à intervenir dans une histoire si savante et qui le dépasse. Alors le maître continue.

L'*homo sapiens*, l'homme qui pense.

Tit-Rien est inquiet :

— Veux-tu dire que l'animal pense pas?

— Si fait, mais il ne le sait pas, ne sait pas qu'il sait.

Quelqu'un se frotte le cagouette des deux mains. De quel côté de la grande faille se trouvaient ses ancêtres à lui, s'il en eut? De quel singe descendrait-il?

Mais Tit-Rien-tout-neuf ne veut pas laisser Personne s'égarer dans la broussaille, il veut voir les premiers hommes apprendre à marcher, manger avec leurs mains, parler. Et c'est ainsi que de question en interjection, il pousse son maître à raconter comment l'ancêtre de l'homme, en dégageant sa mâchoire qui au début était forcée de saisir sa nourriture avec ses dents, a fini par transformer sa morphologie, hausser son front, agrandir son crâne pour faire de la place à un plus important cerveau et...

— ... et permettre au gorille de savoir qu'il pense. Wow!

Le maître et le disciple éclatent d'un même rire. Quelqu'un les regarde avec admiration, puis hoche la tête : tous les hommes ne doivent pas descendre du même singe.

— Tous les hommes, quelles que soient la couleur de leur peau, leurs coutumes ou croyances, descendent du premier, rectifie Personne.

Tit-Rien a les yeux à pic :

— Ça se pourrait pas, par adon, que plusieurs singes aient eu en même temps la même idée de se redresser, se tenir sur deux pattes et partir, certains par le nord, d'autres par le sud pour grimper vers la même évolution?

— Tout ça est possible. Une seule chose est sûre : on est là et on n'a pas fini de grimper. Durant des millions d'années, on a appris à marcher droit, à lever la tête vers le ciel et à se demander qui pouvait bien l'habiter...

— Se le demander avec des mots?

— Lentement les cris sont devenus des mots.

— Comment ça s'est fait?

Personne demande alors à Rien de se mettre à quatre pattes, les yeux rivés au sol. Et maintenant, qu'il lui ordonne, parle-moi, dis-moi ce que tu sens. Tit-Rien lève la tête pour interroger son maître…

— Non-non, garde la tête en bas, la cou renfoncé, et essaye de me dire quelque chose d'important.

De la gorge de Rien sortent des borborygmes incompréhensibles. Sitôt il se redresse.

— Ça veut dire que pour sortir des mots intelligents, faut se tenir debout?

Personne glousse, puis :

— Faut avoir le larynx dégagé, la gorge assouplie, le palais arrondi…

— … et le cerveau assez large pour y enfourner tous les mots que les hommes ont inventés depuis qu'ils ont commencé à marcher la tête haute!

Le vieux loup de mer, qui depuis des jours s'efforce de suivre le maître et le disciple sur le chemin de l'évolution, finit par s'exclamer :

— Saperlipopette! j'aurais jamais cru descendre de si haut. Ça parle au diable!

Les deux autres s'esclaffent. Puis Tit-Rien, se rappelant que le diable se cache à l'est, balaie des yeux la plaine où il voit onduler les hautes herbes jaunies sous le soleil.

— Curieux que ce foin danse sans même un souffle de vent pour le sourlinguer.

Il se tourne vers Quelqu'un qui arrondit les yeux et garde les pieds accrochés au sol.

— Allons, vieux loup, jamais je croirai qu'avant même de l'avoir vu, le diable te fasse faire dans ta culotte.


C'est maître Personne qui le reconnut à sa voix. Car le lion, avant même d'apprendre à parler, savait déjà faire entendre à des kilomètres à la ronde qui était le roi de la brousse et de la jungle africaines.

Tout s'était passé si vite que Rien n'eut le temps de consulter ni ses instincts ni sa raison. Sa mémoire lui eût peut-être rappelé de faire le mort, mais le lion n'est pas l'ours, c'est un carnivore qui ne se nourrit point de miel ou de pommes pourries. Par contre, le grand félin, contrairement à l'ours, ne grimpe pas aux arbres. Si Rien l'ignorait, son maître le savait et attrapait déjà son élève par la chemise, le juchait sur ses épaules, s'allongeait de toute sa taille jusqu'à la première branche d'un fromager de plus de soixante mètres. Il s'y accrocha avec Tit-Rien sur son cou et hucha à Quelqu'un de les suivre. Le lutin était déjà rendu sous le houppier, à l'abri sous le gigantesque parasol du plus majestueux arbre tropical, quand il aperçut en bas le troisième compagnon qui luttait pour s'agripper à l'écorce lisse qui enrobe le géant de la forêt. Le vieillard n'avait plus la souplesse de l'époque où il grimpait au mât d'une goélette comme un chat. Ses mains calleuses glissaient sur le tronc.

— Grimpe, Quelqu'un! vite, enroule tes jambes autour du tronc!

La réponse ne vient pas du vieux marin mais du lion mâle qui rugit des roulements de tonnerre. Rien veut se boucher les oreilles, se crever les yeux, n'assistera pas à ça, pas là, pas à ses pieds… Dieu, si tu existes!… Il sent le feuillu bouger. Va-t-il se déraciner, s'effondrer? Il agrandit les yeux et regarde en bas. Personne se tient au pied de l'arbre, arc-bouté en escabeau contre le tronc. Le lion approche et hume, arrive même à frôler de sa patte les talons de Quelqu'un à plat ventre sur la première branche qui oscille de droite à gauche, puis de bas en haut, assez haut pour permettre au vieux de s'accrocher à la branche d'au-dessus et laisser sur sa faim et pantois le lion qui n'a pas vu Personne. Rien se frotte les paupières.

— Personne!!

Où est passé son maître? À quel jeu se prête-t-il? Va-t-il disparaître comme il est apparu, à l'improviste et au seul appel de son nom? Rien et Quelqu'un se dévisagent, puis toisent d'en haut le lion qui les reluque d'en bas, et les trois, hommes et bête, cherchent à comprendre.

— Tenez-vous cois, tous deux. Ne provoquons pas plus fort que nous.

On l'entend, il est là, Personne!

— Maître!

— Chut! tout doux. Laissons-le se lasser le premier.

Et d'une voix d'en dessous de la gamme, Tit-Rien chuchote :

— Par où es-tu passé?

— Par le tronc, comme de raison. Mais je l'ai monté en m'enroulant autour, tel un lierre collé à l'écorce.

— La bête n'a rien vu?

— Elle n'avait d'yeux que pour Rien et Quelqu'un, sûrement plus appétissants qu'un Personne qu'il a pris pour une plante grimpante.

Personne avait bien averti : laissez l'autre se lasser le premier. Mais le fauve était un lion dans la force de l'âge, vigoureux et affamé. Il avait décidé de tenir. Accroupi au pied du grand fromager, il attendait, l'œil aux aguets. De temps en temps, il rugissait pour affirmer son autorité, puis reprenait son attitude de souverain, trônant sur son train de derrière.

Tit-Rien n'avait pas l'intention de s'endormir, même si le parasol qui le couvrait de son large feuillage lui rappelait une alcôve douillette. Il était vif et éveillé comme jamais il ne l'avait été de sa courte vie. Sa vie n'en était qu'à ses débuts, il en était sûr, et ce n'était pas un vulgaire animal de la brousse, fût-il royal, qui aurait sa peau. Il se pencha au-dessus du lion immobile et indolent, au pied de l'arbre, et dans une langue qu'il s'efforça de rendre digne de la seule espèce parlante de la Création :

Tu veux patienter? Eh bien, à nous deux, je saurai t'épuiser. Reste, guette, attends, la vie du lion a une durée plus courte que celle de l'homme, ça s'adonne, tu céderas le premier. Mon aventure ne fait que commencer, j'ai un monde à explorer et à conquérir. De plus, je le sais. Contrairement à toi, moi je sais que je sais. Mon crâne est plus large que le tien, mon cerveau plus perfectionné, mon évolution a des années-lumière d'avance sur la tienne, j'ai des idées, des sentiments, de l'imagination. Tu sais ce que c'est que l'imagination? Tu serais capable, par exemple, de t'imaginer à ma place, de sentir ce que je sens face à toi? Moi je peux, voilà la différence entre nous. Je t'imagine en ce moment en train de savourer d'avance le repas qui t'attend, de déguster mon sang, mes muscles, mes viscères, de sucer la moelle de mes os…

Le visionnaire fixa net sa vision. Il venait d'apercevoir la langue du fauve qui se léchait les dents. Des canines jaunes, pointues, acérées comme des lances. Il se retourna vers Personne qui contemplait les étoiles, vers Quelqu'un qui dormait du sommeil des innocents. Grand Dieu! Et si le vieillard allait tomber? Il le secoua, l'appela :

— Quelqu'un, réveille-toi! Le lion a faim.

D'instinct, par une vieille habitude de serviteur, le loup de mer se redressa, secoua ses puces et s'apprêtait à descendre préparer le repas du groupe, quand il entendit juste en dessous le souffle du lion. Personne et Rien eurent le temps d'attraper Quelqu'un par les genoux et de le clouer à sa branche. Et l'attente recommença.

Un jour, une seconde nuit.

Décidément, cet animal avait de l'endurance. Tit-Rien sentait ses tripes se contracter, ses jambes s'engourdir. Le prédateur avait l'avantage sur la proie de pouvoir bouger, s'étirer les pattes, se promener dans un périmètre juste assez large pour donner envie aux autres de tenter la chance. De quelle arme dispose l'homme aux mains nues devant le lion? À quoi sert un cerveau affiné depuis des millions d'années face aux griffes et aux dents affilées depuis plus longtemps encore?

Il voulut implorer le pardon de son maître pour l'avoir entraîné dans la plus mortelle impasse, quand il le vit de la pointe d'une épine graver dans une branche du tendre fromager la figure du lion aux aguets. Personne voulait-il laisser à la postérité une dernière image du passage sur terre de trois valeureux compagnons en quête du sens de la vie?

— L'homme des cavernes? interrogea le disciple en levant les yeux sur son maître qui ne répondit pas.

Tit-Rien se rappela la leçon de la préhistoire, le chasseur qui dessine la bête qu'il devra tuer le lendemain, manière de témoigner de la supériorité de l'intelligence sur la brute. Mais le chasseur primitif disposait d'outils, de piques ou de massues, et ne se laissait pas coincer dans un arbre au milieu d'une plaine ouverte. Personne n'avait pas même de quoi couper une branche pour s'en faire un gourdin.

Et pourtant l'artiste poursuivait son œuvre, dessinait maintenant des proies à quatre pattes, des antilopes, des gazelles, l'univers sauvage et quotidien de la brousse africaine. C'est alors que Rien comprit. Personne offrait au prédateur ses proies naturelles. Génial! Si fait, mais où les prendre et comment les attraper? Le lutin n'était plus à l'âge des bretelles où il s'en fabriquait des collets à lièvres, puis une gazelle n'était pas un lièvre.

À ce moment-là, il entendit un bramement étrange juste au-dessus de sa tête. Quelqu'un s'était fait un cornet dans une feuille de fromager. Le lion aussi l'entendit et s'énerva. Il se dressa, fouilla l'horizon et finit par apercevoir au loin un troupeau qui gambadait dans la broussaille sans se douter de la présence du fauve ni se méfier de la ruse de l'homme.

Le spectacle que Rien avait voulu éviter allait maintenant se dérouler sous ses yeux : le carnage. Non, Tit-Rien, pas un carnage, le déroulement naturel de la chaîne alimentaire. Le carnassier dévore l'herbivore qui se nourrit de feuillage et de grain. Tu ne te souviens pas de t'être léché les doigts, un jour, de la graisse du lièvre sauvage? Oui, mais ces gazelles et ces biches, il les voyait hier encore danser dans la plaine, les petits accrochés aux mamelles. Et c'est le faon qu'attrape le fauve, et qu'il déchire sous les yeux de sa mère.

— Mais de quoi veux-tu que se nourrisse le carnivore? Lui aussi a des petits qui ont faim et qui l'attendent là-bas.

En regardant au loin les lionceaux fêter le retour du pourvoyeur, Tit-Rien hocha la tête comme un homme qui en a vu d'autres et sauta en bas de sa branche. Mais quand il voulut aider le vieux marinier à glisser le long du tronc, il vit planer dans la brise la feuille du grand fromager qui avait appelé les gazelles au repas du roi.

Des mois plus tard, les compagnons croisèrent leur première caravane.

Une file de dromadaires et de chameaux, pas de quoi effrayer un Rien qui sortait d'un safari autrement périlleux.

— Hé! qu'il héla le cavalier de tête, pas une petite place sur l'échine de vos bossus pour trois braves guerriers du désert?

Personne n'avait pas prévu le coup et n'eut pas le temps de lui mettre la main sur la bouche. Les têtes enturbannées jetèrent du haut de leur monture des regards soupçonneux et stoppèrent les bêtes qui se mirent à blatérer : c'était qui, cet effronté qui dérangeait leur lente marche dans les sables? Quand il vit briller la lame des coutelas que chaque cavalier sortait de sa ceinture, Tit-Rien comprit trop tard qu'il s'était mis le doigt dans l'œil. Voilà un vieux cliché qu'il n'eut pas le loisir de corriger, trop impressionné par le silence mortel de la caravane qui n'avait pas coutume de se laisser aborder sur ce ton.

Le maître ne perdit pas une seconde et, passant de l'arabe au kabyle au français, s'enquit avec la plus grande courtoisie de la direction du nord-nord-ouest. Après des échanges à voix basse et des regards obliques qui balayaient les trois têtes étrangères, après des minutes interminables qui laissèrent à notre héros le temps de sentir une crampe lui nouer les boyaux, le chef des hommes du désert finit par lever son bâton et lentement pointer vers la Mauritanie. En laissant enfin sortir son souffle, notre jeune étourdi se dit que dans l'échelle de la Création, le lion ne représentait peut-être pas le danger le plus redoutable.

Nord-nord-ouest.

Personne ni Quelqu'un ne comprirent pourquoi Rien, d'ordinaire si vif, traînait tellement les pieds dans le désert de Mauritanie. Du bout des orteils et du talon, il fouillait le sable, comme s'il cherchait à y déterrer des trésors cachés. Mais à chacune de leurs questions, il répondait qu'il ne trouvait pas.

— Tu cherches quoi?

— Si je le savais!

Comment trouver la réponse quand tu ne connais pas la question?

Et les deux autres patientaient. Un jour, selon son habitude, Rien sauterait de joie un bon matin et hucherait :

— Ça y est, je l'ai!

Et alors il expliquerait à un Personne qui commencerait à comprendre et à un Quelqu'un qui n'y comprendrait rien que c'était comme ça, que fallait bien que ce soit comme ça.

Comme prévu, un matin il s'écria : Ça y est! et se mit à élaborer.

— Après tout, qu'il fit, on vient juste d'arriver. Un million, deux millions d'années, c'est pas beaucoup pour un pareil voyage.

Quelqu'un décida de s'asseoir. D'abord, il était fourbu ; puis il devinait que pourrait durer des heures le voyage qu'entreprenait dans sa caboche le bâtisseur de châteaux en Espagne.

— Tu cherches la corde à virer le vent ? qu'il ricassa.

Maître Personne, quant à lui, choisit de rester debout, sachant d'expérience que c'est en bougeant que Rien se sentait le plus inspiré.


Depuis sa visite du grand rift et sa découverte de la naissance du premier homme, notre héros inquisiteur n'avait cessé de jongler avec les mille pistes qui s'ouvraient à lui. D'accord, il descendait du singe ou du gorille ou d'un quelconque primitif à l'état animal ; d'accord, il avait rejoint l'homme achevé en cours d'achèvement.

— Exprime-toi clairement, proposa le maître.

Rien entendait pourtant clairement sa pensée. L'homme qu'il avait rejoint en route achevait son achèvement.

— Pléonasme, se permit Personne.

— Achevait son accomplissement.

— Pas sûr.

— Encore un pléonasme ?

— Pas certain que l'évolution soit accomplie et terminée.

— J'ai dit «achever» et non pas «terminer». Achever ne voudrait-il pas dire qu'on s'en va vers la fin ? Qu'on pourrait voir le jour où l'on serait des êtres accomplis ? Ne penses-tu pas, maître, que toi et moi, peut-être Quelqu'un, on pourrait voir de nos yeux...

— ... la fin du monde ?

Rien s'engotta sur sa propre phrase que venait de conclure Personne. Le parachèvement de l'évolution pourrait donc coïncider avec la fin du monde ? Avoir pris tant de milliards d'années pour en arriver là !? Son visage se décomposa. Alors son maître le fit asseoir au côté de Quelqu'un et leur demanda s'ils ne prendraient pas, l'un et l'autre, un petit quelque chose à manger.

Comme toujours, chez notre Rien, l'appétit de son cerveau devait céder devant celui de sa panse. Et son raisonnement dégringola à la vue des figues et raisins secs que le sage avait pris soin d'enfouir dans les poches de son burnous.

Une nuit et un jour plus tard, c'est Personne qui fit marche arrière. Les questionnements du disciple n'avaient cessé de mijoter dans la tête du maître. Les fins dernières, la fin du monde, leur propre fin, où se situait-on sur la courbe de l'évolution interminable, interminable en apparence, interminable pour qui ? Et pour purger son esprit, il partagea son angoisse avec ses compagnons de voyage. Peut-être devrait-on prendre ses distances par rapport à son propre espace-temps ?

L'esprit de Quelqu'un figea dans un vague immobile. Mais celui de Tit-Rien fut si émoustillé qu'il en oublia d'être effrayé ou surpris. Se distancer du temps et du monde, regarder les choses de haut, sortir de son enveloppe étroite, de sa coquille, quasiment de sa peau, serait-ce possible ? Ne pourrait-on pas, pour un temps, un temps calculé et limité, tenter le voyage astral ? Le mot entendu chez les savants de la croisière dans le sud lui revenait en mémoire : voyage astral.

— Attention, pas trop vite, ne laissons pas la bride sur le cou à nos chimères, avertit maître Personne.

Et il discourut sur l'esprit qui a son siège dans l'enveloppe corporelle, qui est énergie autant que matière, que... que...

Tit-Rien est déjà debout, n'écoute plus. Son corps tout entier est traversé par un éclair de génie... Attention, attention, a beau répéter le maître, l'élève n'entend pas, sautille, s'ébroue, huche à qui veut l'entendre... c'est-à-dire à n'importe qui surgi là par hasard dans le désert de Mauritanie... qu'il vient d'avoir une idée !

Et c'est l'idée qui devait conduire notre petit groupe en quête de vie à faire demi-tour dans leur mystérieux voyage.

Car c'est là, dans le désert, que Rien s'était arrêté, avait tout risqué, tenté le tout pour le tout. Sous les yeux incrédules de ses compagnons, il s'était prostré dans le sable, recroquevillé jusqu'à s'enrouler autour de son propre noyau, cherchant à se réduire à l'essentiel de son être, pire... cherchant à arrêter le temps.

Maître Personne tend l'oreille à la conversation de son disciple avec son plus grand adversaire.

— Le Temps, je t'appelle. Arrête un instant. Viens t'asseoir.

— Je ne saurais m'arrêter.

— S'il te plaît, le Temps, que je t'explique mon idée.

— Les idées prennent du temps. Et je suis en mouvement.

Et le Temps poursuit sa route.

— Attends. S'il te faut à tout de reste bouger, fais du surplace, puis écoute-moi.

— Ton rythme n'est pas le mien, tu veux toujours aller trop vite. Tu galopes, sautes les étapes.

— Non, cette fois, bien au contraire, je vais prendre tout mon temps, même revenir en arrière. Tu seras fier de moi, je te le jure.

— Faut jurer de rien.

— Ah! ta voix sonne comme une leçon de maître.

Rien est au bord du découragement. Mais son idée le poursuit, il ne peut plus la lâcher.

— Laisse-moi seulement te confier ma découverte.

Le Temps, sans s'arrêter, ralentit légèrement.

Et un Tit-Rien-flambant-neuf l'attrape par la queue :

— S'il te faut absolument avancer, tente d'avancer à reculons.

Le Temps, surpris, fait un pas de travers qui manque de le faire trébucher. Rien se sent revigoré, rajeuni.

— Tu connais l'étrangeté de ma naissance? Tu sais que je suis lié à l'auteur de mes jours.

Comme tout le monde.

— Non, pas comme tout le monde. Moi je dépends de lui jour après jour...

Le mot *jour* rappelle à son devoir le Temps qui se remet en branle.

— Attends, attends! pas si vite. Et puis sache que je relève de lui... d'elle... plus que de toi.

Le Temps dresse un sourcil long comme une nuit de décembre. Quelqu'un vivrait en dehors de lui?

À ce moment-là, Tit-Rien-tout-nu tend l'oreille : il est sûr d'avoir entendu. De très loin lui est venu l'écho d'un gloussement. Elle a donc pardonné? Accepte de se pencher sur le vilain personnage qui a coupé les fils qui lui tenaient lieu de cordon ombilical? Va-t-elle le reprendre?

— *Admets qu'il a raison, tu as tendance à sauter les étapes.*

Il a entendu, clairement entendu. Et se sent légèrement honteux. Mais sa vraie nature revient au galop.

— On peut toujours se rattraper.

Elle rit. C'est de bon augure. Et le héros décide de pousser son avantage.

— Dis-moi seulement où j'ai bifurqué. Indique-moi le temps et le lieu.

Le Temps, se sentant interpellé, veut repartir sitôt. Mais cette fois, ils sont deux à tirailler chacun de son côté.

— *Ton instinct est plus sûr que le mien. Va.*

Et malgré lui, le Temps fait marche arrière et met ses pas dans les pistes d'un petit Rien-du-tout qui, la tête envahie d'images qui se bousculent, jette un œil sur celle qu'il avait laissée en plan en plein milieu de l'océan Atlantique et au beau mitan de sa première tranche de vie. Ce jour-là, au lieu de poursuivre le chemin qu'il s'était tracé, tout droit vers l'est, sur les traces de la légende du diable et de ses possibles ancêtres, il s'était laissé tenter par des contrebandiers qui lui accordaient assez d'importance pour le prendre en otage et avait bifurqué vers le sud, en quête d'aventures qui n'étaient pas de son âge.

... S'il n'avait pas écouté le chant des sirènes qui l'appelait sur le pont, cette nuit où un navire de forbans avait accosté leur embarcation, s'il n'avait pas pris goût à l'aventure qui devait plus d'une fois le confronter à l'ogre qui sous toutes les formes s'apprêtait à le renvoyer à ses limbes originelles... Il s'en voulait d'avoir sauté des étapes importantes de ce qui devait s'appeler l'enfance. Si seulement il avait pu faire marche arrière, revivre son premier voyage en mer, son premier débarquement en terre ferme, accompagné de Personne et suivi de Quelqu'un nouvellement accroché au couple...

— Quelqu'un ne peut être du voyage, protesta Personne.

— Comment! Mais il doit venir.

— Tu oublies qu'il n'a surgi dans nos vies que plus tard, quand tu as appelé au secours quelqu'un pour me faire un tourniquet.

— Et t'empêcher de te vider de ton sang, justement. Tu voudrais après ça laisser en arrière celui qui t'a sauvé la vie?

— C'est ni moi ni toi qui abandonnons notre compagnon, mais le Temps; lui seul marque l'heure d'arrivée au monde de chacun.

Rien veut taper du pied, mais un nuage de sable l'éclabousse. Le Temps, encore lui! Il s'époussette les joues, les paupières. Et lève les yeux au ciel pour le prendre à témoin. Quelque part quelqu'un doit être plus fort que ce sablier. Ça ne sera pas dit. Le Temps est une créature comme les autres...

Hé!

Peut-être pas comme les autres, mais personne n'est tout à fait comme tout le monde. Il doit bien y avoir moyen de contourner ce nouvel obstacle. Le héros sorti de Rien est prêt à tout, tout reprendre depuis le début, ne rien laisser perdre de sa précieuse vie. Et pour ça, s'il le faut, retourner en arrière pour rattraper le temps perdu.

Le Temps n'est jamais perdu. Même dans ses retours en arrière, il sait où il va.

Rien l'entend et comprend qu'il s'est arrêté. Il serait donc devenu négociable? Sous quel pli le prendre?

Quelque chose l'a frôlé par-derrière. Une queue dorée a bougé sous le soleil. Rien croit le reconnaître.

— Es-tu son cousin?

— Cousin…?

— … cousin du renard des bois?

Le museau pointu se plisse.

— Renard des bois ou du désert, tes frères.

Tit-Rien gouaille, à l'étonnement de ses compagnons. Mais on le laisse à sa contemplation.

— Si tu es de ma confrérie, indique-moi le faux pli du Temps.

Le rusé joue dans le sable, inondant de gouttelettes dorées les prunelles d'un Tit-Rien qui cherche désespérément à lire le gribouillage de l'animal qui n'a pas peur du loup. Pas peur du loup… le loup qui éternellement court après le renard qui l'esquive, le déjoue… lutte permanente entre la force et la ruse, entre le réel et le fictif, entre le Temps et…

Ce qui l'arrête, glapit le renard.

— Qui l'arrête? comment?

Le fixe.

— Qui peut fixer le Temps qui passe?

Le conteur… qui cause avec moi.

Et Tit-Rien allonge le bras pour rattraper le renard qui vient de s'enfuir et de disparaître.

— Personne! Quelqu'un, arrêtez!

Les deux lèvent la tête : ils n'ont pas bougé.

— Restez là. On y va tous ensemble.

Quelqu'un jette au désert un œil interrogateur. Puis à Tit-Rien :

— On reste ou on va? Et si on va... on va où?

Le héros n'a pas à répondre. Son créateur l'a mandaté, il est fondé de pouvoir, pouvoir de décision, il amènera qui il veut où il veut dans la suite du mystérieux voyage de son existence, le Temps n'y pourra rien, celui qui décide de rebrousser chemin en cours de vie a tous les droits de rattraper le temps perdu...

Le Temps n'est jamais perrr...

— Tais-toi.

Et le Temps s'arrête d'un coup sec.

Les deux se toisent, surpris l'un et l'autre de la tournure des événements. Alors le héros se tourne pour chercher l'approbation de l'auteur de ses jours... mais elle a disparu. Tit-Rien est encore une fois tout seul et tout nu.


Quand ses deux compagnons l'eurent rejoint, les trois avaient compris, sans savoir comment, qu'ils étaient sortis du désert, sortis d'Afrique, et que par un mystérieux détour dans le temps, ils venaient de descendre d'un vieux rafiot dans un port clandestin des côtes européennes.

# 11

Au petit jour, un Tit-Rien-tout-jeune-et-tout-frais s'arracha à son rêve de premier tour du monde, se frotta les yeux et joua des hanches pour s'assurer qu'il ne rêvait plus, puis courut se débarbouiller dans un étang peuplé de grenouilles. Tassez-vous, s'il vous plaît, faites de la place à l'homme doué de raison raisonnante.

Coassement rauque et rythmé.

— Ça va, ça va, j'ai compris, vous êtes chez vous dans les étangs, mais moi, ça s'adonne... Quoi? Je vous dérange? Je suis trop gros, peut-être? C'est bien la première fois qu'on me fait pareil compliment. Allons, les rainettes, faudra bien vous accommoder, comme j'ai dû faire toute ma vie.

— Glouc!

— Pas encore une longue vie, je sais, je sais, elle ne fait que commencer, et pourtant j'ai eu le temps d'accumuler des tonnes de connaissances. Vous n'avez pas idée de tout ce qui se passe dans le monde! Prenez un seul voyage en mer... si fait, en mer, haute mer, mer orageuse et ténébreuse, salée... eh bien, j'y ai vécu une succession de drames comme n'en a pas vu votre race de grenouilles depuis qu'elle a décidé de devenir amphibie. En fait, avez-vous commencé votre existence sur terre ou dans l'eau?

— ???

— Vous l'ignorez, ça se comprend, vous êtes bêtes.

Coassement orchestral, puis bond chorégraphié de centaines de grenouilles qui quittent l'étang en un éclair. Rien en a les oreilles et les yeux éblouis. Le chant des grenouilles, la danse des amphibies, les pattes qui sautent, les palmes qui nagent avec la même grâce et qui finissent par abandonner leur étang à l'intrus, le temps qu'il se refasse une raison. Une raison bien inutile au fond d'une mare devenue soudain inerte et insipide. Les amphibies, alignés sur des roches plates, le regardent patauger gauchement dans l'étang en essayant de rythmer bras et jambes dans le mouvement syncopé de la nage-grenouille, et leur coassement sonne comme un rire.

Soudain le rire se change en geint, puis en cri collectif. Tit-Rien sort la tête de l'eau pour assister impuissant à la chasse du vieux loup de mer dans le cercle des grenouilles affolées qui cherchent à replonger dans l'étang. Quand le filet le frôle, Tit-Rien croit qu'il va lui-même finir sa vie dans une poêle à frire.

— Arrête, Quelqu'un! qu'il hurle, elles sont innocentes!

Ce n'est qu'une heure plus tard, quand son estomac se mit à hurler à son tour, que le pauvre Rien pardonna au vieux marinier sa science innée de la survie. Et les trois compagnons connurent leur premier repas gastronomique depuis leur arrivée en sol breton.


Ils en étaient encore à se lécher les doigts avec délice, quand ils virent approcher deux messieurs en veston et chapeau melon attirés par l'étrange odeur mi-chair mi-poisson. Ces *gentlemen* parlaient la langue de l'île d'en face, que Personne identifia aussitôt comme celle d'une grande puissance coloniale.

— Ça existe encore, les colonies?

Le maître n'eut pas à répondre lui-même à la question de son disciple, sachant bien que les nouveaux venus s'en chargeraient.

— *Frogs? You eat frogs?*

Quelqu'un ne leur prêta aucune attention, Personne sourit, Tit-Rien suffoqua :

— Ils sont pas en train de nous traiter de grenouilles !

Personne prit le temps de calmer le lutin, puis invita les *gentlemen* à partager le repas des pauvres.

— *Frog legs*, qu'il articula sans accent.

Les autres ne parurent pas étonnés qu'on parlât leur langue, mais plutôt qu'on proposât à leurs palais raffinés de mastiquer des cuisses de grenouilles… !

— *Frogs !* qu'ils répétaient en se déformant les lèvres en bec de lapin.

Et s'éloignèrent sans demander leur reste.

Alors Personne put répondre à Rien :

— Eh oui, Tit-Rien-tout-neuf, les colonies, ça existe encore.

Chaque nouveau jour que le ciel leur envoyait, Personne et Rien se félicitaient de leur acquisition de Quelqu'un, le compagnon à tout faire. L'un et l'autre se fussent récriés si des malveillants avaient osé les traiter d'esclavagistes. Quelqu'un s'était joint à eux de son plein gré et en toute connaissance de cause, et partageait entièrement leurs biens et effets qui dans les faits se résumaient à rien. Mais le vieil homme dormait à leurs côtés, sous le ciel étoilé, marchait à leur pas dans les sentiers non battus, et mangeait à leur table, c'est-à-dire sur l'herbe fraîchement broutée des prés de vaches. Personne dut admettre que l'homme à la vaste expérience du quotidien apportait plus que sa part au groupe de voyageurs. Mais Rien ne s'en formalisait pas. Quelqu'un possédait la science infuse du bricoleur, du touche-à-tout inventif et industrieux.

… Viens, Quelqu'un, répare-moi cette semelle trouée, et Quelqu'un se faisait cordonnier ; approche, mon vieux, les branches mouillées refusent de s'allumer, et le vieux de son souffle attisait le feu.

— Que serions-nous devenus sans toi, reconnut avec courtoisie maître Personne qui parlait une vingtaine de langues, pouvait citer les penseurs grecs et chinois, distinguer les dynasties égyptiennes de celles de la Mésopotamie, raconter l'histoire du cosmos comme s'il s'était agi de sa propre famille… que serions-nous devenus sans Quelqu'un tel que toi!

Le vieux marinier reçut le compliment sans rougir ni protester, et retourna sur le gril les châtaignes sauvages et les truites arc-en-ciel pêchées dans le ruisseau.

Tit-Rien commençait à trouver la vie de nomade passionnante et ne s'ennuyait pas de la mer. Même si, certains soirs ou certains matins, il se rappelait avec un grain de nostalgie les splendeurs multiples du soleil qui se couchait ou se levait sur l'eau. Je les garde en mémoire, qu'il se répétait pour se consoler de ne pas pouvoir tout voir, tout faire, tout vivre en même temps. Personne regardait se débattre et s'agiter le petit Rien-à-tout, et se demandait quelle sorte de créateur inassouvi avait bien pu inventer pareil personnage.

— Hé! maître, Quelqu'un, venez là!

Encore lui. Ah non! pas possible! Le vieux fut rendu avant Personne. Et ensemble ils réussirent à décrocher de la branche cassée le petit qui pendouillait dangereusement à mi-hauteur d'un chêne plus que centenaire.

— Qu'est-ce tu fous grimpé là-haut? que s'indigna Quelqu'un. On s'écrabouille la cervelle à moins que ça.

Le petit réussit enfin à reprendre son souffle.

— J'allais voir… au-delà… au village… y a un clocher qui perce le ciel!

— C'est bien, c'est bien, on se calme, on respire par le nez...

— Pas de temps à perdre. Je l'ai vu.

Les deux autres échangèrent des regards mi-figue, mi-raisin. Leur compagnon rêvait fort, si fort que ses rêves, excédés, finissaient par se matérialiser. Il n'était pas impossible en effet qu'en pleine nature un clocher sorte de terre. On était en sol chrétien, après tout, en pays civilisé.

— En France, que précisa Personne.

Et le clocher gothique qui se pointa à l'horizon confirma son dire.


Le village tout entier surgit dans l'heure qui suivit, agglutiné à l'église de pierre grise et rose.

Rien voulut partir à la course, mais ses jambes l'en empêchèrent. Allons! les fouettait à coups de hart, mais rien à faire, les jointures bloquaient, les rotules s'obstinaient : on ne bouge pas. C'était bien la première fois que des membres d'homme refusaient d'obéir au cerveau, le petit n'y comprenait rien, et continuait de commander. Personne lui toucha le coude et Quelqu'un lui fit pencher la tête vers ses pieds. Le lutin aperçut alors des escargots par centaines qui traînaient leur logis sur leur dos et que ses pieds avaient reconnus avant lui. Était-ce possible? Les extrémités de sa personne étaient plus sages que lui, décidaient pour lui, instruisaient l'esprit et le cœur du personnage sur l'art de vivre. Il entendit alors des vibrations de phrases dans le lointain : *Tu es encore tout à refaire... Tu n'es pas tout à fait achevé...* et aurait voulu entrer sous terre. Lui, l'élu entre tous les riens, le gagnant du gros lot, découvrait après sa traversée des forêts et sa conquête des mers qu'il n'avait encore rien appris.

Quand les compagnons atteignirent le village, les semelles de Rien avaient déjà oublié la leçon de choses, pourtant bien gravée dans sa mémoire.

Et le maître se dit que son disciple avait bonne tête. Alors il le laissa prendre les devants, en toute confiance.

Les aînés cette fois eurent raison de se fier au benjamin. Car en se présentant au marché, ils le virent ouvrir son sac de jute et déverser sur le comptoir d'un marchand à moustaches épaisses une douzaine de douzaines d'escargots bien dodus. Alors commença le marchandage.

— Combien tu demandes, bestiole, pour tes coquilles de rien?

— Rien pour la coquille, mais un bon prix pour les cornes qui se pointent à la porte du logis.

— Qu'ils me montrent leurs cornes, tes carapaces vides, et on discutera.

Tit-Rien fouilla sa mémoire, cligna de l'œil et se mit à réciter :

Bolicorne, bolicorne,
Montre-lui tes cornes,
Sinon il tuera ton père,
Ta mère, tes frères,
Et tous tes cousins de la terre.

Le marchand entendit le rire qui montait des comptoirs voisins et voulut reprendre le dessus :

— Tu m'as l'air de venir de creux, bon à rien, et sans le sou, si je m'en fie à ta culotte trouée par-derrière.

Je sors du néant
Et ma culotte est trouée par-devant,
Comme la tienne,
Enfant de chienne,
Marchand de vent.

Esclaffe générale qui mit l'acheteur hors de ses gonds.

— File, 'spèce de moins que rien.

— Rien-tout-court, ni plus ni moins, mais avec les meilleurs escargots du pays des vignes.

Et Tit-Rien s'ambitionna en voyant approcher les dames, les demoiselles, les messieurs ravis de voir un si petit bonhomme s'amuser du plus farouche mercanti du marché.

Approchez, approchez,
Mesdames et cavaliers,
J'ai de beaux, j'ai de beaux...
J'ai de beaux escargots,
Cueillis à l'aube sous la rosée.

Et les escargots s'envolaient sous le nez du trafiquant dont notre héros avait effrontément emprunté le comptoir. Personne s'approcha pour conseiller à son disciple de se retirer à temps, mais le disciple s'était mué en amuseur public, marchand d'escargots et de refrains, et ne remarquait aucunement les gestes de son maître.

Jolies demoiselles,
Gentils damoiseaux,
Des cornes de dentelle
Au front d'mes escargots...

... Et sans le crochet de Quelqu'un sur la mâchoire du barbare qui brandissait son gourdin, Tit-Rien retournait illico à ses limbes.

Personne se saisit alors de Rien pendant qu'une bataille en règle se déclarait entre les négociants heureux de trouver si noble occasion de se distraire du plat quotidien.

Quand les deux compagnons purent atteindre le parvis de l'église au cœur du village né du rêve de Rien, ils se retournèrent à droite, à gauche, encore à droite, mais nulle part ils ne virent Quelqu'un.

— Demi-tour, vite! il est resté sur les lieux du combat.

— Doucement, doucement, petit impatient. Apprends à compter jusqu'à dix avant de prendre une décision.

Mais Rien ne se rendit même pas jusqu'à trois avant de répondre à son maître :

— Même quand la vie de Quelqu'un est en danger?

Personne avala, puis reprit la route du marché, ses pas dévorant les pistes du lutin.

Ils aperçurent en même temps leur compagnon, encadré de deux gendarmes et encerclé d'une foule qui gesticulait. Le combat avait dégénéré, une marchande qui craignait pour ses oies avait appelé au secours, il fallait trouver un coupable. Personne entendit :

— Vos papiers!

… et comprit qu'il devait agir vite. Il eut le temps de voir le sourire de son élève mais n'y prit pas garde. Surtout ne pas compter jusqu'à dix. Plus long et transparent que jamais, il se fraya un chemin entre les comptoirs renversés, les volailles en liberté, les choux et betteraves qui lui roulaient entre les jambes et atteignit le centre de la scène où Quelqu'un se faisait pointer du doigt par un marché en fête et en délire. Puis il entendit de nouveau :

— Au poste, le sans-papiers!

Et le cortège allait s'ébranler, quand Tit-Rien vit Personne surgir de toute sa taille entre tout le monde et Quelqu'un et s'adresser sur le même ton à la foule et à la loi.

— Permettez-moi de vous présenter le captif rescapé des mers.

Toutes les têtes se levèrent pour repérer d'où venait la voix de bronze, mais entendirent au même instant un son de criquet monter du sol, et toutes les têtes se rabaissèrent…

— … Quelqu'un, sorti vivant de la dernière expédition d'Astérix et Obélix.

Personne n'avait aucune idée de la direction dans laquelle allait se lancer l'ingénu, et, pour éviter de le couper, le laissa prendre les devants. Ce qui faillit leur coûter cher à tous les trois. Son maître en avait les yeux exorbités et cherchait par signes à ramener le conteur à la réalité du jour sans toutefois le désavouer. Mais quand l'un des gendarmes voulut savoir pourquoi ce nouvel Obélix parlait la langue française et non le latin de cuisine de son époque, Tit-Rien-sait-tout fut brillant :

— Monsieur l'agent aurait-il oublié que le français qui se parle aujourd'hui sort tout craché de la langue franque qui sortait du gaulois qui s'était mélangé au celte et à toutes sortes de mots de gueule qui s'étaient laissé contaminer par un vieux latin que plus personne ne comprenait? Si une langue peut de même évoluer pour s'ajuster aux oreilles qui l'écoutent, vous allez pas me dire que celui qui la parle saurait pas en faire autant.

Le gendarme ne put réagir à temps, déjà la foule se bousculait pour approcher le jeune prodige et chercher à le jucher sur un comptoir de fruits et légumes pour mieux le voir et l'entendre. Mais le deuxième gendarme vint au secours de son collègue, se saisit de Rien et :

— Papiers, jeune homme!

C'est alors que Personne, qui a été ébloui par la performance de son élève, juge pertinent d'intervenir.

— Nous étions justement en route vers le commissariat, monsieur l'agent, pour faire régulariser nos papiers. Si quelqu'un veut bien nous indiquer le chemin…

Et Quelqu'un intervient :

— Je voudrais bien, mais je saurais pas.

Le gendarme qui cherche à reprendre le dessus le fait taire. De quoi se mêle-t-il, celui-là!

— Celui-là est justement Quelqu'un, lui répond Tit-Rien avec hauteur.

Quelqu'un? Un V.I.P.? Et la foule veut savoir, friande de connaître les noms et provenance des célébrités. Si ce vieux marinier aux allures si communes est une personnalité, que penser du personnage haut en couleur que ce petit lutin, et de l'autre, le haut en longueur qui parle et agit comme personne?

— Personne en personne, annonce Tit-Rien en gonflant le torse.

Oh, oh!... il se souvient alors du danger de faire éclater sa bretelle et perdre sa culotte; il va se contenter cette fois d'une profonde révérence, mais rate sa courbette et, à sa grande honte, se ramasse la tête sous les jupes d'une dame de forte taille et d'un certain âge. Plus tard, il racontera à ses compagnons les mystères insoupçonnés qu'il y a découverts, mais aucun des deux ne jugera le temps venu d'élucider ce mystère-là.

L'agent cherche à démêler l'imbroglio :

— Il se nomme Personne? Quelqu'un ici peut-il nous instruire sur la provenance de ces gens?

Non, Quelqu'un ne le peut pas, n'ayant jamais connu la véritable origine de ses amis, sinon que... Rien vient à son secours :

— Personne ne connaît l'origine de Personne, c'est là le vrai mystère du monde.

La foule s'amuse :

— Et toi, petit, tu es qui?

— Je suis Rien.

— Mais ton nom, comment tu t'appelles?

— Je ne m'appelle pas, c'est les autres qui m'appellent.

La foule se tord.

— Et d'où tu viens?

Rien décide de pousser son avantage :

— Je viens du néant, comme tout un chacun, et compte bien y retourner au bout du voyage.

Cette fois, la foule s'interroge, et le plus avisé se permet :

— À quoi ressemble ce néant que tu as l'air de si bien connaître?

Et Rien risque le tout pour le tout :

— Je ne saurais parler que du mien, or chacun a le sien propre... qui se mesure au mérite. Je dirais même que tous n'ont pas eu la chance d'en sortir, et que vous devez vous compter chanceux, autant que vous êtes...

Tit-Rien-tout-neuf se sent en verve, ambitionne, se prépare à entraîner son public dans le grand voyage de sa pré-vie que chaque personne a connue... quand le nom de Personne le force à lever la tête sur son maître qui vient de mesurer le danger de trop pousser l'exploration des mots.

— Mesdames et messieurs, qu'il fait, le spectacle de notre petite troupe ambulante se donnera demain soir dans le village voisin de... de Saint...

— Saint-Victor-des-Trois-Pistes, que vient à son aide un amateur de cirque.

— Non, rectifie l'autre, sûrement Sainte-Angèle-du-Beau-Son.

— Faut que ce soit à Saint-Cyr-du-Mont-Magnifique où a lieu chaque année le plus grand festival d'accordéon.

Et pendant qu'on se chicane sur le lieu le plus propice au spectacle en plein air, les trois personnages réussissent à se défiler au nez des agents occupés à calmer la foule qui menace d'en venir aux mains.

Ce jour-là, on renonça à visiter l'église qui les avait entraînés dans l'aventure. La terre de France d'ailleurs en était parsemée. Les trois se mirent à répéter les noms de Saint-Victor, Sainte-Angèle, Saint-Cyr, et Personne leur dit que cette France qui durant des siècles avait vu couler en torrents l'eau du baptême avait dû voir couler encore davantage de sang pour le défendre. Tit-Rien en fut choqué.

— Tuer pour défendre sa croyance?

Son maître le regarda avec compassion. Et le disciple se souvint de Bras-de-fer qu'il avait voulu assommer pour protéger les mers et les poissons. Et se calma.

Quelqu'un, l'octogénaire, avait pour sa part longtemps marché et navigué dans cette vie tant attendue. Et parfois sentait ses jambes lourdes de s'être exercées à poursuivre sa route durant plus de quatre-vingts fois trois cent soixante-cinq jours. Il écoutait le silence bruyant de son jeune compagnon de voyage et se disait : ... Peut-être ben que la vie n'a pas le même goût pour tout le monde.

Tit-Rien leva la tête, surpris que le vieux loup de mer ait pu suivre sa pensée. Que Personne soit assez savant pour aller au-devant des idées des autres, passe encore, mais Quelqu'un, qui savait tout juste lire les enseignes routières, à peine déchiffrer les noms des villages qu'on traversait...

— Où as-tu appris tout ce que tu sais, vieil homme?

Personne répondit pour lui :

— Dans son vieil âge, tout au long de sa longue vie.

Quelqu'un alors se risqua :

— Rien appris, tout m'est venu au fur et à mesure de mes besoins.

— Mais on n'a pas toujours besoin de savoir tout ce qu'on sait, que s'enhardit Tit-Rien-tout-nu. Par exemple, le nom du fondateur de la troisième dynastie des rois d'Égypte que peut sûrement vous nommer Personne.

Personne bigla au soleil mais s'abstint de nommer Djoser. Il songea pourtant que son disciple finirait par rectifier lui-même son dire et comprendre que le progrès de l'humanité reposait moins sur son amas de connaissances que sur son besoin profond de connaître.

Rien cette fois se montra à la hauteur :

— Est-ce vrai que Gilgamesh s'est rendu jusqu'aux Enfers pour y chercher son meilleur ami?

Son maître sourit de contentement et reprit la route.

En chemin, le petit mit les mains dans ses poches pour se donner de l'aplomb et :

— Hééé! y a du sonnant là-dedans!

Il retira ses paumes bourrées de pièces d'argent. Les escargots! Il avait oublié sa vente au marché. Lui, le petit Rien, enfin riche! De quoi payer à tous les trois une fête dont ils se souviendraient. Personne eût voulu protester mais s'abstint, Rien avait loyalement gagné ses sous, avait donc le droit de les dépenser comme il l'entendait, surtout qu'il entendait partager avec ses amis.

C'est Quelqu'un qui cette fois vit pointer une tour à l'horizon.

— Encore un clocher?

— Non, un phare.

Mais le marinier se trompait, le phare se révéla être une cheminée qui crachait une épaisse fumée. Puis une multitude de tuyaux se pointèrent les uns après les autres dans le ciel. Quand la brise du matin finit par dissiper le nuage gris, elle dévoila les premiers toits qui surgirent aux yeux d'un Tit-Rien ébloui : la cité. Tant de maisons agglutinées les unes aux autres, tant de rues, ruelles, impasses! Et sans attendre ses compagnons, l'inassouvi s'y engouffra, tournant en rond, se perdant dans les culs-de-sac et les coupe-gorge. Pas par là, Tit-Rien, attention, ne te risque pas n'importe où. Mais Rien débarquait pour la première fois en ville, voulait tout voir, tout saisir. Se cassait le cou à essayer de compter les étages des édifices qui défiaient le ciel ; se cognait le front contre tous les lampadaires en regardant partout sauf droit devant lui ; glissait sur toutes les pelures de bananes qui jalonnaient le sol et à tout coup se ramassait sur ses fesses. Soudain, il déboucha sur une avenue jalonnée de maisons alignées et propres comme des pensionnaires de couvent et qui bourdonnait de bruits inconnus à ses oreilles. La ville se parlait à elle-même, se racontait sa propre histoire, s'exhibait. Et Rien voulut lui répondre. Me voici, qu'il criait, je suis là, moi, Rien-du-tout, j'arrive en ville!

Et il se mit à danser en plein milieu d'un boulevard grouillant d'un monde affairé et de centaines de bolides qui klaxonnaient à tout rompre en zigzaguant autour d'un lutin qui se demandait pourquoi tant s'affoler. Il devait se passer des choses extraordinaires par là-bas, à voir à quel rythme infernal se dirigeait la foule de ce côté-là. Mais dans un chassé-croisé étourdissant, une masse aussi dense allait dans le sens contraire.

— Où est-ce que ça se passe? Et qu'est-ce qui presse tant? Est-ce la fin du monde?

La réponse lui vint d'un agent qui l'attrapa par la ceinture juste à temps pour l'empêcher de connaître la fin du sien. Et le conducteur de l'autocar, la tête sortie du véhicule, lui cria des injures dans une langue qu'il ne reconnut pas tout de suite comme la sienne. Ce qui lui donna l'audace de répondre : Con toi-même! sans se douter que l'autre pouvait le comprendre et… Mais le chauffeur était déjà trop loin et trop occupé à parer d'autres étourdis comme lui nouvellement débarqués en ville.


Quand Personne et Quelqu'un réussirent à le rejoindre, ils trouvèrent leur petit Rien assis à la terrasse d'un bistro, en grands pourparlers avec trois hôtesses de l'air qui n'en étaient pas à leur premier voyage. Les deux compagnons se firent discrets et tentèrent d'attraper des bouts de la conversation.

— D'où je viens, disait Rien en faisant semblant de se lisser les moustaches, les villes ont dix fois la taille de celle-ci.

Oh, oh! pensa Personne.

— Vous êtes d'Amérique?

— Plus loin.

— De Chine? du Japon?

— Vous ne devineriez jamais.

Quelqu'un donna sa langue au chat.

— Au-delà.

Personne retint son souffle.

— Au-delà de l'Asie, du Pacifique?

— Au-delà...

Personne jugea qu'il était temps de se manifester avant que son disciple ne commette l'irréparable. Il était sur le point de... Trop tard, car il l'entendit :

— Au-delà de... l'imagination.

— En effet, dit la plus futée des trois, je n'arrive pas à imaginer.

— Et vous avez raison, intervint Personne.

Tit-Rien sauta sur ses jambes, rougit, et se hâta de présenter ses compagnons à ses trois nouvelles connaissances.

— Le sieur Personne, un savant maître à penser, et monsieur Quelqu'un, maître voyageur devant l'Éternel.

— Et voilà notre benjamin, maître Rien-du-tout.

Devant le visage catastrophé de son disciple, le maître fut attendri :

— Vous avez devant vous, qu'il enchaîna, l'équipe complète d'une Commission royale d'enquête.

Les jeunes filles cette fois s'inclinèrent. Le petit n'avait donc pas fabulé? Et pour le confirmer, maître Personne invita Rien à se saisir de l'addition qu'apportait le garçon. Quand les hôtesses voulurent protester...

— Le plus jeune et le mieux doté des membres de la Commission s'est enrichi en votre compagnie, ajouta-t-il, au grand désespoir de Rien, marchand de refrains et d'escargots, qui dès sa première sortie en ville voyait en quelques secondes s'envoler la moitié de sa fortune.

Pour le consoler, ses aînés consentirent à lui laisser choisir le lieu de leur prochaine enquête. Il n'était pas dans les habitudes d'un Rien-tout-vif de traîner longtemps un état de déprime, et à l'apparition de l'enseigne *La Dive Bouteille de Pantagruel* qui surgit devant eux, il était déjà d'aplomb :

... Boire, manger et dormir,
... Dormir, manger et boire,
... Boire, dormir et manger.

Telle était la devise de l'endroit qui mit d'accord les trois compagnons d'un voyage qui s'annonçait palpitant. Et en pénétrant dans le lieu grouillant et enfumé, Tit-Rien, comme un vieil habitué, cria au garçon :
— La meilleure table, et l'addition est pour moi.

Trois heures plus tard, quand la note atterrit au centre de la meilleure table, seul Personne put mesurer l'ampleur du désastre : les deux compagnons allaient encore un coup connaître les affres d'un séjour en cuisine ; et Quelqu'un, qui avait cassé contre la cheminée autant de verres qu'il en avait vidé, avait oublié jusqu'à son nom, ses origines et son métier. Il fut emmené, menotté et tricolant, au poste du quartier.

Rien et Personne osaient à peine lever les yeux de l'amas de vaisselle sale pour s'interroger sur la tournure si subite des événements. La soirée avait pourtant si bien commencé ! Les trois joyeux lurons s'étaient vidé le cœur et l'âme au rythme des bouteilles empoussiérées et aux noms prestigieux. Tit-Rien, en entendant Personne marmonner des bribes de confessions encore inavouées, s'était cru sur le point d'entrer enfin dans le passé mystérieux de son maître. Il avait alors commandé la plus ancienne réserve de l'établissement, un chinon capable de déverrouiller la mémoire la plus secrète.

Mais Tit-Rien-tout-neuf était trop jeune pour mesurer les effets d'un vin ancien et restait surpris de voir planer au-dessus de la bouteille le silence du vieux sage. Silence qu'avait interrompu la voix pâteuse de Quelqu'un qui encore une fois retrouvait au fond d'un dernier verre le visage d'un amour noyé au large de la mer des Caraïbes. Rien avait eu le temps de lire dans le regard embué de l'octogénaire le mal qui avait dû le ronger durant toutes ces années.

Et les bras jusqu'aux coudes dans l'eau de vaisselle :

— C'est ma faute, ma faute, ma plus grande faute, que répétait Tit-Rien, j'avais un tel plaisir à le voir heureux...

— Tut-tut, fit le maître pour toute réponse.

— Et pis, peux-tu me dire où est passé tout l'argent des escargots? C'est sûrement ce gringalet de serveur avec ses grands airs qui nous a volés. Ou bien...

Il se rappela alors le ricanement du marchand qui avait parlé de sa culotte trouée par-derrière. Il se remémorait tous ces gens qui le pressaient, le tâtaient... il devait bien se trouver parmi ceux-là un escroc aux doigts crochus.

— Tout le monde est donc si malhonnête?

Cette fois, Personne se contenta de hocher la tête qui lui fit comprendre que la vérité était beaucoup plus simple et qu'un Tit-Rien comme lui était encore bien immature en affaires. Et le disciple l'entendit penser : ... La fortune entre de jeunes mains s'envole plus vite qu'elle ne s'acquiert.

Puis replongea dans l'eau poisseuse.


Le petit regardait son maître de biais et voyait se gonfler les veines de ses tempes comme chaque fois qu'il avait un grave problème à résoudre. Et il attendait. Frottait les verres et les assiettes et attendait. Son pire supplice, attendre. Pendant ce temps, le pauvre Quelqu'un les attendait en prison. Pouvait y poireauter encore longtemps, car cette fois le Tit-Rien-tout-nu ne voyait aucune issue. Mais, d'instinct, comptait sur Personne, le Personne qui n'avait jamais failli, qui toujours trouvait. Il piqua un œil semi-confiant sur le maître qui lui rendit un demi-sourire. Que signifiait ce jeu de passe-passe? Qui comptait sur qui? Rien savait que Personne ne laisserait pas tomber Quelqu'un; et Personne était sûr que, pour sauver Quelqu'un, Rien empêcherait le pire d'arriver. Heureusement que pour une fois aucun des deux ne lisait dans la pensée de son compagnon, ce qui permit à chacun de laisser monter en neige une mutuelle confiance en l'autre. C'est cette confiance doublée qui la renforça au point de devenir inébranlable. Chacun se fiant au génie ou à la sagesse de l'autre finit par forcer l'autre à trouver. Ils s'écrièrent ensemble :

— On y va!

Et les deux surent spontanément qu'ils vaincraient. Ils connaissaient le but; les moyens d'y arriver n'étaient plus que simple logistique.

D'abord payer leur dette à Pantagruel, laver, rincer, faire étinceler cinquante-six mille verres; puis dénicher les cinquante-six mille postes de quartier; puis soudoyer les cinquante-six mille gardes et portiers, faire valoir à la justice et à l'ordre public que le plus grand désordre naît de l'injustice; enfin... Ils ne se rendent pas jusque-là. Au premier poste, ils butent contre la hiérarchie.

— Vous cherchez?

— Quelqu'un.

— Et encore?

— Seulement Quelqu'un.

Et on les expédie au grade au-dessus.

— Vous cherchez quelqu'un. Puis-je vous aider?

— Oui, monsieur, nous conduire auprès de lui.

— Et ce quelqu'un est immatriculé...

— Ça, on l'ignore.

— S'il est ici, il porte un numéro d'immatriculation. Présentez-vous au poste n° 13.

Rien grimace : le n° 13! Mais Personne le rassure, pas le moment de se laisser abattre pour si peu.

— Qui êtes-vous?

— Monsieur Personne.

— J'inscris. Et l'autre?

— Rien.

— Rien qui?

— Rien-du-tout.

— Monsieur Dutou. Qu'est-ce que je peux faire pour vous?

— Nous conduire auprès de Quelqu'un.

Et on leur propose de s'adresser au bureau des objets perdus.

Quand Personne voit que les choses prennent cette tournure et risquent de les entraîner chez tous les ronds-de-cuir de la ville, il veut prendre le taureau par les cornes et débrouiller l'imbroglio par un raccourci dont seuls les compagnons de l'impossible sont capables. Il fait accidentellement glisser le long du nez du fonctionnaire ses verres en cul de bouteille et par une nouvelle maladresse les écrase sous son pied.

— Oh, pardon!

Il a le temps de saisir le coude de Rien qui comprend ce que son maître lui propose : on n'est pas Rien pour rien, à lui de trouver son contraire qui est quelque chose. Mais Rien songe que Personne se la paye facile, puisque le contraire de Personne s'appelle justement Quelqu'un. Ils en sont là, à se toiser, se défier, quand l'urgence les frappe en même temps. Mais c'est le petit le plus rapide et il crie à s'en arracher le gosier : QUELQU'UN!

Il s'était rappelé juste à temps la première apparition du vieux marinier, à l'heure où il avait eu besoin de sauver la vie de Personne. Maintenant qu'il avait à sauver celle de Quelqu'un... Et dans sa lointaine cellule, Quelqu'un sut que ses compagnons ne l'avaient pas abandonné.

Le reste avait été un jeu d'enfant. De couloir en couloir, de porte en porte, de cellule en cellule, Rien et Personne répondaient à l'appel muet de leur ami qui achevait de cuver son vin et de purger sa peine.

Dès le lendemain, les trois compagnons, frais rasés, débarbouillés, ragaillardis, sortaient par la porte sud de la ville sans même demander leur chemin.

# 12

— Le sud est par en bas! annonça un Tit-Rien-
tout-neuf qui prenait les devants à cloche-pied.

Suspendu sur sa gauche, il s'arrêta en tournant
la tête vers les deux autres :

— En bas de quoi? pourquoi dit-on que le sud
est en bas?

Il oubliait déjà que c'est lui qui l'avait dit et ses
yeux à pic demandaient des comptes aux aînés.
Comment peut-on parler du haut et du bas d'une
boule? Surtout quand cette boule roule dans un
cosmos encore plus rond. Un monde qui n'a pas
de centre n'a ni haut ni bas. Quelqu'un suivait
Personne qui suivait Rien, mais des trois, le maître
était le plus tranquille. Les hauts et les bas de la
vie se chargeraient de faire découvrir à son disciple
que l'équilibre de sa personne logeait au centre. Et
le petit remit pied à terre avant de répondre :

— Marchons donc tout droit vers le centre du
monde, qui ne sera jamais ailleurs que là où nous
planterons les pieds.

Il était midi. Le premier coup d'un gros bourdon
juste au-dessus de sa tête le surprit en posture
équivoque et faillit compromettre la suite des événements pourtant si naturels. En voulant s'enquérir
d'où venaient les cloches, il vit naître une procession
de moines qui se rendaient à l'office de jour. L'un
d'eux, un moinillon pas encore tonsuré, presque
imberbe et à peine plus grand que Rien, avait eu

le temps de repérer le lutin accroupi dans les rangs de rhubarbe jalonnant la clôture de l'abbaye. Leurs yeux s'étaient croisés.

Longtemps plus tard, Tit-Rien put mesurer la puissance d'un seul regard. Ou de regards échangés. Car pendant que les yeux de Rien découvraient la paix tranquille du moine qui ne craignait ni pour son lendemain ni pour le salut de son âme, les yeux du moinillon contemplaient dans ceux du jeune héros la fébrile et turbulente quête de l'impossible. Deux aimants qui s'attiraient sans qu'un seul des deux lâchât prise. Le moine et le héros restèrent ainsi suspendus dans le Temps qui s'amusait à les pigouiller de son dard, l'un tenté par la liberté de l'autre, l'autre par la solitude et le renoncement du premier. Mais bientôt le lutin s'ébroua, raccrocha vite ses bretelles à ses épaules, rendit avec largesse au petit moine son sourire timide et s'inclina sous le douzième coup du gros bourdon.

— Où diable étais-tu rendu? s'inquiéta Quelqu'un.

— Un homme n'a donc plus droit à sa plus stricte intimité?

Personne l'examina par en dessous et devina que l'intimité de Tit-Rien dépassait ses besoins naturels. Car lui aussi avait entendu les cloches de l'abbaye et vu défiler la procession des hommes de Dieu. Quelqu'un se contenta de servir à ses compagnons de quoi nourrir leur corps, ne s'étant jamais, durant toute sa longue vie, frotté à des nécessités plus urgentes que celle-là.

Tit-Rien, qui avait de loin les jambes les plus courtes, devançait pourtant les autres de plusieurs pas, sautillant, courant en escaladant les collines et se laissant rouler en les dévalant. Les deux vieux le regardaient les distancer sans protester, se disant que l'agitation est le propre de la jeunesse, la jeunesse prodigieuse d'un vorace qui avait une enfance à rattraper.

— Enfance raccourcie, à ce que je vois.

Personne aurait voulu éclairer Quelqu'un sur les origines inhabituelles de leur compagnon, mais ne savait comment faire entrer dans le cerveau d'un primitif les notions abstraites des rapports entre créateur et création.

— Chacune de nos vies tient à un fil, mais aucun fil au monde n'est plus ténu que celui qui lie Rien à l'existence.

— Cousu de fil blanc, se contenta d'enchaîner le vieux loup de mer.

Et Personne comprit que sa tâche serait encore plus ardue qu'il ne l'avait imaginé. C'est pourtant Quelqu'un qui le relança sur une piste qui laissa le maître perplexe.

— Tit-Rien doit rien à personne, mais tout à tout le monde. Bizarre garnement, du genre qui aurait pu se faire tout seul.

Il se ressaisit aussitôt en recevant en écho ses propres paroles et en apercevant la mine basse de son noble et sage compagnon.

— Quand je dis personne, je parle pas de Personne, je veux dire...

Et, se ravisant :

— Au fait, qui vous a donné ce nom-là?

— Personne, il m'est venu de Rien.

Voilà Quelqu'un qui n'était pas plus avancé.

— Et Rien?

— Celui-là est le seul qui se soit nommé lui-même.

Le maître a vu bigler le vieil homme sous les rayons drus du soleil et s'est dit qu'avec beaucoup de temps et un brin de courage, il arriverait sans doute à l'initier au mystère qui entourait leur vie. Il voyait la faille s'ouvrir telle une brèche dans une muraille... mais la brèche se referma sous les cris enthousiastes de leur compagnon qui venait d'apercevoir au-delà des collines son premier château à créneaux.

Conciliabule entre les trois. Rien voulut s'y rendre sans tarder; Personne procéder selon les règles;

Quelqu'un s'abstenir et reposer ses vieilles jambes. Mais la majorité comprit comme d'habitude que la minorité gagne toujours quand le mineur s'appelle Rien. Et la troupe se mit en marche.


Le petit Rien-tout-neuf s'attendait à tout sauf aux surprises qu'il découvrit dans le donjon médiéval. Il cherchait des dragons, le bal des chevaliers et le fantôme de la princesse endormie durant cent ans ; et il trouva gravés dans la pierre et racontés sur des tapisseries en lambeaux des siècles de lutte des peuples pour la survie d'une longue civilisation.

— On vient de loin ! qu'il soupira.

— De bien plus loin que tu ne peux l'imaginer.

Lui, manquer d'imagination ? Et pour braver son maître, il se mit à imaginer la vie quotidienne des ancêtres, qui portaient un tel avenir sur leurs épaules. Avaient-ils le loisir de vivre au quotidien ? Dormir, se réveiller, manger, bûcher, aller aux champs, rentrer, manger, dormir, recommencer, regarder le temps passer, une vie durant, sans s'arrêter pour réfléchir sur leur rôle dans le chaînon de l'humanité en progression ? Est-ce que chacun d'eux soupçonnait qu'il fondait un peuple, que de lui sortiraient des milliers, des millions d'êtres vivants qui n'avaient d'avenir que celui que l'ancêtre gardait enfoui dans ses reins ?

Rien se sentit mal tout à coup. Aucun de ceux-là n'avait donc pensé à lui ? n'avait songé à le fabriquer tel qu'il était apparu des siècles, des millénaires plus tard, à l'arrachée, sorti du néant par la peau des fesses ? Pourquoi lui avait-on préféré des millions d'insignifiants, de…

Son maître tourna enfin les yeux vers lui.

— Des insignifiants ?

— Des indifférents à leur propre existence. De ceux-là qui ne se sont jamais posé la question.

— Et c'est quoi la question ? Si tu pouvais te résigner à poser une question à la fois.

— Pas possible, chacune sort de l'autre. J'essaye d'imaginer leur vie, leur vision, leur responsabilité devant le monde qui allait sortir d'eux…

— Mais la chaîne continue. L'homme que tu aperçois là-bas, sous la vigne, vit aujourd'hui au quotidien; et pourtant il est en ce moment même en train de bâtir le monde à venir, qu'il y pense ou non.

— Je peux pas imaginer qu'on n'y pense pas.

Personne a un léger gloussement :

— Faudra que toi aussi tu apprennes à imaginer l'inimaginable.

Et Rien comprit qu'il était temps de laisser parler le maître.

Grand temps. Car le héros, parti à la quête de la vie et à la conquête de l'univers, se sentait soudain à bout de souffle.

Et c'est ainsi qu'après quelques arguments, tiraillements, tirages au sort, on aboutit au premier choix de Tit-Rien : l'abbaye où il avait vu s'engouffrer plus tôt la procession de moines que fermait le moinillon avec qui il avait échangé des regards complices. Avec un peu de chance, beaucoup de jarnigoine et un entêtement propre aux seuls voyageurs de leur trempe, on réussirait sans doute à repérer le jeune moine et à obtenir de lui la clef de la voûte où l'Histoire se tenait cachée. Maître Personne eut beau essayer de faire comprendre à…

— Par là, pointa l'index de Rien qui ne consentait jamais à essayer. On n'a qu'à faire marche arrière, je suis sûr de reconnaître l'endroit qui vaut bien le détour.

Ils n'eurent pas de chance, toutes les portes étaient verrouillées.

Restait la débrouillardise que Tit-Rien préférait appeler de son nom d'origine : jarnigoine. Il se sentait d'autant plus à l'aise de patauger dans le vieux français qu'on se trouvait précisément à l'entrée des hauts lieux de la conservation du plus antique patrimoine. Donc on se servirait de sa jarnigoine pour passer à travers les portes closes, ou pénétrer autrement à l'intérieur d'un terrain réservé, dût-on faire le pied de grue toute la nuit. C'est alors que maître Personne réussit à imposer son point de vue, variante de celui de son disciple : au lieu du pied de grue sous le portique, on pouvait passer la première moitié de la nuit à attendre matines, l'heure fort matinale où les moines viendraient chanter.

Attendre, toujours attendre.

Mais curieusement, ce fut pourtant lui, l'impatient, qui rechigna à s'arracher au sommeil à l'heure de matines : la prière était venue brouiller des rêves où le héros trouvait toutes les clefs qui ouvraient toutes les portes à toutes les origines... hormis aux siennes. Il en était là quand le chant des moines avait effacé la phrase transcrite dans un grand livre enluminé or et bleu et...

— Vite, Tit-Rien, la porte de la chapelle est entrouverte. C'est l'heure ou jamais.

Les moines n'eurent pas l'air de sentir la présence des trois étrangers. Comme si ces personnages, en pénétrant à l'intérieur des murs d'une vie immuable depuis plus d'un millénaire, s'étaient transformés en compagnons de partout et de toujours. Chacun suivait le rite de la prière chantée, Quelqu'un sans souffler mot, Personne en joignant sa voix au chœur, Tit-Rien en laissant glisser son regard de capuchon en capuchon dans l'espoir d'y découvrir son moinillon. Mais rien ne ressemble plus à la mer lisse et uniforme qu'une rangée de têtes de moines encapuchonnées. Et faisant taire sa propre nature, il se mit à patienter. Il finirait bien par se passer quelque chose.

Tit-Rien était tellement plongé dans sa réflexion profonde qu'il fut à un cheveu de rater ce qu'il attendait avec impatience. Le décapuchonnage soudain des trente-six moines – il avait pris le temps de les compter. Sur telle note de tel verset, tous les crânes s'étaient découverts, montrant des tonsures presque identiques, quoique certaines, à y regarder de près, se révélaient plus clairsemées ou plus grises que d'autres. Mais aucune tête non tonsurée.

— Il n'est pas là, murmura-t-il aux deux autres qui firent mine de ne pas entendre.

Personne restait prostré dans une posture qui le rapprochait tellement d'un gisant que son disciple voulut le secouer pour le ramener parmi les vivants.

— Maître... Personne...

Est-ce ce dernier mot à peine chuchoté qui attira l'attention de l'abbé mitré? Celui-ci tourna lentement la tête du côté des visiteurs et laissa glisser ses yeux tout le long du translucide personnage. Rien eut le temps, en moins d'une fraction de seconde, de voir s'échanger les regards des deux hommes qui parurent se reconnaître. À quel monde appartenaient-ils? Il n'y tint plus et s'étira doucement, sans bruit. Mais un «sans bruit» au cœur de matines est plus bruyant qu'une horloge au clocher d'un village de campagne. Et plusieurs jeunes moines l'aperçurent qui cherchait à se faufiler hors de sa stalle sculptée. Par un curieux hasard, cette stalle portait l'image d'un angelot souriant à un diablotin qui lui tirait la langue.

À la sortie de l'office, un peu plus tard, les trois compagnons furent accueillis comme des frères et invités à partager le pain des pauvres.


Durant des jours, Tit-Rien parcourut le vaste domaine d'une des plus anciennes abbayes de France, visita ses cloîtres romans, ses chapelles gothiques, ses salles communes, ses préaux, ses caves, caveaux, cellules, dortoirs, réfectoires, parloirs, cuisines, greniers, ateliers, études, bibliothèques...

Sa grande bibliothèque sur trois étages, aux murs jalonnés de rayons, aux tables garnies de globes terrestres et de multiples instruments de navigation, aux bustes de célèbres penseurs, découvreurs et inventeurs, aux échelles sur roulettes qui donnaient accès aux livres les plus rares et aux manuscrits les plus précieux. Les sciences et connaissances cumulées depuis près de trois siècles s'alignaient sur les étagères que dévorait des yeux un Rien époustouflé.

— Je peux vous aider?

Une voix à peine muée monta jusqu'aux oreilles de Rien au sommet de l'échelle. Le moinillon! Il levait un regard presque rieur sur notre héros qui lâcha prise et atterrit fesses premières sur une pile de livres étalés devant un vieux clerc à lunettes accrochées aux ailes du nez. L'érudit ramassa autant de documents que ses manches pouvaient en prendre, marmonna des phrases incompréhensibles et laissa la place aux deux jeunes étourdis qui venaient d'interrompre son travail.

— Il n'a pas l'air content, fit Tit-Rien en clichant de l'œil à l'autre.

— Il a reçu hier d'Espagne ces livres qu'il attendait depuis un certain temps.

— Désolé. Depuis plusieurs semaines?

— Des années.

Tit-Rien resta bouche bée. Le temps ne se déroulait pas au même rythme partout.

— Mais ne vous en faites pas, reprit le moinillon, ces manuscrits, attendus depuis des siècles, nous sont enfin revenus.

— Revenus? Ils avaient déjà occupé ces rayons?

— Certains étaient nés ici avant de faire le tour des monastères de la chrétienté : de l'Allemagne à l'Angleterre, à l'Occitanie, au Portugal, à l'Espagne où ils sont restés depuis Charles-Quint. Mais enfin, on les a récupérés.

— Est-ce qu'on pourrait jeter un œil? Des livres vieux de mille ans!

Le moinillon aurait bien voulu satisfaire l'appétit de son frère, mais tout novice qu'il fût, il était soumis à la règle de la confrérie qu'il aspirait à rejoindre. Et pour distraire la curiosité de son hôte, il lui proposa une visite aux ateliers de couture où l'on taillait depuis des temps immémoriaux dans la même étoffe et sur le même modèle la robe de bure des moines.

— Pourquoi ces hommes portent la robe?

— Par respect pour la tradition. À une époque…

Il ne put achever, car à ce moment-là le père abbé entrait accompagné de maître Personne qui le dépassait de deux têtes. Et les deux jeunes s'éclipsèrent devant leurs supérieurs et aînés.


C'est aux champs que Tit-Rien aperçut son compagnon Quelqu'un qui aidait les frères aux semailles du printemps. Le vieux loup, du haut de ses quatre-vingts ans passés, jetait à la vaste étendue l'œil profond du marinier qui avait contemplé la mer depuis qu'il était au monde.

— Il a l'air d'en prendre la mesure, confia Rien à son comparse, et de se demander laquelle, de la terre ou de l'eau, l'emporte aux yeux du Créateur.

Le moinillon vit sa chance d'instruire le néophyte.

— «Le Créateur au premier jour créa le ciel et la terre. La terre était informe et vide; les ténèbres couvraient l'abîme, et l'Esprit de Dieu se mouvait au-dessus des eaux. Dieu dit : Que la lumière soit! et la lumière fut. Et Dieu vit que la lumière était bonne; et Dieu sépara la lumière des ténèbres. Dieu appela la lumière Jour, et les ténèbres Nuit. Il y eut un soir, et il y eut un matin; ce fut le premier jour.»

Tit-Rien ouvrit de grands yeux et entrouvrit les lèvres. Mais il dut les refermer, car déjà le jeune moine enchaînait. «Dieu envoya le firmament séparer les eaux, puis les eaux se séparer de la terre, puis le gazon portant semence pousser, puis les arbres portant fruit grandir, puis naître dans le ciel le grand et le petit luminaires pour éclairer le jour et la nuit, puis naquirent les animaux puis les hommes, puis après six jours, Dieu, qui vit que cela était bon, se reposa le septième.»

Notre héros se gratta la nuque et, sans regarder le moinillon, songea au singe du grand rift. Il l'avait bien vue, cette faille, il avait visité en compagnie de Personne et de Quelqu'un le lieu de naissance du premier homme, sorti du singe sorti de l'amphibie sorti du poisson sorti de l'éponge sortie de la plante sortie du caillou arraché à une lointaine étoile des milliards d'années auparavant. Alors les six jours...

Les deux néophytes se toisent. Chacun reste sur sa faim. Sa faim de connaître, de comprendre. Le moine novice lève les yeux directement vers le ciel, veut y monter par la perpendiculaire. Rien tourne son regard de tous côtés, voit des courbes partout, des croches, des détours, un voyage presque infini... qui vire en rond.

— Où comptes-tu aboutir?

C'est le moinillon qui a brisé le silence. Tit-Rien est pris de court.

— Faut-il absolument atteindre quelque chose? Est-ce que le voyage ne suffit pas... la vie n'est-elle pas en soi un don?

— Mais elle va finir, tu vas un jour...

— Chut!...

Il vient d'entendre des pas froisser la paille des champs. Son maître les a rejoints. Et la conversation bifurque. Car devant eux se déroule une fresque champêtre qui raconte la beauté du monde. Et Personne se permet d'instruire les jeunes apprentis à reconnaître dans le plus humble coin de la nature la main divine du premier peintre. Et comme s'il cherchait à brouiller davantage les esprits effervescents :

— Combien de temps pensez-vous que ces foins ont mis à germer?

— Une saison, se hâte de répondre le moine.

— Mille ans, que répond Tit-Rien pour épater ou dire n'importe quoi.

Le maître pose son moignon sur le cou de son disciple et sa large main sur la nuque du moine :

— Le temps que ça prend à la Création pour sortir de ses six jours et se rendre jusqu'à nous.

Et pour se distraire lui-même, il s'empresse d'ajouter :

— Faut croire que le repos du septième jour n'est pas encore terminé. J'imagine que Quelqu'un là-haut s'amuse à nous regarder nous dépêtrer avec tout ce qu'Il nous a laissé.

Quelqu'un a dû reconnaître son nom et se croire appelé, car il rejoint sitôt ses compagnons en essuyant la sueur de son front.


Les trois compagnons qui avaient fait le tour de l'abbaye se préparaient déjà à partir, quand un événement les surprit et les cloua sur place. Un certain frère portier, insatisfait de son statut de convers et qui, au dire du novice au creux de l'oreille de Rien, cherchait noise à tous ceux qui lui portaient ombrage, venait de lancer sa bombe : la mystérieuse disparition du plus précieux manuscrit arrivé récemment d'Espagne. L'accusation fit le tour du préau, enfila les longs couloirs du cloître, puis s'achemina directement vers la cellule de l'abbé mitré qui prit la chose au sérieux. Le vol était de la plus haute importance, à la mesure de l'objet volé. Et toute la communauté fut convoquée dans la salle commune.

Il arrivait souvent que des visiteurs s'arrêtent quelques heures, quelques jours au monastère le plus célèbre des lieux. Mais ces derniers temps, seuls nos trois compagnons étaient présents à l'intérieur des murs. Personne resta calme, Quelqu'un n'imaginait rien, et Rien, pour une fois qu'il n'avait rien fait, n'arrivait pas à empêcher ses jambes de gigoter. Lui qui, quand il était coupable, réussissait si bien à jouer les innocents, voilà qu'innocent, il agissait en coupable. Au point que son maître sentit le besoin de l'interroger.

— Aurais-tu par mégarde subtilisé quelque chose?

Rien avale une épaisse salive et implore son maître des yeux.

— Allons, tu peux tout me dire à moi, on verra ce qu'il faut faire.

— Mais…

Son *mais* sonne tellement fautif que le maître se méprend.

— Faute avouée est à demi pardonnée, qu'il renchérit.

C'est sans doute cette manie des sentences chez Personne qui réveille enfin Tit-Rien et lui fait crier :

— Mais j'ai rien fait! c'est pas moi! je le jure sur…

— Il ne faut jurer de rien.

Décidément, coupable ou non coupable, l'élève aura toujours droit aux maximes et aux rengaines du maître. Et Rien juge qu'il lui faut au moins entreprendre sa défense. Il respire abondamment par le nez, cargue les épaules, prend son air de celui-qui-ne-sait-pas-de-quoi-tu-parles, puis veut commencer son plaidoyer. Mais le frère portier, qui a l'avantage de la poursuite, est le plus rapide :

— Un précieux manuscrit a disparu ; on sait que des étrangers connus ni d'Ève ni d'Adam se sont introduits de nuit, Dieu sait par quel subterfuge, dans le cloître fermé ; quelqu'un s'est trouvé à pénétrer, sans y avoir droit, à l'intérieur de la grande bibliothèque…

En s'entendant nommer, Quelqu'un se dresse et commence à balbutier dans une langue incompréhensible pour l'assemblée une défense qui sonne bien davantage comme une auto-accusation. Il a toujours admiré la science des lettrés qui savent lire, aimerait bien fréquenter des lieux de si haut savoir, pouvoir frôler de ses doigts des livres aussi savants...

Les yeux de maître Personne traversent Tit-Rien jusqu'à l'âme. Comment peut-il laisser accuser le vieil homme qui n'a jamais appris à lire ou à écrire et qui se laisserait traîner au bûcher comme le bouc émissaire sans défense...

Rien ne peut laisser faire ça, devrait-il s'accuser lui-même ! Mais pourquoi lui ? Pourquoi pas Personne ? Parce que Personne est au-dessus de tout soupçon, on ne le croira pas. Lui seul a d'écrites sur le visage, d'inscrites dans ses moindres gestes les infinies possibilités du pire et du meilleur. En quittant ses limbes, il rêvait de tout entreprendre, voulait tout connaître, il ambitionnait de goûter à tout... Même au fruit défendu ? Mais tout n'est pas défendu. Il est aussi capable du reste : capable de sauver son compagnon au prix de sa propre condamnation.

— Attendez ! Attendez ! qu'il hurle.

Et tous les capuchons se tournent vers le lutin qui agite bras et jambes. Attendez... Quelqu'un n'aurait même pas su lire le titre du livre disparu, n'a jamais mis les pieds dans une bibliothèque, seuls son maître et lui pouvaient connaître la valeur et admirer la beauté des textes... qu'il n'a d'ailleurs pas eu le temps de parcourir, il le jure... il n'a fréquenté qu'une seule fois la grande bibliothèque, et s'il a glissé en bas de son échelle, c'est au son de la voix du jeune moine qui l'appelait d'en bas... et s'il est tombé fesses premières au milieu des bouquins et manuscrits...

Voilà où l'attend le portier au nez en bec d'aigle et aux yeux de vieil inquisiteur. Celui qui n'a pas vu les compagnons pénétrer de nuit à l'intérieur des murs du cloître cherche à racheter sa faute en se vengeant sur celui des trois qui lui paraît le plus dépourvu.

— C'est lui, le lutin, je l'ai aperçu à quatre pattes sur le plancher, farfouillant dans les livres nouvellement arrivés d'Espagne. Il ouvrait des yeux cupides sur l'ouvrage enluminé d'or, se frottait les mains et salivait à la vue des tranches…

— Tout doux, tout doux, dit le père abbé qui enjoint à la poursuite de se limiter aux faits stricts et sans équivoque. Vous l'avez vu s'emparer du livre et l'emporter avec lui?

— Vu de mes propres yeux caresser les tranches dorées de la paume de ses larges mains…

Les larges mains d'un Tit-Rien comme lui? Le lutin saisit au vol la maladresse qui trahit la mauvaise foi puante du frère convers. Et devant l'assemblée des moines, il agrandit aussitôt des paumes qui n'arrivent pas à couvrir le bout du nez de son accusateur. Il voit sourire l'abbé et entend soupirer son maître, et le courage lui revient. Il jette un œil du côté de son ami le jeune novice qui s'est faufilé entre la rangée de moines qui attendent, impassibles, le verdict de Dieu. Alors l'accusé se dérouille la gorge, ferme les poings et, manquant de s'étouffer dans une inspiration plus longue que nécessaire, il entreprend sa défense sur une note bien au-dessus de son timbre habituel, de sorte qu'après les trois mots d'introduction il doit s'arrêter pour descendre d'une octave. Cette entorse à la procédure lui fait perdre contenance et aurait pu lui faire perdre le procès, mais Tit-Rien-tout-neuf, depuis son face à face avec le lion ou son vol à dos de condor, a les nerfs aguerris et sait se retourner sur un sou noir.

— Je suis petit de ma personne, mais mes membres sont en harmonie. La grandeur de mes mains est proportionnelle à celle de mes bras, de mes épaules ou de mon dos. Si quelqu'un parmi vous veut bien mesurer ma taille, en hauteur, largeur et profondeur, et dire si les mains que voilà peuvent ramasser à bout de bras puis jucher sur les épaules que vous voyez un bouquin de l'importance de celui qui est disparu et que, pour mon malheur, je n'ai jamais vu...

La communauté entière des frères habitués au silence profite de l'occasion exceptionnelle de s'exprimer et éclate d'un joyeux chuchotement.

... D'où vient ce personnage hors du commun?...

... Ange ou diablotin?...

... Vrai qu'il ne saurait porter un bouquin pareil...

... Au fait, quel livre a disparu?...

... A-t-on des détails sur les circonstances du crime?...

... S'il y a crime, il y a criminel.

... Qu'est-ce que j'entends? Vous entendez, mes frères?...

On entend le moine archiviste rentrer dans la salle commune en traînant dans un chariot à quatre roues une pile de livres qu'il avait soustraits la veille aux yeux des jeunes effarouchés qui se permettaient de jouer dans les échelles. Petit à petit, on apprend que le célèbre bouquin dérobé ne se trouvait pas au nombre des nouvelles acquisitions mais, vu son importance, était arrivé dans un colis séparé. Le vieux moine à lunettes en cul de bouteille venait de le récupérer aux cuisines.

— Aux cuisines, mon frère?

Et l'archiviste, en zézayant, expliqua au père abbé la méprise qui s'était déroulée à la porte du monastère.

— Zuis z'arrivé en même temps que le zef cuisinier et il y eut confuzion entre un livre de rezettes et le *Don Quizotte de la Manza.*

Maître Personne dut enserrer dans l'étau de son coude son étourdi de disciple qui se préparait à faire un sort au portier responsable de pareille méprise.

— Envoyer don Quizotte aux cuisines! Crime contre l'humanité!

Puis se tournant vers le moinillon :

— C'est qui, ce don Quizotte?


L'incident de la célèbre copie, la plus ancienne, selon l'archiviste, du plus grand auteur espagnol, retarda le départ de nos trois compagnons. Parce qu'il n'était pas question qu'un livre qui avait causé un tel émoi dans l'abbaye et donné à notre héros de telles sueurs froides retourne à ses tablettes sans que Rien eût le droit d'y coller le nez.

— Tout sauf le nez, l'avertit son maître. Déjà que le frôlement des prunelles risque de le profaner.

Et durant des jours, avec la permission de l'abbé mitré qui se sentait le devoir de réparer la fausse accusation portée contre lui, Tit-Rien-tout-neuf s'envola à travers les pages de la plus grande aventure des temps nouveaux, qui l'emportait de la découverte du globe terrestre qui tournait autour du soleil à l'invention de l'imprimerie qui révolutionnait la transmission de la connaissance, à la conquête de l'Amérique où... où un jour un petit Rien-du-tout-sorti-de-rien allait atterrir.

Le beau livre illustré qui montrait le Chevalier à la Triste Figure partir à la quête et conquête de son univers fit tressaillir Tit-Rien. À mesure qu'il avançait dans la douloureuse et pourtant glorieuse expédition du héros, Rien frémissait de tout son être. Celui-ci, justement, ne venait-il pas renvoyer, après quatre siècles, sa propre image à un jeune héros en mal d'identité? Il ferma brusquement le livre et s'en fut trouver son jeune ami le moinillon.

— Tu le connaissais?

— ...?

— Don Quichotte de la Manche, tu étais au courant?

— Tout le monde connaît cette histoire du chevalier à la tête fêlée.

Tit-Rien tomba du haut de son rêve encore tout neuf.

— Tête fêlée, tu dis?

— Mais enfin, bégaya le petit frère, fallait pas être tout à fait dans sa tête pour entreprendre une aventure pareille. Personne ne peut à mains nues tuer tous les monstres et sauver à lui seul l'humanité entière.

Rien laissa si bien tomber son menton que, sans l'avoir cherché, il se mit à ressembler au Chevalier à la Triste Figure. Le moine éclata de rire.

— Il ne te manque, mon frère, qu'un plat à barbe sur la tête, une lance rouillée, une vieille rossinante pour te porter jusqu'en terre d'Espagne, et te voilà don Quichotte de la Manche, chevalier à la Triste Figure, des temps modernes.


Tit-Rien passa la nuit à contempler le ciel, y cherchant son inaccessible étoile. Et à l'aube, il accourut à la cellule du maître :

— Réveillons-nous, noble seigneur, nous partons dès ce jour à la quête de la justice et de la vérité.

Personne ouvrit un œil, Quelqu'un grogna et Rien tira les couvertures puis aspergea ses deux compagnons de l'eau du bénitier.

— L'Espagne est à deux pas, c'est la terre voisine de la France. Une petite chaîne de montagnes à franchir, et nous sommes en pays d'aventure.

Personne prit le temps de se laver les yeux, la bouche et les oreilles, puis invita son élève à s'asseoir sur l'unique chaise de paille et à recommencer son discours depuis le début.

— Au début il y eut un chevalier insatisfait du monde dans lequel il avait atterri. Puis...

— Non, non, pas aussi début que ça, interrompit le maître. Dis-moi seulement le nom de la mouche qui t'a piqué et à quoi ressemblait le rêve qui a envahi ta nuit. Réveille-toi.

— Aucun rêve, je n'ai pas fermé l'œil de la nuit. Jamais je n'ai été autant éveillé.

Et Rien se mit en frais de raconter à ses compagnons sa grande découverte du monde fabuleux du plus grand chevalier d'aventure que la terre eût porté. Il fallait à tout prix et tout de suite partir sur les traces de don Quichotte avec l'idée d'achever l'œuvre bâclée du justicier, tout au moins de démontrer au monde la pertinence d'un tel exploit.

— Figure-toi, maître, quatre siècles plus tard, les chevaliers des temps nouveaux, sans peur et sans reproche, armés de leur seule bonne foi, de leur révolte contre l'injustice et l'inégalité des chances, de leur colère contre l'apathie, l'insouciance et l'insensibilité de l'humanité nantie face à l'humanité souffrante…

— Si fait, si fait… tout ça est plein de bonne volonté et part d'intentions louables, mais!

— Mais! toujours mais!

Maître Personne s'arrêta et réfléchit. Il était inutile de puiser dans sa réserve insondable d'arguments pour ramener le jeune héros à la raison. D'ailleurs, pourquoi vouloir imposer une logique à une vie qui dès son premier jour s'était placée sous le signe de l'improvisation? Mais jusqu'où son maître pouvait-il laisser à son disciple la bride sur le cou? Le laisser mener seul sa barque sur des mers qui, au sortir de l'enfance, pouvaient se révéler autrement ténébreuses?

Quelqu'un, en écoutant jongler Personne, songea à toutes les mers orageuses qu'il avait affrontées durant sa longue vie et hocha la tête.

Rien, qui devinait que le discours intérieur de son maître était en train de décider de leur avenir à tous les trois, sentit qu'il devait intervenir. Il devait plaider sa cause. Il devait. Mais s'aperçut, en ouvrant la bouche, qu'il était à court d'arguments, que l'argutie n'était pas son fort, qu'il lui fallait trouver une image, un geste d'éclat. Et sans même chercher, il se laissa glisser en bas de sa chaise de paille, la prit à bras-le-corps et s'en fit un bouclier.

— Attaque, maître, je suis sur la défensive. Va, lance ton argumentation, tes syllogismes, toute la gamme de la logique et du raisonnable, bombarde-moi de prémisses, sophismes, axiomes, déductions, thèses et antithèses, fais rouler tes gros canons, je me contenterai de me défendre, parer les coups avec… avec Rien, de petits Riens-tout-crus, sortis de mon ventre et de mes reins.

Il s'arrêta, à bout de souffle.

Le maître fléchit. Que répondre à ça ? Il songea à la phrase biblique : sonder les reins et les cœurs. Son cœur pouvait-il fouiller davantage les reins de son disciple ? Seule une divinité avait ce droit. Il se sentit soudain démuni. Cet être étrange était apparu un matin comme un gland tombé du chêne, avait roulé jusqu'à ses pieds, les yeux implorants, et l'avait appelé par son nom, son nom de maître Personne qui sitôt s'était senti investi. Il contemplait la créature mystérieuse qui lui avait été confiée et se demandait pour la première fois jusqu'où devait le mener sa propre mission. Le maître devait-il façonner le disciple à son image ? Lui transfuser sa science comme du sang dans les veines ? Et si le petit Rien était soumis à un destin totalement indépendant du sien ?

Depuis sa rencontre avec le père abbé, Personne avait compris qu'il avait des comptes à régler avec une chrétienté qui en deux mille ans avait fondé, mené, malmené, dessiné parfois à feu et à sang le visage d'un continent européen qui se croyait maître du monde. Mais cette lutte avec l'ange était la sienne, non pas celle du jeune preux qui pour l'instant se cherchait un modèle dans la zone des héros chevaleresques. Le visage du maître s'éclaira. Il tendit les bras au disciple qui lentement s'approcha. Les deux compagnons se serrèrent l'un contre l'autre sous les yeux du vieux loup de mer qui ne savait pas s'il devait rire ou pleurer.

Avant le lever complet du soleil, le sort des compagnons était jeté. Personne partirait vers l'Italie. Pendant ce temps, Rien franchirait les Pyrénées et partirait sur les traces de son héros don Quichotte.

— Et Quelqu'un?

Les deux aînés levèrent le menton dans la même direction et au même rythme.

— Il sera ton guide et gardien, ton empêcheur de tourner en rond.

Ils se quittèrent sur le coup de midi, sans effusions ni adieux, se bornant à se fixer rendez-vous à Rome, sur la grande place du Vatican, le jour de la Saint-Michel.

— À midi, précisa Tit-Rien dans une périlleuse pirouette qui faillit faire regretter à son maître de l'avoir laissé partir si tôt.

# 13

Les deux compagnons n'avaient pas atteint le prochain village qu'ils se retournèrent en même temps pour constater que Personne avait disparu. L'horizon du sud-est l'avait dévoré. Rien et Quelqu'un échangèrent un regard bref, que le petit s'efforça de rendre léger et que le vieil homme reçut comme le poids de sa nouvelle responsabilité.

Laisse-lui de la corde, que lui avait soufflé en partant le maître, mais assure-toi d'y faire beaucoup de nœuds.

L'ancien marinier n'avait jamais cessé de traduire en nœuds maritimes les lieues, milles ou kilomètres et mesurait ainsi la distance parcourue entre la prestigieuse abbaye et les murs roses de la ville qui surgit devant eux et que des siècles avaient gardée presque à son état d'origine. Tit-Rien y accourut comme un exilé qui rentre chez lui. C'était la cité que son cœur avait reconnue du premier coup.

— La voilà, la France profonde! Celle que j'étais venu chercher.

Et sans consulter personne – plus de Personne mais un Quelqu'un qui lui laisserait beaucoup de corde –, il s'engouffra dans la première porte qui lui ouvrait la ville franche et emmurée. Alors il s'arrêta pour attendre son vieux compagnon qui s'essoufflait dans les escaliers en spirale.

— Doucement, Quelqu'un, prends tout ton temps, elle est bien loin, la Saint-Michel.

Et le petit, pour attendre son compagnon et montrer sa sollicitude, s'appuya sur l'allège d'une fenêtre qui donnait sur le plus beau paysage des campagnes environnantes. Le compagnon sourit en le dépassant et poursuivit jusqu'à la deuxième porte qu'il franchit en même temps que Tit-Rien-tout-vif qui en quelques sauts l'avait rejoint. Et c'est ainsi que le vieil homme et le jeune lutin pénétrèrent dans la forteresse médiévale qui les attendait.

— Depuis toujours elle m'attendait! s'écria Tit-Rien en secouant le bras de son guide et gardien, et elle n'a pas bougé d'un pouce en m'attendant. Tu penses pas, mon ami, que la vie qui avance doit de temps en temps s'arrêter pour reprendre son souffle et planter des bornes le long du chemin?

Et bras dessus, bras dessous, le couple saluait à droite et à gauche les habitants qui retournaient leur salut sans s'interroger. Rien resta songeur. C'était bien la première fois qu'on n'avait pas l'air de le distinguer. Par hasard, serait-il tombé dans le temps qui lui était destiné depuis son arrivée en terre ancestrale? Aurait-il pu venir au monde dans un temps autre que celui où il baignait depuis... En fait, depuis combien de temps était-il parti à l'aventure de par le monde?

— Ça fait combien de temps qu'on se connaît, Quelqu'un?

Quelqu'un réfléchit, compta sur ses doigts, se gratta l'oreille gauche, leva des yeux interrogateurs sur un Rien devenu soudain tout sombre et fit de la bouche la mine de donner sa langue au chat.

Tit-Rien venait de se rappeler qu'il avait exigé du Temps, en sortant du désert, de faire un virage à cent quatre-vingts degrés. Était-il reparti à la case départ? Devrait-il refaire le même parcours deux fois? répéter les mêmes erreurs et les mêmes bourdes? Lui-même se sentait tout jeune et ragaillardi, mais Quelqu'un continuait d'avancer en âge, il le reconnaissait à son rythme ralenti, à son élocution plus hésitante. Alors, pour sortir de l'impasse où son cerveau galopant l'avait entraîné, Rien s'attrapa la tête et lui fit faire un quart de tour.

Quelqu'un planta ses vieilles prunelles dans celles de Rien qui finit par balbutier :

— Je ne sais pas comment le nommer, mais je sais que ça tourne autour du droit de la refaire à sa guise, perpétuellement. Quel nom donnerais-tu à ça, Quelqu'un ?

— … La liberté de faire à répétition tous tes mauvais coups.

Les deux se prirent les côtes et laissèrent un même rire fou les envahir.

Des villages, de petites villes, des collines et de la forêt dense pour atteindre enfin la splendide chaîne de montagnes. Instinctivement, Rien leva la tête comme si ses yeux cherchaient le condor. Mais les Pyrénées ne sont pas les Andes, qu'il se rappela. Il avait appris, ne se laisserait pas deux fois emporter au bon gré d'un oiseau gigantesque, fût-il le dieu des altitudes. D'autant qu'il se sentait seul responsable de Quelqu'un, désormais, et ne pouvait plus compter sur Personne pour l'arracher des griffes d'un rapace mythologique.

— Tu ne crains pas les hauteurs, Quelqu'un ? As-tu jamais eu le vertige ?

En disant cela, Rien se cassait la tête à vouloir fixer le pic de la première montagne qu'ils devaient escalader. Seul Quelqu'un se doutait du nombre de cols et de pitons qui séparaient la France de l'Espagne et se demandait combien de temps les éloignait de la Saint-Michel.

— Non, pas connu le vertige. À dire vrai, j'ai jamais trop cherché les hauteurs.

— Sans les chercher, y vient des temps où l'on ne peut pas les éviter, reprit un Rien qui croyait de son devoir de parler comme Personne. Comment rejoindre son héros sans parcourir le même chemin que lui ? Allons, vieil homme, un pas à la fois, la vie est faite d'une suite de petits efforts.

Le vieil homme, en voyant bondir les jambes élastiques du lutin, se dit que ses petits efforts allaient bien vite l'essouffler. Ce qui se produisit plus vite que le vieillard n'avait prévu. Ils avaient à peine attaqué la première colline que Tit-Rien arrêta son compagnon pour lui indiquer au creux de la vallée un groupe de chevaux sauvages qui broutaient tranquillement. Le vieux loup de mer s'inquiéta :

— Comment sais-tu qu'ils sont sauvages?

— À leur manière de se tenir collés les uns aux autres pour se protéger contre les maraudeurs.

— Qui ça?

— Tous ceux qui doivent traverser ces montagnes à pied et qui ont la chance, comme nous, de tomber sur une manne pareille.

Et empruntant le ton et la pose de son maître, il dit ces mots avec une telle autorité que Quelqu'un resta perplexe. Le petit était un débrouillard, nul ne pouvait nier ça, et il était presque toujours parvenu à les tirer des pires embûches, ça c'était sûr, alors... Il n'eut pas le temps d'achever sa pensée que déjà l'autre...

— Tu pars à droite, je prends la gauche ; faut les encercler. Choisis le tien. Qu'est-ce que tu dirais, mon vieux, du gros noir à la queue fournie qui lui pend entre les pattes? Quant à moi, je m'en vais m'attaquer au petit alezan nerveux qui s'est éloigné du groupe et a tout l'air de n'attendre que son maître.

Tit-Rien avait toujours mélangé sa droite et sa gauche et comme d'habitude partit du mauvais côté, c'est-à-dire du même bord que Quelqu'un qui, s'imaginant s'être trompé, prit sa gauche pour sa droite, et voilà les deux maraudeurs qui allaient dans toutes les directions, effrayant les chevaux qui en firent autant.

— Attrape le premier qui te tombe sous la main! hurla Tit-Rien à son compagnon qui par hasard tomba sur le jeune alezan, le saisit par la crinière et finit par l'enfourcher.

Durant ce temps-là, le lutin luttait avec une mule qui ne comprenait pas ce qu'on lui voulait et lançait des coups de sabots que Rien ne réussissait à éviter que grâce à sa petite taille. Par une pirouette dont il était lui-même l'inventeur, il se trouva enfin à califourchon sur la croupe de la mule, mais en porte-à-faux, c'est-à-dire le visage tourné vers la queue de la bête.

Quand les deux héros arrivèrent enfin l'un en face de l'autre, la tête du jeune cheval flairant le cul de la mule, Quelqu'un fut pris d'une telle secousse que le pauvre Rien, en voyant l'autre s'esclaffer, n'eut d'autre choix que de joindre son rire au sien.


Ils eurent le reste de la journée pour se remettre de l'émotion qui suivit leur maraudage. Quand le vieux avait indiqué à son jeune compagnon le nuage de poussière que soulevait le galop d'un cheval monté de son cavalier qui descendait compter ses bêtes dans la vallée, les deux s'étaient enfoncés dans le boisé le plus proche. Là ils purent descendre de leurs montures, mesurer le danger encouru et décider de la prochaine étape du voyage.

Tit-Rien commença par flatter la croupe de sa mule tout en lorgnant le fringant alezan. Quelqu'un en profita pour cueillir des châtaignes, noix, fruits sauvages et autres denrées comestibles. Quand l'homme à tout faire revint de sa cueillette, le jeune cavalier l'attaqua de biais pour faire entendre à quelqu'un de sa condition l'avantage qu'ils auraient tous deux à échanger leurs montures. Il n'eut pas à se rendre jusqu'à rappeler à l'autre que le poulain avait été son premier choix et que par pure méprise *et cetera, et cetera...* Quelqu'un avait déjà tout compris, tout admis, tout accepté. Rien pouvait hériter du cheval.

Et voilà comment le jeune héros et son compagnon, sans le savoir et sans se déclarer maître et valet, renvoyaient déjà à quiconque eût croisé leur chemin l'image bien connue du plus célèbre couple espagnol.

Des jours s'écoulèrent sans incidents. Les montagnes se révélaient de plus en plus hautes et sauvages, mais nos héros avaient connu les Andes et traversé la jungle d'Afrique et d'Amazonie, mis les pieds sur les glaces de la Terre de Feu, puis dans les sables du Sahara. Qu'est-ce que des Pyrénées à côté de...

Le cheval de Rien hennit et se cabre, manquant de renverser son cavalier. La mule l'imite sans trop savoir pourquoi. Celui qui comprend le premier, c'est le vieux loup.

— Vite, saute, Tit-Rien. Il est là.

C'est alors que le lutin l'aperçoit : l'ours des Pyrénées. Rien respire profondément et se ressaisit. Puis calmement il enjoint à son compagnon de faire le mort, ultime défense contre l'ours qu'il a rencontré dans son premier séjour en forêt.

— Couche-toi, vieux, dépêche, lâche la bride de ta mule.

Conseil inutile, la mule galope déjà derrière l'alezan qui dégringole vers la vallée. Et Quelqu'un, sans autre ressource que la confiance en l'autorité de son nouveau maître, s'étend de tout son long au-dessus de celui qu'il est chargé de protéger. Tit-Rien va étouffer, veut bouger, mais l'autre le tient serré contre lui et le force au silence. Il garde pourtant l'œil ouvert, malgré l'assurance qu'a montrée le petit devant pareil danger. Aucun ne bouge, hormis l'ours qui avance à pas galopants, se dirigeant droit sur les corps morts qui cessent de respirer. Rien l'entend approcher, le sent à deux pas, se demande... n'y tient plus... va crier...

Pan !

L'écho des montagnes renvoie des dizaines de pan ! aux oreilles des compagnons qui ont juste le temps de voir s'effondrer la bête d'une demi-tonne sur les pieds de Quelqu'un. Lentement, Rien se dégage, se lève, époussette les aigrettes de pins piquées dans la laine de sa veste, puis aide l'autre à dégager ses pieds coincés sous la masse de poil noir. Ils se regardent comme deux ressuscités d'entre les morts.

— C'est pas régulier, balbutie un Tit-Rien-tout-nu qui n'y comprend rien. L'ours de nos forêts n'agirait pas comme ça.

En respirant fort et suant abondamment, il commence à raconter à Quelqu'un sa première expérience avec l'ours. Mais son discours tourne court à l'arrivée des chasseurs qui viennent réclamer leur butin. Et c'est à eux finalement que Rien tente de justifier son stratagème.

— Un ours qui se respecte ne s'en prend pas aux morts, qu'il commence.

Les montagnards sont d'abord amusés mais petit à petit, en constatant le péril qu'ont encouru les deux énergumènes égarés sur leur plateau, les traitent avec les égards dus à personnes en danger. Et voilà nos deux aventuriers conduits dans la cabane d'une demi-douzaine de braconniers qui ramènent leur trophée sur un traîneau de bois.


Les compagnons devaient passer chez les chasseurs le temps qu'il faudrait au vieux loup de mer pour panser ses entorses aux chevilles et à Tit-Rien-tout-neuf pour se remettre de son émotion, qui l'atteignit comme une bombe à retardement. Aux récits des braconniers, il comprit qu'un ours de cette taille et de cette ruse aurait fait des deux voyageurs une bouchée. Depuis des semaines que les chasseurs le suivaient, cherchaient à le coincer…

— C'est vous qui l'avez arrêté finalement et nous l'avez livré sur un plat d'argent. Grand merci.

Quelqu'un sourit béatement, car il se sentait plus en reste vis-à-vis de ses bienfaiteurs que l'inverse. Mais Tit-Rien se donna des airs de grand seigneur qui abandonne élégamment à ses hôtes sa part du marché. Il voulut pourtant connaître le prix d'une telle prise et pourquoi les braconniers risquaient leur peau pour un ours.

— Pour la peau de l'ours qui vaut plus cher que la nôtre, ricana le chef de bande à l'amusement de Tit-Rien qui commençait à trouver l'aventure émoustillante.

— Pourquoi un tel prix pour une peau d'ours?

— En raison de sa rareté. On peut compter ces dinosaures sur les doigts de la main dans nos Pyrénées.

Rien leva les yeux sur Quelqu'un et les deux compagnons furent saisis en même temps du même scrupule. Mais Rien enfouit imperceptiblement sa conscience au creux de ses reins. Fallait pas trop réfléchir, pas maintenant. Attendre de bien connaître tous les enjeux, de peser le pour et le contre : lutter *contre* des hôtes qui leur avaient quand même sauvé la vie? ou *pour* la défense d'une espèce en voie d'extinction? Tit-Rien oscillait.

Le marinier aperçut les hanches de son jeune compagnon qui roulaient de bâbord à tribord et se dit que la houle devait être forte. Il savait d'expérience qu'en cas de grosse mer, fallait prendre la lame de front. Il traîna donc sa patte blessée jusqu'au capitaine et s'enquit des prévisions météorologiques des prochains jours. Le chef braconnier échangea avec le vieux loup de mer un œil inquisiteur. Puis, jouant de ruse, l'un et l'autre s'amusèrent à discuter de l'orientation des vents de montagne, dans les gorges comme sur les plateaux, des humeurs de la sierra en saison chaude, en saison froide, en saison de reproduction des espèces menacées.

— La plus menacée des espèces, par les temps qui courent, c'est la nôtre, mon vieux. Fut une époque où on laissait à l'homme son rôle de prédateur. La chasse est son droit sacré depuis la création du monde, au même titre que la culture ou l'élevage.

— Mais de quoi vivra le chasseur d'ours après qu'il aura tué le dernier?

Tous les yeux s'abaissèrent sur Tit-Rien, assis en Sauvage sur une peau d'ours noir. Et les visages s'assombrirent. Le jeune héros savait qu'il risquait gros en affrontant une bande de hors-la-loi dans une cabane isolée au creux d'une forêt vierge. Mais en songeant à son modèle qui en pareilles circonstances eût foncé dans son bon droit de justicier, il s'était dit que s'il reculait maintenant, jamais il n'atteindrait la Manche où don Quichotte avait affronté une armée de géants autrement redoutables qu'une demi-douzaine de braconniers. Il se leva dans un saut périlleux, fit quelques ronds de jambes, simula de ses bras nus cinq ou six assauts et passes d'escrime, laissant la bande de chasseurs surpris de l'audace et de l'agilité d'un aussi petit personnage. Le plus barbu de la bande, crâneur et fanfaron, voulut se mesurer à Rien. Il se saisit d'un balai et lança à son adversaire le manche d'un écouvillon, puis se mit au garde-à-vous.

— Hop là, chevalier! Un, et deux, et…

Quelqu'un agrandit les yeux et tenta de se redresser. Mais le capitaine le retint. De longtemps la bande n'avait eu l'occasion de fêter un retour de chasse aussi glorieux. L'ours royal qu'on traquait depuis des semaines, doublé d'un couple d'hurluberlus qui promettaient un divertissement dont le chef n'allait pas priver ses hommes.

— Allez, champions! qu'il commanda aux duellistes, le premier sur le carreau lèchera les bottes de l'autre.

Tit-Rien, malgré lui, eut le geste heureux de pencher la tête pour estimer la hauteur de ses bottes au moment précis où le manche de balai allait lui arriver au centre du cou. Il fut si surpris de sa chance qu'en sautant, il recula de trois pas, ce qui lui valut sa seconde chance de parer la pointe de l'estoc en pleine poitrine. Du coup, le Rien-finaud comprit de quel côté était sa force. Et voyant les spectateurs se partager en deux camps, il commença par saluer le sien, puis sans crier gare, se mit à sautiller, pirouetter, passer entre les jambes de son assaillant du double de sa taille, le forcer à le chercher à gauche quand il se glissait à droite, le troubler, l'étourdir et finir par l'obliger à s'arrêter pour réviser sa stratégie. C'est alors que Tit-Bout-de-Rien, monté sur les épaules du plus grand des braconniers, allongea son bras et vint flatter de la touffe de son escouvillon le faîte de la tête de son enragé d'agresseur.

Ainsi prit fin la première manche du combat singulier. Première manche en effet. Car au moment où le vainqueur allongeait sa botte pour la porter aux lèvres de l'adversaire, il reçut un coup de Jarnac qui l'envoya revoler dans le giron de Quelqu'un qui se levait en même temps pour protester.

— Pas juste! que vociférait le vieux, pas dans les règles.

Rien-le-petit, sans réfléchir mais suivant son instinct le plus sûr, se dressait sur ses pattes d'en avant, comme un cheval qui prépare sa botte surprise, et cria au spadassin de venir sur le pré. L'autre, sans perdre une seconde, attrapa les jambes du lutin qui n'attendait que ce geste pour lui grimper sur la tête en trois petits tours, se tenir sur un seul pied comme il avait vu faire à nombre de statues de bronze, puis crier victoire en épousetant du bout de son arme le bout du nez du malheureux vaincu. Cette fois, les deux camps n'en firent plus qu'un et chacun lutta pour porter le champion à bout de bras.

Pendant qu'on le promenait en triomphe autour du camp, Rien fouilla sa mémoire pour retrouver la réaction et les paroles de son héros fétiche en pareilles circonstances; mais ne se rappela que ses déboires, bastonnades, rebuffades et injures de toutes sortes. Était-il digne, après sa victoire, de suivre les traces du Chevalier à la Triste Figure? N'eût-il pas mieux valu qu'il perde le combat pour montrer sa grandeur d'âme?

Il devait regretter bientôt d'avoir cherché à mettre son âme à l'épreuve. Car dès le lendemain, quand il se crut de taille à reprendre le combat sur la défense des espèces animales en voie d'extinction, il sentit l'atmosphère se refroidir. Les brigands voulaient bien le laisser gagner ses duels à l'épée, mais opposeraient une farouche résistance sur le terrain de leur chasse gardée.

Pour amener le sujet, notre héros commença par déplorer la perte de son cheval et de la mule de Quelqu'un et s'enquit auprès de ses hôtes du moyen de retracer les bêtes.

— En les appelant par leur nom, ricana le spadassin.

— J'ai même pas eu le temps de le nommer, se plaignit Tit-Rien sans noter la mauvaise foi de l'autre. Une bête sans nom ne reconnaîtra pas son maître. Je jure que mon premier geste de retrouvailles sera...

— ... La cérémonie du baptême, enchaîna le ricaneur, *in nomine Patri et Filio...*

Cette fois, Tit-Rien mesura le degré d'hostilité de son adversaire et se tint légèrement en retrait. Pas jeter d'huile sur le feu. Mais l'autre ne l'entendait pas de cette oreille. En voyant la réticence du lutin, il s'enhardit, se mit à échafauder argument sur argument contre la sauvegarde des espèces menacées, contre la nature en péril, pour la chasse libre et déréglée... C'était de la provocation. Quelqu'un le comprit et se glissa entre l'agresseur et Tit-Rien pour l'empêcher de sauter dans l'arène. Mais il était trop tard, l'honneur du jeune héros était en jeu et, calquant son humeur sur celle de son modèle à la Triste Figure, il perdit le contrôle.

— L'ours est un animal mythologique et sacré qui a précédé l'homme dans l'évolution et mérite par le fait même de lui survivre. Survivre à ses assassins, à ses exterminateurs !

Les oreilles des six chasseurs braconniers cillèrent comme des sirènes venues du fin fond des temps.

Sans faire ni oui ni non, ils tombèrent à bras raccourcis sur le lutin qui fut garroché en l'air en passant de mains en mains, dansant, sautillant, se cognant la tête aux coudes et aux genoux des assaillants, revolant comme un pantin disloqué, sous les cris désespérés du pauvre vieux marinier qui se battait contre tous comme un fou furieux.

Au dernier coup de pied sur la tempe qu'il reçut du plus ardent au combat, le farouche vaincu de la veille, Tit-Rien crut sa dernière heure arrivée et hurla le nom de PERSONNE qui rebondit de poutre en poutre et d'un mur à l'autre… à l'autre… à l'autre. Essoufflés et satisfaits, les combattants finirent par lâcher leur proie qui s'effondra comme la guenille de son escouvillon.

À la tombée de la nuit, quand Quelqu'un réussit à dérober le lutin à ses bourreaux qui rêvaient déjà à la chasse du lendemain, il l'enroula sur son cou, comme il avait vu faire à Personne, et l'entraîna à l'orée d'une caverne naturelle.

Tout en pansant ses plaies d'emplâtres de graines de moutarde et de feuilles de thé sauvage, Quelqu'un s'efforçait d'endormir son compagnon en murmurant de vieux refrains qu'il avait longtemps chantés sous les cieux étoilés du grand large. Avant de sombrer dans le sommeil, durant la première moitié de la nuit, Tit-Rien scandait le lamento du loup de mer de ses propres lamentations.

… Aïe! … aïe! … aïe!

Puis le croissant de lune lui fit un bandeau sur les yeux.

Au petit jour, se redressant sur son lit de pierre humide, il réveilla son compagnon d'un surprenant :

— Sancho! debout, Sancho!

Quelqu'un s'arracha à grand-peine de sa nuit sans rêves et s'inquiéta. Le «sang chaud» lui remettait en mémoire les plaies de son protégé.

— Je m'en vas t'arrêter le sang de couler, un instant. Pauvre petit.

— Mais non, fidèle Sancho, le sang n'est rien. Écoute. Je t'ai vu cette nuit, toi, écuyer de don Quichotte... qui me ramassais tout en lambeaux après la grande scène du trampoline où les ennemis m'ont ballotté... et garroché en l'air... et où j'ai pu montrer ma vaillance et vivre la première phase de mon initiation. Me voilà enfin digne de figurer...

— ... défiguré, démanché, déboîté... Pauvre enfant! si maître Personne te voyait dans cet état, c'est moi qui en prendrais une raclée.

— Assis-toi, compagnon, et prête l'oreille à mes serments.

Quelqu'un voulut bien s'asseoir, mais non pas écouter l'enchaînement de phrases abracadabrantes qui trahissaient la déraison d'une tête fêlée.

... Tête fêlée... Rien se souvenait, le moinillon avait décrit ainsi son idole : le chevalier redresseur de torts et d'injustice, le héros pourfendeur du mal sous toutes ses formes, le combattant cent fois mort au combat...

— Compagnon de guerre, tu as laissé comme moi ta vieille dépouille sur le champ de bataille, lève-toi, brave écuyer, aujourd'hui même nous nous engageons dans le combat suprême.

— Chuuut... chuuut!... tout doux, du calme, Quelqu'un est là, tout près, et s'en va panser la tête de son pauvre petit... On va tranquillement te ramener à la réalité des montagnes qui séparent la France de l'Espagne... M'est avis qu'on doit bientôt approcher de la frontière.

— L'Espagne! À nous deux! s'exclama le petit Rien en roulant des yeux fous et lançant au ciel le défi de le prendre à témoin.

Le vieux marinier, fourbu, déconforté, la conscience en déconfiture et l'âme en écharpe, se balançait de bâbord à tribord en cherchant de quel côté se lèverait le soleil.

— Là! pointa l'index d'un Tit-Rien vers l'horizon de l'est rougissant. Par là nous attend l'aventure.

Puis, à midi, un dimanche, ils atteignirent Andorre.

— En garde, Sancho, mon écuyer, entends le son du cor qui nous appelle au combat!

— M'est avis, n'en déplaise à Votre Grâce, que ces cloches nous convoquent à la prière. J'aperçois le clocher de la cathédrale qu'envahit une armée de fidèles.

— Allons vérifier, consentit Rien-à-la-tête-fêlée, amis ou ennemis, tous auront à rendre hommage à la bienheureuse Dulcinée.

Le vieux loup de mer, de toute sa vie, n'avait mis les pieds dans une église que lors de son passage à l'abbaye. En pénétrant dans la cathédrale d'Andorre, il fut surpris de la richesse des dorures, vitraux, images et sculptures qui lui faisaient promener la tête de droite à gauche et de haut en bas. Que signifiait cette statue de l'Archange à l'épée qui se préparait à trancher la tête du serpent?

— L'Archange saint Michel, mon fils, qui écrase le mal.

Quelqu'un sursauta. C'était la première fois que l'éternel orphelin s'entendait appeler fils. Il leva la tête sur le prêtre encore plus vieux que lui et qui souriait d'un air bon enfant. Au même instant, du bout de son éteignoir qui étouffait la flamme des lampions, le prêtre frôla le coude de Rien qui se précipitait sur saint Michel pour le désarmer. L'halluciné, qui se crut attaqué sur sa gauche, fit une si rapide volte-face que ses prunelles restèrent accrochées dans celles du prêtre sacristain; les deux hommes restèrent un long moment à s'interroger. Et c'est le religieux qui brisa le silence.

— Vous avez mal au crâne, mon enfant?

Tit-Rien resta tout drôle. Si fait, depuis des siècles qu'il éprouvait cette douleur au cerveau… là, juste là, à la tempe gauche… Le guérisseur l'invita à le suivre à la sacristie. Dans une ancienne armoire de bois, cachée derrière les dorures et le fer forgé, il dénicha des huiles réputées miraculeuses, mais... expliqua-t-il à Tit-Rien en chuchotant... qui n'étaient selon lui que de bons vieux remèdes de bonnes vieilles femmes.

— Et vous savez, mon fils, que les plus grands miracles sont toujours l'œuvre de bonnes femmes qui, depuis notre mère Ève et la Vierge Notre Dame, ont su autant donner la vie que la guérir et la sauver.

Quand, une heure plus tard, Quelqu'un trouva son protégé dans la sacristie de la cathédrale en train de causer tranquillement et sainement avec le vieux prêtre portier et sacristain, les trois hommes s'échangèrent leurs découvertes. Tit-Rien, en reconnaissant saint Michel derrière l'Archange à l'épée, s'était souvenu de son maître qui lui avait donné rendez-vous à Rome à la Saint-Michel; le guérisseur durant ce temps-là avait administré au malade des remèdes bizarres où il brassait dans des huiles médicinales une litanie de paroles incantatoires et réconfortantes; et Quelqu'un, au désespoir, craignant de ne jamais retrouver Personne en vie ni Rien en santé, s'était plongé la tête dans l'eau bénite d'un baptistère pour se rafraîchir les esprits et essayer de se redonner du courage.

Les compagnons apprirent en quittant Andorre qu'ils étaient entrés en Espagne munis de papiers que, par un nouveau miracle à sa façon, le vieux prêtre sacristain avait glissés dans leurs besaces parmi des biscuits, noix, viandes froides et autres denrées qui leur permettraient d'atteindre la prochaine étape de leur périlleux voyage.

Rien se tourna vers son fidèle Quelqu'un qui traînait trois pas en arrière :

— Dis-moi, vieux loup, tu as déjà navigué sur un voilier?

— Voilier, goélette, quatre-mâts…

— Et que font les marins quand les vents s'arrêtent?

— Attendent qu'ils se lèvent.

— Ça peut durer longtemps.

— La mer est pas pressée.

— Mais le navigateur, si, car il doit atteindre sa destination.

Quelqu'un a le front lisse et les yeux tranquilles. Son protégé est revenu sur terre. Pourtant, Tit-Rien n'est pas satisfait.

— Tu connais, compagnon, la différence entre une destination et un destin?

Non, le vieux compagnon ne s'est pas posé la question. Il n'a jamais eu, à vrai dire, à trafiquer dans la zone linguistique.

— Tu sais où l'on se destine?

— À mon dire, à la grand-place de Rome à la Saint-Michel, sur le coup de midi.

— Voilà en effet une destination. Mais pour y arriver, on a fait le détour par l'Espagne; pourquoi, à ton dire?

— Mon dire dirait que c'est pour satisfaire le bon plaisir et la curiosité d'un petit bonhomme de Rien qui voulait en avoir le cœur net.

Rien fut bien forcé de rire, mais rattrapa aussitôt le dernier membre de la phrase de Quelqu'un puis enchaîna :

— En avoir le cœur net sur sa destinée, régler certains comptes avec son destin.

Et prenant place sur un monticule à côté du vieillard, face à un paysage de roches que des siècles de vents et pluies torrentielles avaient arrondies, il se mit à se confier. Devrait-il s'éteindre avant son heure?

Quelqu'un se rappela le mot de la fin d'un matelot dans la fleur de l'âge que rongeait le scorbut : Faut-il bien aller mourir avant sa dernière heure!

Rien respecta le silence éloquent de son compagnon, puis reprit son discours sur les grandeurs et misères d'un monde à sauver.

— Et voilà pourquoi, camarade Quelqu'un, j'ai voulu suivre la trace du plus grand héros, le plus terrible pourfendeur de crimes et d'injustice, j'ai voulu apprendre à devenir à son exemple un héros justicier. Ce n'était ni du caprice ni de la simple curiosité, mais la poursuite d'un destin unique et… fabuleux.

Le mot sortit de sa bouche malgré son autocensure. Mais il n'osa pas affronter le jugement du plus humble des hommes qui se tenait à ses côtés, prêt à tout pour servir et sauver plus petit que lui, un moins que Rien qui se prenait pour un héros immortel… Petit à petit, il leva les yeux sur le vieil homme :

— Tu as de la chance, mon ami, d'être Quel-qu'un.

Lui? Le pauvre Quelqu'un n'avait jamais été personne et avait toujours compté pour rien, mais pouvait en effet se compter chanceux d'être encore vivant à un âge si avancé et après une existence abandonnée à elle-même.

— Ton existence a compté pour moi et mon maître, même tardivement. Tu vois, toute une vie dans l'ombre, et aujourd'hui…

Rien n'osa même pas achever sa pensée. Était-il en train de conclure que la vie de Quelqu'un n'avait de sens qu'en rapport avec la sienne? Et le rapport que lui-même avait avec la vie… avec le monde… Il s'étouffa dans les prémisses de sa propre logique. Sa valeur devait-elle se calquer sur les prouesses d'un héros… qui n'avait même pas existé? Il s'arrêta net de réfléchir, car à ce moment-là il vit s'ouvrir sous ses yeux la grandeur du précipice où don Quichotte avait plongé tête première.

C'est son vieux compagnon d'armes qui, pour le distraire de sa dangereuse méditation, le fit se tourner vers une troupe de joyeux lurons qui s'amenaient sur le chemin rocailleux… sans se douter que, ce faisant, il venait de l'entraîner dans une aventure plus périlleuse que toutes les autres.

Rien et Quelqu'un s'étaient joints à un groupe de manifestants qui s'en allaient protester dans la capitale de la province sur la hausse des coûts de la vie… la mauvaise répartition des richesses… le manque de transparence des gouvernements… l'inégalité des sexes, des croyances et des couleurs… les dangers du nucléaire, du charbon, du plomb, du pétrole… la précarité de la couche d'ozone… le réchauffement de la planète…

— Vous venez? que leur avait crié un étudiant en français dans une université espagnole du pays basque.

De toutes ces causes, laquelle devait épouser un héros néophyte en mal de se faire un nom? Dès son arrivée sur Terre, Tit-Rien-tout-nu avait goûté à la saveur de l'ozone; avait fait sa rencontre déterminante avec un propriétaire de puits qui lui refusait à boire; avait plus tard vu la jungle amazonienne menacée de disparition, la race des ours pyrénéenne menacée d'extinction, la mémoire des tribus et des peuples menacée de sombrer dans l'oubli; il avait été témoin d'injustices, de la malhonnêteté, de l'hypocrisie, de la méchanceté et cruauté des hommes… quelle cause devait-il épouser?

— D'où tu viens? entend-il à sa gauche pendant qu'à sa droite des jeunes fêtards cherchent à l'entraîner dans un bar déjà bondé.

— Euh… d'un peu partout, mais disons plus récemment de la frontière qui sépare l'Espagne de la France.

— Et ce partout… c'était l'Europe? l'Afrique? ou l'une des deux Amériques?

— J'ai fait le tour de tout ça, en commençant par la dernière.

L'étudiant de gauche s'amusa de sa réponse et se rapprocha de Rien en toute confiance. Ça ne prit pas une heure avant que notre héros pût enfin orienter son choix sur le genre de misères à soulager ou d'abus à combattre. Car en suivant le discours de Carlos, il reconnut dans la cause du camarade celle qui en englobait plus d'une : l'abolition de l'injustice et la reconnaissance des droits ancestraux qui garantissaient la sauvegarde des cultures, de la langue et de l'identité. Bien vite, c'est-à-dire en deçà de trois jours, Carlos révéla à Rien son vrai nom d'origine basque et l'invita à une rencontre ultrasecrète dans un lieu où il devrait se rendre les yeux bandés.

Rien eut un léger sursaut que se hâta de calmer Carlos en lui expliquant que cette mesure n'avait pour but que de le protéger advenant que des curieux désirent l'interroger.

— En d'autres mots, tu cherches à me dire que la rencontre comporte certains dangers, renchérit Tit-Rien

Et bombant le torse :

— Ne t'en fais pas avec ça, j'en ai vu d'autres. Je te demande seulement, de ton côté, la plus stricte discrétion.

Et il expliqua au Basque sa relation avec Quelqu'un qui ne devait à aucun prix baigner là-dedans. Ce sur quoi fut complètement d'accord le gauchiste qui ne voulait pas voir quelqu'un se mettre le nez dans cette affaire, ni personne de son entourage être au courant de leur projet.

L'apprenti héros resta ainsi surexcité durant toute la préparation de l'exploit qui lui était confié, son seul souci étant de camoufler à Quelqu'un la grande cause qu'il venait d'épouser. La cause... Quelle cause exactement? Dans quoi s'était-il embarqué? Il ne se posa la question qu'à l'instant – disons la fraction de seconde qui dura de longues minutes, le plus long quart d'heure de son existence – l'instant où il contempla au creux de sa paume la grenade qu'il s'apprêtait à dégoupiller. Il la tenait dans sa main droite, telle une pomme bonne à croquer, un ballon à lancer au firmament des étoiles, un globe terrestre où grouillaient des milliards de créatures semblables à lui, un crâne qui lui renvoyait sa future image.

— *To be or not to be*, qu'il ricana… en entendant le son de sa voix résonner contre les parois de son propre crâne.

Don Quichotte fondu en prince Hamlet? La vie de Rien n'avait donc pas plus de consistance que celle de ses héros imaginaires? Et comme ceux-là, allait-il se précipiter dans la fin tragique des rêveurs inassouvis, éternels pourfendeurs de moulins à vent? La grenade lui brûlait la paume. Ses yeux ne pouvaient s'en détacher pour se poser sur cette foule qu'il entendait chanter, s'égosiller, se crier des injures, des plaisanteries, des mots d'amour, des mots de nuit, des mots de jour, des mots de rien… de Rien… Rien… Tit-Rien…

— Tiiit-Riennn!… Où es-tu? Réponds, Tit-Rien.

Il a le pouce sur la goupille, raidi, gelé, ne peut le détacher… ni l'enfoncer avant de lancer le projectile dans la foule en colère ou en liesse et qui ne connaît même pas l'existence de Rien.

— Tit-Rien, viens m'aider, viens… Tit-Rien-pantoute… viens.

Et Quelqu'un doucement lui prend la main, lui lève le pouce, s'empare de la grenade et fait mine d'y mordre comme dans la chair du fruit défendu pour lui arracher de ses dents le mortel déclencheur. Puis les deux compagnons se fraient un chemin au milieu des gens où se croisent les bons et les méchants, les justes et les autres, tous ceux comme Rien, Quelqu'un et maître Personne qui les attend à Rome, tous les chanceux qui ont tiré le gros lot parmi des milliards de milliards.

# 14

— Le maître nous espère à Rome.

Rien entendit venir de très loin les paroles de Quelqu'un qui était juste à ses côtés. Il pinça les lobules de ses oreilles et les secoua.

— Tu dis?

Le vieil homme n'insista pas. Il faudrait du temps au jeune perturbé pour débarrasser ses conques de la ouate qui les obstruait. Pourtant le chevalier errant était bel et bien retombé sur terre, marchait d'un pas régulier et résolu. Mais il n'arrivait pas à vider ses oreilles du chant rythmé d'une comptine qu'il avait reconnue dans la bouche de la douzaine de bambins qui dansaient en rond... qui dansaient au bord d'un cratère que se préparait à creuser sous leurs pieds un justicier en mission commandée.

Quelqu'un continuait à lui parler doucement, en attendant.

Son compagnon, s'arrêtant d'un coup sec au milieu de la route, enleva du bout de son auriculaire la cire collée à son tympan.

— Emmène-moi, Quelqu'un, éloignons-nous. Creusons un siècle entre eux et nous.

Et sans regarder en arrière :

— On nous attend à Rome.

Personne! Maître Personne! Les deux compagnons errants, le vieil homme et le jeune lutin, se collent l'un à l'autre, puis se mesurent, se bourrent de coups et laissent leur cœur éclater. Bientôt la Saint-Michel! Personne les attend à Rome, place Saint-Pierre du

Vatican. L'aventure d'Espagne est terminée. Et les deux sautent de joie.

On était au temps des vendanges, et pour remplir leurs besaces, ils résolurent de s'embaucher pour la cueillette du raisin. Ils disposaient d'assez de jeu avant la Saint-Michel pour se permettre de respirer l'air enivrant des riches vignobles catalans. Jamais Tit-Rien n'avait connu automne pareil. Le ciel bleu comme il ne l'avait encore vu, l'ozone plus dense et odorant, l'arôme du trèfle et du foin fraîchement fauché… se mêlant aux bruissements, murmures, froufrous, gargouilles cliquetis… crissements… le héros s'arrêta net de penser. Il se souvenait avoir déjà, dans un temps immémorial, éprouvé exactement ces sensations et les avoir traduites dans les mots mêmes qu'il venait de prononcer.

— Quelqu'un…

Il s'accrocha à la manche de son aîné comme un naufragé.

— Quelqu'un, mon maître, jure-moi que tu ne me laisseras jamais retourner en arrière.

Le pauvre marinier se méprit sur le sens de l'appel au secours de son protégé et voulut le rassurer. Tut-tut! tout doux, tout doux… c'est fini, le roman chevaleresque est terminé.

Pas tout à fait, brave homme. Pas tout à fait. Car au même moment, les deux compagnons entendirent les cris qui montaient du dernier rang des vignes, un son aigu de personne en détresse.

Tit-Rien et le vieil homme figent, se dévisagent, larguent leurs outils et s'élancent. Ils enfilent les ruelles, sautent les ceps, écartent les sarments, s'arrêtent, écoutent d'où viennent les appels à l'aide, changent de direction, puis reprennent la course.

— Par là!

Rien devance Quelqu'un de dix pas et débouche sur la scène qui lui fouette les yeux et lui barre les jambes. Une jeune fille à demi dénudée se débat entre les bras de deux ou trois voyous qui se l'arrachent en bavant et se narguant et jurant comme des diables déchaînés. Rien avale sa respiration et gèle de la tête aux pieds. Ce n'est qu'à l'instant où le rejoint son compagnon que son sang se réchauffe, que son esprit comprend, que son cœur fait un bond qui le projette dans la mêlée. Il atterrit sur la tête du plus sauvage des trois, un brigand du double de sa taille, barbu et crotté et qui pue une sueur que le lutin n'a encore jamais sentie. Quand s'amène le vieux loup de mer, farouche, déterminé, les yeux vrillés dans le front de l'agresseur, les deux autres s'esquivent entre les grappes et les treillis.

Alors s'engage le combat du loup et du renard. Quelqu'un peut se tenir en retrait, confiant dans la force de son compagnon qui ne loge ni dans ses os ni dans sa musculature. Il le voit s'agripper à un rameau, s'engouffrer dans la vigne, obliger le loup à le poursuivre et le chercher au ras du sol entre les branches épineuses et tordues qui lui fouettent le visage. Au moment où le loup découvre l'adversaire et va l'écrabouiller comme un ver de terre, il reçoit une pétarade de petites poires de vigne qui lui éclaboussent les yeux. Il n'a pas le temps de se frotter les paupières que la pointe affinée d'une branchette lui traverse la prunelle et l'aveugle.

Rien a le temps de revoir Ulysse qui a vaincu le Cyclope, mais pas le loisir de savourer sa victoire. Car les deux autres ont entendu les hurlements de leur camarade et le héros, redevenu un Tout-petit-Rien-comme-devant, comprend que même le renard ne s'attaquerait jamais à la meute.

— Sauve-toi, Quelqu'un!

Quand les deux compagnons se retrouvèrent, à l'orée de la vigne, ils étaient trois.

Elle remontait ses cheveux en chignon, lissait sa jupe et reboutonnait sa chemise, l'air d'une sirène de mer qui a toujours su nager.

— Comment vous appelez-vous, *señora*? *Cómo te llamas?*

Elle posa sur ses sauveurs de grands yeux reconnaissants et langoureux. Elle ne parlait pas espagnol, mais catalan. Le soupir de Quelqu'un traduisit sa lassitude qui disait : encore une langue à défricher! tandis que celui de Rien parlait un tout autre langage.

Il avait pourtant juré au vieil homme que l'aventure chevaleresque était terminée. Mais alors il se rappela la rengaine du maître qu'il «ne fallait jamais jurer de rien».

... Pas jurer de Rien, songea le vieux loup de mer. Heureusement que l'illettré n'avait pas fréquenté la grande bibliothèque de l'abbaye ni mis le nez, comme Rien, dans le célèbre roman de Cervantès, car il aurait bien pressenti qu'un ultime chapitre restait en travers de la gorge de notre héros.

— Ton vrai nom est Dulcinée, qu'il l'entendit chuinter en appuyant sur chaque syllabe pour donner à son français la cadence du catalan.

D'ailleurs, ça ne prit pas huit jours que les deux langues se tricotaient l'une dans l'autre avec l'allégresse d'un cousinage retrouvé après douze ou quinze siècles. Deux rejetons qui s'étaient connus et fréquentés dans les cuisines du latin, leur commun ancêtre.

Le vieux marin avait beau se répéter les recommandations de maître Personne : «Laisse-lui de la corde, mais fais-y bien des nœuds», il avait beau se sentir responsable du disciple qui n'avait pas encore achevé sa croissance si on l'estimait à la longueur de ses membres, il ne pouvait se résoudre à lui interdire cette ultime expérience de vie que lui-même avait connue, si mal connue. Et le vieil homme se souvenait...

... Son navire avait jeté l'ancre dans un port des Caraïbes à la Saint-Jean, la plus longue nuit de l'année. Une nuit sans lune mais si chargée d'étoiles que le marin solitaire, pourtant habitué à se confier aux seuls astres silencieux et attentifs, avait été pris de vertige. Si l'un d'eux devait se détacher du firmament, filer jusqu'au pont de son bateau et lui tomber sur la tête! Et sa prédiction s'était réalisée. L'étoile filante l'avait atteint au cerveau, au cœur, au ventre, avait envahi son être tout entier. Elle s'appelait Carmen, se tenait immobile contre une bouée à cloche qui traînait entre les cordages et les ancres rouillées et chantait doucement une complainte maritime où il était question d'un naufragé qui avait promis à sa belle de revenir une nuit sans lune. Le jeune marin s'était glissé le long du câble qui amarrait le navire au quai, jusqu'à la bouée. Carmen avait cessé de chanter, lui avait tendu la main, et les deux étaient partis dans la ville, se promenant de rue en ruelle en terrain vague où ils s'étaient raconté leurs rêves d'une vie en attente... jusqu'au matin où Quelqu'un avait entendu la vache marine de son navire qui passait le goulet. On l'avait rattrapé six mois plus tard, dans le même port, et ramené enchaîné et criant à Carmen qu'il reviendrait. Depuis, plus d'un demi-siècle plus tard, chaque nuit sans lune...

Laisse-lui de la corde, qu'il se répéta, il saura bien lui-même y faire tous les nœuds qui le ramèneront à bon port.

Mais les nœuds qu'inventait à mesure Tit-Rien le liaient chaque jour davantage à sa Dulcinée, l'enchaînaient à cette part de vie qu'aucun rêve nébuleux n'aurait pu lui révéler tant que le rêve ne serait devenu réalité. Jamais il ne s'était senti si vivant, si définitivement incarné. Et toisant le vieil homme dont l'air inquiet lui parlait de celui qui les attendait à Rome, il balaya la mèche qui lui chatouillait le front et :
— Qui donc? Et pourquoi Rome plutôt que Venise, que Syracuse ou Babylone? Le monde est

pavoisé de villes et de faubourgs, fleuri de lieux que le temps a embellis, l'univers est beau partout, mais nul endroit sur la surface du globe ne se mesure au coin perdu où je plante en ce moment les pieds.

Le vieil homme en resta ébloui.

— Tit-Rien…

— Je sais, je sais, mon vieil ami, c'était un beau voyage. Mais si tous les chemins mènent quelque part, ils doivent bien un jour ou l'autre aboutir. Le mien m'a conduit au bonheur.

Le pauvre Quelqu'un se sentit soudain épuisé. Il n'eut pas la force de répliquer à Rien, pas le courage de déciller les yeux de son protégé qui nageait dans l'extase et les délices d'être en vie. Combien de temps durerait ce caprice?… Mais si ce n'était pas un caprice, si c'était le grand amour? Oh! alors… alors… le voyage, sa responsabilité, les promesses faites à Personne…


Le temps était en suspens au-dessus du vide. Un vieil homme qui n'attendait plus que la fin d'une trop longue bourlingue pour disparaître et ne laisser que des gribouillis sur l'unique page de son livre de vie, une page qu'un vent du large emporterait et noierait au fond des mers. Puis un jeune héros né de Rien mais prédestiné, assoiffé d'existence, à l'imagination débridée et au cœur débordant, qui s'apprêtait à écrire les plus belles pages de son histoire, une histoire à faire et refaire sans fin. Tout son être interrogeait son vieux et dévoué compagnon, le suppliait de comprendre que s'il avait attendu durant une si longue moitié d'éternité pour venir au monde, c'était dans l'unique but de connaître cet instant de parfaite harmonie.

— Dis-toi, Quelqu'un, mon fidèle gardien et ami, que mon long voyage n'aspirait qu'à ce but, vivre enfin le bonheur dans toute sa plénitude.

Quelqu'un posa sur Rien ses yeux éteints qui avaient renoncé à comprendre. Au fond de ses prunelles ne scintillait plus que le semblant d'une dernière étincelle, un sursaut de lumière qui hoquetait, cherchait son souffle, aurait voulu saisir…

Tit-Rien est pris de panique.

… Vieil homme, vieux loup de mer… mon compagnon, lâche pas, parle-moi, tu ne peux pas partir comme ça, dis-moi que j'ai raison, que ma vie a trouvé son sens, sa raison d'être, que notre mystérieux voyage avait pour but de m'amener ici, parle-moi, Quelqu'un, ne me laisse pas dévier, m'égarer… Quelqu'un… Quelqu'un!!

— M'amie! Vite!

Et le couple amoureux soulève la tête vacillante du vieillard qui remue des lèvres exsangues sans qu'aucun son parvienne aux oreilles d'un Rien affolé.

— Non, Quelqu'un, non, tu n'as pas achevé ton voyage, ça n'est pas fini, tous les chemins mènent à Rome, et au-delà.

Et prenant la main de sa bien-aimée, il jure à son compagnon qu'ils partiront tous les trois dès le lendemain, qu'elle sera du voyage. Et dans un rire qu'il arrache de force à ses poumons:

— Tout est possible, mon vieux, pour ceux qui ont franchi la première étape de venir au monde: rien n'empêche de vivre à fond et en même temps la quête du bien, du beau, du bon, du bonheur!

Il entoure de ses bras le vieil homme qui pose enfin les yeux sur son protégé.


Trois jours plus tard, l'équipage était paré. On pouvait prendre la route de l'est. Quitter les vignes, le pays catalan, l'Espagne de don Quichotte et des moulins à vent. Un navire les attendait au port de Barcelone. Quelqu'un avait retrouvé son souffle et repris des forces, suffisamment pour parler au capitaine d'un bateau de marchandises légères en partance pour l'Italie. Il ne restait plus à Tit-Rien qu'à convaincre sa belle que la Méditerranée était la mer la plus paisible du monde, qu'au regard de l'Atlantique et du Pacifique, c'était la douceur de vivre sur l'eau, le lieu de naissance et de rencontre des plus grandes civilisations, que le port de Barcelone avait vu partir Christophe Colomb à la découverte de l'Amérique, comme aujourd'hui il verrait s'embarquer trois compagnons à la conquête de l'Italie... bla-bla-bla... bla-bla-bla...

Mais à l'aube du troisième jour, en voulant réveiller sa bien-aimée, Tit-Rien trouva sa couchette vide.

... Dulcinée... dame de ma vie...

Il entendit le ronron des moteurs du navire, les implorations chuchotées de Quelqu'un, les exhortations de sa conscience en lutte avec elle-même. Il entendit sa propre voix crier toute la journée sur tous les quais du port où la statue de Christophe Colomb pointait bizarrement, inutilement vers l'Orient. Il vit partir le bateau sans lui, sans Quelqu'un, sans l'amour qui l'avait déserté.

Il jura qu'il la retrouverait, qu'elle avait eu peur de l'eau, peur du pays étranger, peur... peur... Et si elle avait eu peur de lui? Pas possible, Quelqu'un, durant des semaines, ils s'étaient échangé des serments éternels. L'astre du jour et ceux de nuit avaient été témoins de l'amour qui traverse le feu, franchit les montagnes, affronte les dragons, conquiert les sommets du monde. Le ciel avait entendu battre le cœur de Rien-le-galant qui avait inventé pour la femme de sa vie la langue au-dessus de toutes les langues, le langage universel.

— Pour elle, mon ami compagnon, je peux refaire le monde, compte sur moi, rien ne me sera impossible, rien ne m'empêchera de trouver le vrai sens de la vie alors que j'ai trouvé le sens de la mienne.

Quelqu'un abaissa des yeux tristes sur son jeune protégé et soupira : il ne lui restait qu'à retrouver la femme qui avait déserté.

Durant des jours, les deux compagnons laissèrent s'envoler tous les navires en partance pour l'Italie. Après avoir fouillé, farfouillé, renversé caisses et conteneurs, chassé, tâté, exploré, flairé, questionné maîtres et valets... Tit-Rien-de-plus-en-plus-petit s'enfonçait dans sa détresse, coulait tout vivant au fond du plus profond océan de misère, nageait dans les eaux troubles de sa conscience, hurlait au ciel des injures blasphématoires, et finit par s'effondrer aux pieds de son fidèle Quelqu'un.

— Je veux mourir... mourir...

Quelqu'un lui prit le menton, lui releva la figure :

— Retourner là-bas?

Rien ne comprit pas tout de suite. Il agrandit les yeux, fouilla les prunelles du vieux loup de mer, puis perçut lentement l'image qui faisait surface dans son cerveau : là-bas, le pays de l'ombre et des possibles, d'où il s'était envolé en tenant la main de celle qui l'avait libéré du néant. Il voulut se retourner, chercher son visage, l'appeler, entendre sa voix, mais ne reconnut que la sienne : Pourquoi m'as-tu abandonné?

Pour la seconde fois, voilà qu'il formulait cette phrase surgie du plus creux de son inconscient, du temps d'avant le temps.

— Tu veux vraiment mourir? répétait cruellement le vieil homme qui cherchait à cicatriser la plaie au fer chaud.

Rien revoit ce crâne qu'il a tenu dans sa paume quelques semaines plus tôt et qui lui chantait le poème de l'oubli et du néant. Être, ne pas être... vivre les souffrances de la trahison, de l'injustice, du mépris, du rejet, ou se laisser couler dans l'inconnu. L'inconnu? Mais il le connaissait! Lui seul se souvenait et pouvait en témoigner.

Il entendit le cri, le même appel au secours qui avait résonné à son oreille des lunes plus tôt. Il dévisagea Quelqu'un qui avait levé le sourcil au même instant. Elle était là, quelque part sur les quais de Barcelone, il ne rêvait pas. Il hucha au vieil homme de ne pas le suivre, qu'il la dénicherait, que cette fois il devait y aller seul. Et le compagnon obéit. Rien se redressa de toute sa hauteur, comme il avait vu faire à son maître, plia les genoux et partit en direction de l'amas de cordages d'où était sorti le hurlement. Un cri tout semblable au premier dans les vignes. Et la vision qu'il reçut se distinguait de même à peine de l'autre. Elle se laissait tirailler par une bande de matelots en sueur, ricaneurs et jurant comme des diables. Il voulut s'élancer mais n'arriva pas à détacher ses pieds du sol. Alors lui revint en mémoire le souvenir de ses jambes qui avaient refusé de piétiner les escargots. C'était la deuxième fois que son corps commandait à son cerveau, que ses pieds lui dictaient sa conduite. Et sa mémoire lointaine répéta : *Tu n'es pas encore achevé, pas tout à fait achevé.*

Quand il rejoignit le sage Quelqu'un, son fidèle guide et compagnon, il s'abstint de lui révéler toute la vérité, se borna à murmurer qu'une bande de jeunes garçons et filles s'amusaient à se tirailler et à se crier des noms. Mais durant les nuits et les jours qui suivirent à attendre le départ d'une embarcation pour les rives italiennes, Rien se débattait avec son cœur en lambeaux et son âme au désespoir. Il se doutait bien que cette blessure ne se refermerait pas de sitôt, qu'il aurait beau faire, en appeler à la colère, l'humiliation, le dépit, le mépris, la révolte, le désir de vengeance, qu'à la fin, seul n'avait des chances de l'apaiser que son plus grand adversaire, le Temps, celui-là même que dans le désert du Sahara il avait tenté de bafouer et réussi à déjouer.

On m'appelle?

Boire la coupe jusqu'à la lie.

Y a quelqu'un qui a besoin de moi?

— Oui. Mais cette fois, je sais que tu prendras tout ton temps. Je te demande seulement de me dire…

Combien?

— Combien de temps?

Combien ça va te coûter.

Rien sentit qu'il venait de vieillir de plusieurs années en un seul instant.

— Dicte-moi ton prix, on verra bien.

Le Temps tenait cette fois le gros bout du bâton.

Tu as été négligent et m'as perdu de vue durant des semaines... du temps qui ne se rattrapera plus.

Rien sent la sueur lui couler dans le dos. Rome! La Saint-Michel ne se rattrapera plus!

— Seigneur! de grâce, tout mais pas ça!

En se jetant à genoux, le front dans la poussière, il entend l'écho d'un rire qui fait rebondir ses secondes, ses heures, ses jours comme des cailloux sur la surface de l'eau qui scande :

Trop tard.

Trop traîné.

Trop perdu de temps.

## 15

Trop perdu de temps, Tit-Rien, tu n'arriveras pas à Rome pour la Saint-Michel.

— Mais il le faut, j'ai rendez-vous.

— La Terre est ronde. La Saint-Michel repasse à la même date chaque année.

— Je n'ai pas une année à perdre.

— Non?

— Non!

— Tu es pourtant encore jeune.

— Mais lui ne l'est plus.

Quelqu'un s'approche d'un Rien penché au-dessus de l'eau à tribord et qui se mire dans la Méditerranée.

— Tu parles à la mer?

— Je vomissais.

— Aucune raison, elle est au plus calme.

Rien s'essuie la bouche et se laisse glisser sur le pont. Les deux hommes, assis sur le plancher mouillé, se taisent.

— Essaye de comprendre, vieil homme, essaye de t'imaginer. Les heures passent. Combien de temps nous sépare de la Saint-Michel? Et pourquoi aussi avoir choisi le navire le plus lent!

— On n'avait pas cinquante-six choix.

— On en avait trois : un steamer en partance pour la Sicile, un pétrolier pour Naples…

— … mais en direction d'Ostie, rien que cette macabre patache.

Et le silence se prolonge jusque tard dans la nuit.

Soudain… Tit-Rien sent des pattes lui grafigner le cerveau. Le renard!

Il réveille son compagnon.

— Dis-moi, vieil homme, est-ce qu'il arrive que le renard des bois ou du désert s'égare à l'occasion… par adon… dans les soutes d'un navire?

Le loup de mer, qui a bourlingué par tous les océans toute sa vie, n'a jamais vu de renard prendre volontairement la mer.

— Et pourquoi faire un renard à l'heure qu'on se parle? À l'heure où un Tit-Rien comme toi ferait mieux de roupiller s'il veut prendre des forces.

— Je cherche pas à prendre des forces, compagnon, mais à trouver la faille dans le filet.

Quelqu'un grogne, se retourne pour dormir sur le côté du cœur et se remet à ronfler.

Rien continue de jongler avec les images qui se bousculent dans son cerveau. Dans le Sahara, quand il lui fallut sortir de l'impasse, affronter le Temps, le bloquer, l'obliger même à faire marche arrière, c'est le renard qui lui a montré la voie. Quelle voie? Tit-Rien cherche à se souvenir.

… La lutte éternelle entre le loup et le renard, entre la force et la ruse, entre le réel et le fictif… la fiction, les possibles, l'imagination qui fait que l'impossible soit. Mais le Temps sera sur ses gardes, ne se laissera pas prendre deux fois, il l'a bien laissé entendre en scandant sur la surface de la mer ses : *Trop tard, Tit-Rien, trop perdu de temps!* En s'incarnant dans un spatio-temporel, Rien avait assumé le poids du temps et de l'espace… L'espace… S'il se tournait du côté de l'espace, brûlait les étapes, chaussait les bottes de sept lieues?

Tit-Rien s'arrête, plonge dans sa mémoire la plus lointaine, nage au plus creux de son inconscient où il voit surgir entre toutes les figures de mythes, contes et légendes, le Chat botté. Le héros écarquille les yeux, prend une profonde inspiration, s'élance sur le chat pour lui arracher ses bottes, quand il se sent pressé de droite et de gauche par des souvenirs qui sortent de l'ombre. La tête de Rien tourne… un instant il croit se reconnaître, apercevoir un semblant de déjà vu, l'envers de l'endroit, la face cachée du réel, l'autre pôle de son existence. Il prend peur, se rend compte que pour parvenir à ses fins et abolir l'espace, il risque de ne plus jamais y revenir. Déjà il sent ses poumons qui se dégonflent, se rétrécissent… ARRÊTEZ!

Quelqu'un se réveille en sursaut. Qu'est-ce que c'est?

— Rien, vieil homme, retourne dormir, rien qu'un mauvais rêve… demain sera un jour comme les autres.

Puis il s'éponge le front.

Le jour comme les autres vit le rafiot s'arrêter au goulet du port d'Ostie pour laisser passer vaisseaux plus nobles que lui. Chaque seconde d'arrêt lançait une flèche au cœur de Rien qui finit par ne plus sentir ni douleur ni anxiété. Il ne sentait plus rien, ne se sentait plus, n'était plus rien. Et quand il voulut demander à Quelqu'un : Qui suis-je? l'autre se récria :

— Un petit Rien-pantoute qui sautille à travers mes cils comme un fils de Personne.

Le pauvre héros s'efforça de sourire, mais renonça; il n'en menait pas large. Il avait trop hésité entre l'illusion du bonheur et la quête de l'essentiel, trop tardé à répondre à l'appel du Destin. Il était bien puni. Et quand enfin le vieux navire accosta, les compagnons prirent le premier sentier qui s'ouvrit devant eux, se rappelant que tous les chemins menaient à Rome.

— Combien de temps depuis la Saint-Michel? Des jours ou des semaines?

Des semaines que Personne les attendait, puis avait cessé de les attendre quelques jours auparavant, depuis qu'il s'était mis dans la tête qu'un malheur avait pu leur arriver et qu'il était mieux d'aller s'enquérir auprès des ambassades, des agences de voyage, des commissariats de police. Mais nulle part n'étaient inscrits les noms de Rien et de Quelqu'un. Avec des noms pareils, qu'il se dit, la tâche ne serait pas facile. Il avait pourtant confiance dans la loyauté de Quelqu'un et la débrouillardise de Rien, confiance surtout dans l'étoile de son disciple capable de séduire le ciel et d'éclairer la terre, une étoile qu'il portait au derrière contrairement aux autres héros qui la portaient au front.

Le pauvre héros aurait eu bien besoin d'une étoile au front pour éclairer la course de deux compagnons égarés dans les dédales de Rome.

— La grand place, *signore*, place Saint-Pierre.

— *In questa direzione.*

— *Per favore, signora,* le Vatican.

— *Sempre diritto.*

— *Scusi, signore…*

— Je ne suis pas d'ici.

— Nous autres non plus, on est pas d'ici, saperlipopette! mais la plus grande place d'Europe, ça me semble que, Dieu de Dieu…

Et le vieux loup de mer, qui ne sortait jamais de sa réserve naturelle, cette fois sortit de ses gonds pour cracher un chapelet de jurons recueillis dans tous les ports de mer du globe.

Un chanoine ou archevêque ou cardinal – malaisé d'établir de la hiérarchie dans une ville sainte où même les anges doivent céder le pas aux archanges et les diables à Lucifer –, un ecclésiastique de haut rang, selon toute apparence, s'arrêta sur la litanie blasphématoire de Quelqu'un et lui retourna un tut-tut-tut… où se mélangeaient indignation et miséricorde. Tit-Rien comprit aussitôt que le vent venait de tourner et qu'il fallait le suivre. Il attrapa le bras de son compagnon, et les deux emboîtèrent le pas à l'homme d'Église. Encore un coup, l'instinct de Rien l'avait servi et mené directement au Vatican. Enfin!

Mais là... Il se tourna vers Quelqu'un qui se tourna vers la masse de gens qui faisaient des vagues à lui donner le mal de mer. Le vieux loup plissait les yeux sur cet océan de monde, cherchait la tête qui dépasse, le corps diaphane capable de s'élever au-dessus de la mêlée et de planer entre les anges, les archanges et les saints qui ornaient la place la plus grandiose qu'il lui fût donné de voir en ses quatre-vingts ans d'errance.

— Quatre-vingts, c'est pas rien, finit par soupirer Tit-Rien qui n'en comptait pas plus de...

Il s'arrêta d'un coup. Il avait quel âge? Les héros peuvent-ils vieillir? Vivent-ils en dehors du temps? Et si oui... si oui?

— Dis-moi, Quelqu'un, combien as-tu connu de Saint-Michel?

— Aucun, bredouilla le vieil homme. Les saints n'ont jamais joué dans ma cour.

— Pas les saints qui nichent dans les églises, ceux qui jalonnent le calendrier. Combien de jours de la Saint-Michel as-tu vécus?

Le vieux marinier se gratta l'oreille. Il avait appris à compter sur le tard. Et avait encore moins fréquenté le calendrier des saints.

— Le martyrologe, rectifia Tit-Rien en souvenir de son maître qui n'eût pas perdu l'occasion de l'instruire.

Le vieil homme haussa les épaules sur l'image de la foule des martyrs et se demanda si, pour figurer dans ce grand livre, il fallait aux pauvres saints... Il n'eut pas le temps d'achever sa pensée iconoclaste.

— Tit-Rien! qu'est-ce tu fais là?

— Attends-moi en bas, Quelqu'un, je reviendrai.

— Nooon...!

Si! Il était sur terre pour le pire et le meilleur. Et si pour arriver au meilleur il fallait passer par le pire, il allait montrer au monde de quel bois se chauffe un Rien-en-devenir. Grimpe, Tit-Rien, retiens ton souffle, suis tes seuls instincts, ton maître te l'a assez dit que ton intuition pèse dix fois plus lourd que ta raison. Il escaladait déjà la muraille, contournait les saints et les archanges, enfilait la demi-lune gauche qui embrassait la moitié de la place et atteignait la statue de saint Pierre, le premier pape de Rome.

— Tu permets?

Il prit le silence du gardien suprême de l'Église pour un laissez-passer.

Puis Quelqu'un le perdit de vue.


Le vieux marin tombe sur ses genoux, se prend la tête dans les mains et se met à marmonner un étrange dialogue avec lui-même. À quel saint peut se vouer un pauvre mécréant qui n'est d'aucune confession? quel dieu implorer?

— M'sieur achète? Pas cher.

Il relève la tête, cherche qui peut bien l'avoir interpellé, mais n'aperçoit que des statues silencieuses et géantes qui gardent la place. Et un minuscule diablotin dans une marionnette à gant que faisait bouger un gamin malicieux.

Quelqu'un rend au petit diable sa grimace.

— T'as raison, tu vaux pas cher, p'tit voyou.

Et la conversation entre le diable et le vieil homme se prolonge jusqu'à l'heure de l'angélus de midi, quand le marionnettiste lève les yeux sur le balcon où a coutume d'apparaître le pape pour donner à la ville et au monde, *urbi et orbi*, sa bénédiction.


Pendant ce temps-là…

… Pendant que Quelqu'un gardait la place en espérant contre tout espoir voir surgir la silhouette transparente de son maître bien-aimé, Rien en toute confiance et sans regarder en arrière mettait ses pas dans les pistes de son destin.

Après avoir obtenu à sa façon habituelle, c'est-à-dire sans façon, le laissez-passer de saint Pierre pour le palais des papes, il s'y était introduit par le minuscule carreau d'une fenêtre qui donnait sur un infini couloir jalonné de portes qui débouchaient dans des salles plus vastes les unes que les autres. Il en choisit une au hasard, silencieuse, si ce n'est l'écho que réveillait son pas sur le parquet de marbre vert et or. Il réduisit son personnage à presque rien, un bout de Rien qui n'était plus qu'oreilles, prunelles et narines béantes qui cherchaient à débusquer les fantômes séculaires cachés entre les dorures et les caissons. Les fantômes de l'Histoire... ce qu'ils auraient pu raconter! qu'il se dit en laissant glisser ses yeux sur la douzaine de têtes à triple couronne qui posaient pour l'éternité. Le lutin les renifla comme un chien de chasse, écouta leur respiration éteinte depuis des siècles et fouilla les visages solennels et infaillibles qui n'avaient de comptes à rendre qu'à Dieu.

— Comment ça s'est passé Là-haut, quand vous vous êtes présentés enfargés dans vos gréements de soie et de velours?

Lourd, lourd, lourd... répondit l'écho qui fit sursauter un Tit-Rien pris de court.

Il enfonça la tête dans son cou pour se réduire à son plus petit dénominateur, puis tourna lentement sur lui-même : il n'y avait personne. Pas âme qui vive sinon lui. Il aspira l'air au parfum de myrrhe et d'encens; puis sourit dans le miroir qui lui renvoyait l'image d'un Rien accueilli en audience privée par une colonnade de papes en tenue d'apparat. Et une envie espiègle s'empara du folichon de poursuivre son enquête :

— Comment avez-vous trouvé la grande porte par où entrer la tête haute?

Haute, haute, haute... fit l'écho qui mit Tit-Rien en joie.

— Et quel air avait Celui qui s'est soudain montré à vos yeux?

Vieux, vieux, vieux...

Rien éclata d'un rire sonore que lui rendit l'écho en une kyrielle de ha, ha, ha, ha, ha!... sortis goulûment de la bouche des papes de marbre... auxquels se fondirent des éclats de voix d'un groupe de séminaristes en visite au Vatican. Il s'éclipsa dans la première porte à sa droite qui donnait dans un cabinet doré qui ouvrait sur une enfilade de galeries qui débouchaient dans des salles enlignées les unes aux autres qui n'aboutissaient nulle part. Tit-Rien s'aperçut qu'il tournait en rond et se sentit perdu. Il se souvint de son premier séjour en forêt profonde, à l'aube de sa vie, lorsqu'il avait dû affronter les mains nues un ours immense. Mais ce jour-là, il avait été sous la protection de son guide et maître.

... Maître Personne, mon ami, tu ne vas pas m'abandonner?

— *Sempre diritti*, qu'il entendit, *straight ahead*, circulez.

Un guide lui indiquait l'entrée d'une salle déjà bondée de visiteurs qui tous avaient le cou renversé par en arrière et les yeux rivés au plafond. Il se faufila dans la foule et leva la tête pour voir... et vit : le tableau de la Création du monde de la chapelle Sixtine, signé Michel-Ange. Si la fresque avait été peinte le long des murs, le pauvre lutin n'aurait rien vu. Mais pour une fois, un artiste avait pensé à lui. Et dans un élan de gratitude et d'enthousiasme, il laissa passer entre ses lèvres :

— Merci, Michel-Ange, d'avoir pensé à moi.

Il vit à ce moment-là un vieillard de taille démesurée abaisser sur lui des yeux vides et il entendit :

— Excusez-moi, monsieur, mais vous parlez français?

Tit-Rien commença par s'assurer que c'était bien à lui qu'on s'adressait, puis :

— Si fait, qu'il bredouilla en apercevant la canne blanche dans la main droite de l'aveugle, plus costaud et moins vieux qu'il n'avait d'abord cru.

Puis il se demanda comment un homme pouvait sans ses yeux venir admirer le plus célèbre plafond du monde.

— Par vos yeux, je saurai tout voir, répondit l'aveugle qui avait suivi la pensée de Rien qui depuis toujours avait l'habitude de penser très fort.

Et voilà comment, par un compromis qui les avantageait l'un et l'autre, un lutin de Rien se trouva juché sur les épaules d'un aveugle du double de sa taille et lui décrivit la création de l'homme vue par l'un des plus grands artistes de tous les temps. Mieux que décrire, raconter, défricher le tableau, réanimer les personnages qu'un Rien tel que lui croyait avoir croisés bien avant de venir au monde. L'aveugle était dépassé, n'avait jamais imaginé fresque aussi parlante. Pour la première fois, il voyait par les yeux d'un autre les dessous de l'œuvre qui s'adressait directement à lui. Il retraçait de son doigt les lignes et les courbes, sentait le parfum des couleurs, entendait le chant des élus et le cri des damnés, voyait de ses yeux intérieurs le monde surgir de la main du Créateur.

— Et au bout de sa main, l'index divin qui va toucher celui d'Adam. Le premier homme sort de la main de Dieu.

Puis Tit-Rien se tut. Il venait de comprendre. Comprendre comment lui-même était né de la main d'un artiste qui cherchait ambitieusement à copier l'Autre. Pas étonnant qu'il fût resté si petit, insignifiant, qu'il marmonna avec dépit. Puis, se ravisant, plantant ses yeux pointus dans les prunelles vides de l'aveugle :

— C'est quand même quelque chose que d'être au monde! qu'il s'exclama. Tous n'ont pas eu cette chance.

L'aveugle reçut cette remarque comme un encouragement personnel et se sentit plein de reconnaissance pour son jeune interprète. En laissant glisser de ses épaules un Tit-Rien saisi d'une débordante émotion, il le serra contre son cœur :

— Que Dieu vous récompense, cher ami, j'ai visité les plus grands musées d'Europe, mais jamais je n'avais si bien vu la main de l'artiste derrière son œuvre.


Le héros avait à peine franchi la porte de la chapelle Sixtine qu'il voulut y retourner. Avait-il bien vu? Est-ce que le doigt divin touchait celui d'Adam? Comment s'y était pris le Créateur pour donner vie au premier homme? Comment réussir à faire naître devant soi un autre à l'image de soi-même? Et Rien retroussa les doigts de sa main droite, allongea l'index, ferma les yeux pour mieux se concentrer, puis laissa passer entre ses lèvres des mots incantatoires :

— Viens, mon frère, mon pareil-à-moi, laissé derrière dans tes limbes éternelles, viens, allonge la main, saisis la mienne.

Il ouvre les yeux. Rien. Personne. Aucune créature n'apparaît au bout de son doigt tendu. C'est le néant total. Il recommence, lance l'index comme un dard :

— Petit Possible, rien du tout, tente ta chance, viens...

Silence. Il baisse la tête et se cogne le front : comment a-t-il pu, lui, un Rien-du-tout, se prendre pour un dieu?... Mais elle, celle qui l'a déniché de rien et l'a mis au monde... il voudrait bien savoir comment elle a pu faire. Nouveau silence. Elle avait juré de ne pas intervenir. *Ton instinct est plus sûr que le mien*, qu'elle avait dit, *va*. Tit-Rien cette fois est vraiment tout nu, même son flair l'a délaissé, il ne sent plus aucune inspiration, ne saurait point par quel bout commencer. Et, tout humble, il se laisse glisser sur ses genoux.

— J'ai présumé de moi, avoue-t-il la face au creux de ses mains, ses pauvres mains de néophyte qui n'ont pas encore réussi une première ébauche.

Et ses paumes s'écartent d'elles-mêmes de son visage, s'ouvrent toutes grandes sur le vide, un vide qui se met soudain à bouger devant deux personnages détachés du plafond, ou passés par les craques qui lézardent le mur, ou sortis du bout de l'index de Rien qui se secoue les doigts, effrayé devant l'apparition de jumeaux identiques qui ont avec lui un étrange air de famille.

— Mais... d'où vous venez? ... qui vous êtes?

Et le premier de saluer gaiement :

— Possible que t'as toi-même nommé.

Et l'autre de tourner sur lui-même dans une audacieuse pirouette :

— Impossible, son frère, que tu as mandé dans le même instant. Par où commençons-nous?

Rien en a le souffle coupé. Pas seulement un dénommé Possible, mais son envers, son contraire, son *vice versa*. Deux personnages, nés de lui, arrachés du néant en réponse à son appel. Il a donc eu ce pouvoir de sortir à son tour des êtres de rien. Et pour quoi faire? pourquoi les a-t-il appelés? La foudre soudain lui tombe sur la tête à la fendre en deux. Pour Personne! maître Personne manquait à l'appel. Pour la deuxième fois, la vie de Personne était en danger.

— Il vous faut trouver Personne...

Il n'eut pas à expliquer, les petits avaient compris. Ils n'étaient par pour rien sortis de lui.


Et pendant ce temps-là, le marionnettiste leva les yeux sur le balcon où avait coutume d'apparaître le pape pour donner à la ville et au monde sa bénédiction et pointa du doigt la scène étrange. Quelqu'un se frotta les yeux. Un Tit-Rien, non, deux Tit-Rien venaient de se glisser entre les gardes suisses et se tenaient là, de chaque côté du pape qui ne semblait pas encore se rendre compte du phénomène. Toute la foule de la place Saint-Pierre avait beau faire : Aaaah!... le pape continuait à nasiller en latin son *Benedicamus...* jusqu'à la réaction d'un cardinal à quelques pas en retrait qui finit par toucher la manche du pape et... le reste avait été du superbe théâtre.

Jamais la presse ni toutes les formes de médias ne sautèrent avec autant d'ardeur sur un événement qui aurait pu passer quasi inaperçu. Deux égarés sur le balcon papal, un midi comme les autres, sans armes, sans mauvaises intentions, sans en vouloir à personne... Si, Personne! Ils voulaient trouver Personne. Quelqu'un avait-il vu Personne, un savant, un maître, long et diaphane, un être exceptionnel et indispensable, égaré dans Rome à la recherche de Rien? Les journalistes de tout acabit s'arrachaient les cheveux ou s'en donnaient à cœur joie, c'est selon – selon qu'ils œuvraient pour une presse éditoriale ou pour un tabloïd –, poursuivaient, interrogeaient, photographiaient les vedettes du jour, deux jumeaux aux allures de lutins qui, après avoir franchi tous les barrages et déjoué la garde suisse, étaient parvenus jusqu'au balcon d'où le pape continuait tranquillement à bénir la foule.

Et les questions fusent :
— *Who are you?*
— *¿Quienes son ustedes?*
— *Wer hat Sie das geheissen?*
— *¿Que vinieron ustedes a hacer aquí?*
— *Per favore, risponda.*
— *Wovon kommen Sie aus?*
— *Mamma mia! Calmati!*
— Vous parlez français?
— Oui.
— Ils sont Français! cria le représentant de *Paris Match*.
— Non.
— Alors quoi? Belges, Suisses, Québécois? D'où venez-vous?
— De Rien.

— Vous vous appelez comment?

— Possible.

— Impossible.

Rire du *Canard enchaîné* :

— Pas possible, impossible n'est pas français.

— Et qui cherchez-vous?

— Personne.

Et c'est exactement ce que réussirent Possible et Impossible : ramener Personne à Rien.


Car depuis des semaines que le pauvre maître Personne fouillait la Ville éternelle en quête de son disciple égaré et du brave Quelqu'un, son gardien, il s'enfonçait de plus en plus dans le désespoir, ne voyait d'autre issue que de rebrousser chemin. Il avait déjà pris congé de l'abbaye qui l'hébergeait et se préparait à quitter l'Italie vers le sud de la France où il les avait vus pour la dernière fois, quand son œil tomba sur une pile de journaux qui affichaient deux têtes identiques, identiques surtout à une troisième qui s'appelait Rien, son disciple bien-aimé. Au même instant parvint à son oreille le bruit que deux hurluberlus étaient apparus sur le balcon du pape, des jumeaux qui répondaient aux noms bizarres de Possible et Impossible et qui se réclamaient de Rien en quête de Personne. Il n'en fallut pas davantage au maître pour reconnaître là la signature de son ingénieux disciple ; et le vieux sage, à l'étonnement des curieux qu'il croisait sur sa route en direction du Vatican, criait sa joie en enjambant les pavés de Rome comme un enfant qui joue à la marelle.

Pourtant, malgré sa conviction que Rien se trouvait à Rome, il lui eût été quasi impossible de l'y dénicher sans le concours des jumeaux. Car le maître connaissait assez le turbulent disciple pour se douter qu'il ne resterait pas longtemps en place ; que dans son désir d'arriver plus vite au but, il emprunterait comme d'habitude les plus longs détours ; que sous prétexte de ne rien laisser passer, il laisserait filer toutes ses chances; que selon sa devise, mieux valait aller vite que d'arriver à temps.

— Mais où diable a-t-il déniché ce couple de tohu-bohu?

Possible et Impossible, maître.

A-t-il réellement entendu? Sa tête résonne de sons bizarres. Depuis des jours qu'il s'est nourri des miettes de table des moines végétariens, qu'il a passé ses nuits à méditer sur le passé ténébreux et l'avenir insondable de l'univers, son cerveau est dans un tel état d'effervescence qu'il en est rendu à mettre en doute sa propre existence. Personne s'interroge sur lui-même et sur Rien, en même temps que Rien, si proche et pourtant inaccessible, s'interroge sur Possible et Impossible. Car chacun est parti de son côté à la quête de l'autre. Les jumeaux ont commencé par se tirailler sur la gauche et la droite, la droite de Possible étant la gauche d'Impossible qui lui fait face, et chacun a fini par se lancer en sens inverse de l'autre. Tit-Rien, qui voyait ses propres créatures se chamailler pour si peu que la droite et la gauche, voulut les rattraper pour les instruire sur la qualité de la personne qu'ils devaient retracer. Mais lui-même, dans son hésitation à favoriser l'un plutôt que l'autre, se surprit à faire du surplace.

Durant ce temps-là, Personne débouchait sur la place Saint-Pierre qui, depuis la bruyante affaire des jumeaux apparus sur le balcon du pape, débordait plus que jamais de fidèles et de curieux.

Chercher une aiguille dans un meulon de foin, qu'il se dit. Pire, en chercher trois.

— Quatre.

Il se tourne sur un seul pied, car il a reconnu la voix.

— Quelqu'un!

Mais oui, si fait, Quelqu'un que tous avaient plus ou moins oublié, négligé dans la tourmente des derniers développements de l'aventure. Lui seul n'avait pas bougé, gardant solidement les pieds sur terre, cette terre qu'il avait connue avant tous les autres, le né natif, et qui avait compris que puisqu'elle est ronde, tôt ou tard tout finit par repasser.

Heureusement que les deux seuls sages de la confrérie avaient eu une longue vie pour s'exercer à la patience ; car il n'eût pas fallu compter sur Rien ni Possible, et encore moins sur son Impossible de jumeau, pour repasser de sitôt à la place du Vatican. Les deux petits derniers, étourdis par les multiples splendeurs du monde où ils avaient échoué, couraient à droite et à gauche, plus souvent à gauche, les mains grandes ouvertes sur la vie qu'ils cherchaient goulûment à capter. Et oubliant leur mission qui devait les conduire à Personne, ils s'ébattaient, s'empiffraient, mettaient la charrue devant les bœufs, battaient le fer tant qu'il était chaud, faisaient la sourde oreille et d'une pierre deux coups, et faisant fi de la croyance que tout vient à point à qui sait attendre, ils grimpaient au faîte des plus hautes colonnes et des clochers les plus pointus dans le but de saisir dans un seul coup d'œil les merveilles de la Ville éternelle.

— Rome ne s'est pas faite en un jour ! s'écria Possible.

— Ça veut dire que faut l'attraper quand elle passe, répondit son envers.

Quand Rien les rattrapa enfin si haut juchés, il sentit son cerveau bourdonnant de proverbes :

— Un homme averti en vaut deux. C'est vous deux, petits-de-rien, qui m'avez appris le truc de se laisser trouver par celui que l'on cherche.

Et Possible descendit le premier de la colonne Trajan, laissant Impossible se battre avec les pigeons délogés, le temps de calmer leur maître et seigneur de Rien qui n'entendait pas à rire. Ils étaient nés pour une mission, avaient leur raison d'être : conduire Rien à Personne. Après seulement ils auraient tout le temps de… Rien s'arrêta net sur l'image du Temps qu'il avait appelé par son nom. Son ennemi juré allait-il encore une fois se mettre en travers de ses plans?

— Dépêchez-vous, petits, le temps nous presse, ce n'est pas le moment de jouer à bouchette-à-cachette.

Il n'aurait pas pu choisir plus mal son exemple; le seul nom de bouchette-à-cachette titillait déjà l'imagination des deux galopins qui disparurent chacun de son côté derrière les multiples statues et monuments de Rome en comptant jusqu'à cent avant de se crier mutuellement : «Paré ou pas, j'y vas!» Rien se sentit pour la première fois de son existence devant plus ingénieux et malicieux espiègles que lui et il songea avec regret au pauvre Personne à qui il avait fait subir tant de ses caprices. Jamais plus, qu'il se répétait, à l'avenir… Mais dans quel avenir? S'il eût fallu qu'ils ne se retrouvent plus jamais, que le joyeux trio de Rien, Personne et Quelqu'un…

Quelqu'un!… Quelqu'un était resté sur la place! Vite, les gamins, faut rejoindre le vieil homme avant qu'un malheur ne s'abatte également sur celui-là.


Et c'est ainsi que, en voulant rescaper le naufragé dans la mer de monde qui inondait Rome, Possible et Impossible unirent enfin leurs forces et portèrent au-dessus des toits millénaires leur seigneur de Rien qu'ils déposèrent au cœur de la place Saint-Pierre où causaient paisiblement Quelqu'un et Personne.

Les jumeaux sortis de Rien figèrent devant de si touchantes retrouvailles qui, par leur intensité, dessinèrent au-dessus du dôme de la basilique un arc-en-ciel que nul n'attendait dans un firmament aussi limpide.

— Arc-en-ciel du soir, espoir, prédit Possible.

— Arc-en-ciel du matin, chagrin, corrigea son Impossible de frère.

— Arc-en-ciel de midi, fini! dit à la blague Tit-Rien qui n'allait quand même pas laisser le dernier mot à des créatures sorties de lui.

Mais ses créatures se le tinrent pour dit. Fini! Et chacun, prenant ses jambes à son cou, disparut.

— Hé! Possible! Impossible! revenez, que je vous présente Personne et Quelqu'un, mes compagnons!

Tit-Rien, épuisé après une longue quête sur les traces de son héros don Quichotte, puis à la recherche de son maître Personne, enfin de Quelqu'un abandonné sur la place, voilà qu'il devait repartir pour rattraper ses propres créatures qui s'enfuyaient dans un éclair de liberté. Il reprit son souffle et refit le trajet dans le labyrinthe du palais des papes, enfilant les galeries marbrées, salles dorées, cabinets privés et aboutit, poussé par une foule en désordre, à la chapelle Sixtine qui racontait la Création du monde. Avant même de se casser le cou pour aviser le plafond, il entendit un menu rire sortir de deux anges joufflus, leurs ailes frôlant les oreilles à pic d'un petit renard-de-rien, figés pour l'éternité, qui lui envoyaient en alternance des sourires malicieux et de réjouissantes grimaces.

# 16

— Pourquoi Rome, Personne?

Tit-Rien aurait voulu tout savoir sur les découvertes de son maître. Mais le maître ne semblait pas satisfait. Rien comprit que leur voyage ne se terminerait pas dans la Ville éternelle.

— En d'autres mots, l'éternité, c'est pas pour tout de suite.

Quelqu'un leva un sourcil, puis le rabaissa. Pas pour tout de suite la fin du monde, mais la fin de chacun, un à la fois, les plus vieux en premier...

Rien se redressa sur ses ergots : pas le temps de parler des fins dernières de personne, d'aucun des compagnons du mystérieux voyage de par le monde. La Terre était ronde, on en avait à peine parcouru la moitié, il restait l'autre versant du globe à découvrir.

En fait, après trois continents, il n'avait pas appris grand-chose. Il lui semblait même que plus il s'instruisait, plus il restait ignorant. Et ses exploits? Des coups d'épée dans l'eau, des rêves avortés. Personne regardait son disciple se morfondre mais ne s'en formalisait pas trop, sachant d'expérience que c'était le propre de Rien de sombrer avant de rebondir. Et comme prévu, il entendit aussitôt sortir de la bouche du lutin déjà debout sur la pointe de ses chaussures à la poulaine :

— On vise encore le soleil levant?

Le diable se cachait toujours à l'est et ne cessait de tenter le petit sorti de Rien d'aller fouiller les secrets les mieux gardés de l'univers.

— C'est quoi à la fin qui se cache derrière... le mystère de la vie? finit-il par bredouiller, les yeux plantés dans le front de son maître qui reformula la phrase :

— C'est quoi au juste le sens de ta question?

— C'est... c'est pas une question.

— Pas une question...

Le petit se serra la panse.

— Une colique.

— ... Hummm, fit Personne, l'inévitable mal de ventre avant d'entreprendre l'ultime voyage vers les lieux de naissance des grandes civilisations, des mythes et des croyances qui continuent de nourrir les rêves et les espoirs de l'humanité.

Nos trois compagnons, après des semaines de routes qui sillonnaient la péninsule italienne d'ouest en est, traversant les plaines piquées de cyprès et de pins parasols, de collines arrondies, de sources pleureuses et ruisseaux bavards, de villages endormis, de villes blotties autour de forteresses suspendues – autant de preuves que le héros n'avait pas quitté ses limbes pour rien –, après des nuits à la belle étoile et des jours sous le soleil brûlant, aboutirent enfin sur les bords de l'Adriatique. Là ils s'arrêtèrent à bout de souffle. Le silence fut rompu par le vieux loup de mer :

— Pas aussi profonde que jadis, fit-il dans une moue qui en disait long sur la profondeur de sa nostalgie.

Et les deux autres sourirent en lui tapant l'épaule ou le flanc, comptant sur lui pour leur trouver comme d'accoutume le navire qui les emporterait sur l'autre rive.

L'ancien marin s'apprêtait déjà à négocier avec un équipage en partance pour la Palestine, quand Personne aperçut son infatigable disciple de Rien qui s'infiltrait dans un groupe de marchands de toutes couleurs et provenances. Soudain, dans une cacophonie de turc, grec, arabe, arménien, hébreu, copte... Personne entendit un *Tell me, gentlemen!*

sortir de la bouche de son Tit-Rien qui venait de se rappeler qu'un nouvel idiome avait succédé aux antiques langues universelles aujourd'hui langues mortes : l'assyrien, le grec classique, le latin...

... Le disciple en avait-il conclu que les langues dominantes mouraient avec la chute de leur empire?

— *Tell me, sir,* qu'il articula dans la nouvelle langue universelle.


C'est donc lui, le benjamin, qui cette fois dénicha l'embarcation vers le Proche-Orient, une embarcation qui ne prenait pas la mer, mais le ciel. Un vieil hydravion à quatre places que pilotait un vague prince des *Mille et une nuits* et que Tit-Rien avait cru reconnaître.

— C'est qui? voulut savoir Personne.

Mais Rien n'aurait pas su le nommer, se souvenait seulement de l'avoir rencontré à plusieurs reprises dans sa pré-vie, ses rêves de vie, dans ces temps et lieu lointains où se créaient les archétypes. Il savait seulement qu'ils n'étaient pas des inconnus l'un pour l'autre, que leurs rêves avaient dû se chevaucher et qu'à demi-mot ils pourraient finir par s'entendre.

Il fut pourtant lui-même des plus surpris de voir l'avion fantôme décoller et, après d'acrobatiques boucles et tonneaux au-dessus des nuages dont ses hôtes se seraient passé, les abandonner sur la surface lisse du lac de Tibériade.

— Tibériade, répétait le lutin. Tibériade, ça te rappelle quelque chose, maître?

— Ça me rappelle que sur ces eaux a marché le Fils de l'homme.

Oh! fit Rien pour toute réponse. Fallait être un sacré fils d'homme pour tenter ce miracle.

— Fils de Dieu, précisa le maître.

Et nos trois compagnons, en saluant le prince qui s'envolait vers sa millième nuit, ne voulurent pas tenter les dieux et, plutôt que de poser le pied sur la surface du lac, plongèrent dans ses eaux miraculeuses.

En longeant les rives du Jourdain, les voyageurs purent atteindre les bords de la mer Morte. Après les langues, les mers meurent aussi? songea Tit-Rien-tout-neuf qui passait de découverte en découverte et d'une angoisse à l'autre. Les mers, les étoiles, les hommes, les empires, les civilisations... la vie s'éteindrait donc pièce par pièce, gangrenée de l'intérieur?

— Maître! qu'il s'écria sans reconnaître sa propre voix, qu'est-ce qui va nous arriver?

Personne fut surpris de l'étrange réaction de son disciple devant les eaux lourdes et figées de la mer Morte. Mais en suivant la pensée de Rien qui sillonnait son front, le maître comprit qu'aucun d'eux ne sortirait indemne de leur pèlerinage en terre des dieux. Et il s'abstint de répondre.


Quelqu'un, en traînant la jambe gauche qui essayait de s'ajuster aux mouvements douloureux de sa hanche droite rongée par l'arthrose, ralentissait bien malgré lui le convoi qui visait Jérusalem.

— Pas d'urgence, le rassura Personne, nous sommes en Terre sainte, le but est atteint.

Rien acquiesça, mais uniquement pour apaiser la conscience du vieux loup de mer, car pour lui, le but ne serait atteint qu'après avoir bouclé la boucle, retrouvé le point de départ.


Le point de départ... le pays d'origine... qui serait son lieu d'arrivée... C'est curieux, que s'interrogeait Tit-Rien, comme le jeu des hasards avait pu le faire naître là-bas plutôt qu'ici, au centre du monde où tout avait commencé et où présentement se déroulaient des événements sur le point de précipiter ou de retarder l'avenir. Mais l'avenir de la planète se joue partout, qu'il songea, et de plus, la bougresse n'a pas de centre.

Tu n'as qu'à regarder tout autour de toi, Tit-Rien-de-rien, pour te rendre compte que tu te trouves toujours à distance égale de chacun des quatre points

cardinaux. Tu vis partout au centre du monde. De
même pour le cosmos, vu de la Terre. Puisqu'il n'y
a que nous, les Terriens, pour le voir... N'y a-t-il
vraiment que nous? Et si on découvrait qu'au bout
du bout de l'univers, à des milliards de milliards de
distance incalculable... des bossus, biscornus, le
menton accroché au front, les oreilles pendues au
bout du nez, le cou planté dans le trou du nombril,
des créatures monstrueuses rient et se tapent la panse
de se savoir les seuls êtres vivants du cosmos...

— Rien!... couche-toi!

Il plonge, larguant à tout vent sa vision des
habitants du cosmos qui éclatent telles des étoiles
filantes. Il reste là, aplati sur le ventre, la tête dans
le sable, à espérer que passe l'alerte, ou qu'on lui
explique ce qui vient d'arriver. Après une longue
minute de trois secondes, il lève le front, cherche
Personne ou Quelqu'un, ne les trouve plus.

— Per... sonne... Quel... qu'un...

Ses compagnons ont disparu! Non!!

Dieu... Dieu des chrétiens, des juifs, de l'islam...
Dieu de tous, Dieu tout court... en trois personnes...
si tu existes, ne me fais pas ça, pas ici, pas maintenant,
dans tes terres, rends-moi mes compagnons de route,
mes frères...

— Tit-Rien, lève-toi, le danger est passé.

On l'aide à se relever, à nettoyer ses paupières
du sable qui lui obstrue la vue. Il voit des ombres,
des contours, la silhouette de son maître dont il
reconnaît la voix, sent la grosse patte du vieux loup
de mer qui lui flatte la tête. Il s'étire, s'époussette.
Que s'est-il passé?

— Une roquette nous a frôlés, mais est allée
frapper plus loin. Pas tellement loin, on peut se
compter chanceux.

Alors seulement Tit-Rien mesure sa chance.
Comprend qu'il vient avec ses compagnons d'atterrir
sur un champ de bataille.

— Non, pas tout à fait, on n'est pas au front,
mais en pays instable et...

— En guerre!

Les trois voyageurs comprennent que cette tranche du voyage devra se faire sous le signe de la prudence. Personne met en garde les deux autres, c'est-à-dire le lutin d'abord et Quelqu'un pour la forme, contre toute tentation de prendre parti, qu'ils sont des voyageurs devant l'Éternel et non des partisans engagés dans un combat pour ou contre.

— Même pas pour la paix contre la guerre?

Rien ne pouvait retenir son cœur de parler pour lui. La neutralité ne faisait pas partie de son héritage génétique. Pour ou contre, jamais tiède ni indifférent. Personne comprend qu'il n'étouffera pas la conscience de son disciple avec des généralités abstraites.

— Pour la paix, Tit-Rien, pour le bien et la vertu. Mais encore faut-il savoir où se trouve l'équilibre entre les forces contraires qui toutes cherchent la même chose.

Quelqu'un voudrait bien suivre et comprendre, mais laisse le débat entre les mains de plus savants que lui. Encore que... Et c'est le lutin qui vient à son secours.

— Qu'est-ce qu'on est venu faire en Terre sainte, en fin de compte? C'était pas pour trouver une réponse à certaines questions?

Le vieux loup de mer était toujours en retard sur les autres d'une ou deux questions.

— Moi, je me demande... Ah, pis tant pis, je m'en souviens même pas.

Ses compagnons s'arrêtent pour laisser passer un ange, puis c'est Tit-Rien qui répond pour lui :

— Tu te demandes comment Dieu peut laisser faire ça chez lui.

Quelqu'un lève sur son compagnon des paupières lourdes et ensablées.

— Lequel? qu'il dit.

Huit jours plus tard :

— Jérusalem! s'exclamait un Tit-Rien-les-bras-au-ciel, comme s'il rentrait chez lui.

Bon. Voilà son front qui se cogne aux premiers obstacles : murs, barrages routiers, tracasseries bureaucratiques, fils à retordre, nœuds gordiens... Quand le monde va-t-il enfin s'ouvrir à tous, et la Terre devenir propriété de tous les Terriens? La Ville sainte ne devrait-elle pas montrer l'exemple et se faire centre d'accueil universel?

Il se tourna vers son maître qui, pour la première fois depuis le départ pour le long voyage, lui parut presque de taille moyenne, comme si sa colonne vertébrale avait commencé à s'affaisser.

— Maître, qu'il balbutia, tu ne te sens pas bien?

— Ça va, ça va...

Mais non, ça n'allait pas, quelque chose dans l'allure et la figure de Personne inquiéta le disciple. Il avait eu peur plusieurs fois pour la vie de son maître, mais jamais il ne l'avait imaginé vieillissant. Personne était immuable. Même manchot, radoteux à l'occasion, il restait infaillible et immortel. Ce n'était pas le moment de fléchir.

— On est rendus à destination, maître. Il nous faut tout juste passer cette porte et franchir ce mur et... Redresse-toi, montre-toi dans ta vraie taille et dans toute ta transparence. Tu verras qu'à nous deux...

Il voulut sauter sur les épaules de son maître selon son habitude, mais pour la troisième fois de son existence, ses pieds restèrent cloués au sol. Décidément, qu'il se dit, les dieux ne se laissent pas berner aussi facilement que les hommes. Il entendit Quelqu'un ricaner. C'était une première. De toute sa vie, jamais le vieil homme n'avait exprimé l'ombre d'une ébauche d'un semblant de sarcasme. Mais là, il était carrément plié en deux de rire. Rien se sentit menacé : Personne qui rétrécissait, Quelqu'un qui s'encanaillait...

Kssst, kssst…

Tit-Rien l'aperçut juste à temps, le reptile sifflait déjà et sa langue meurtrière visait ses jarrets. Il se sentit aussitôt happé par le bras valide de Personne qui le jucha sur son cou, les jambes en bandoulière qui battaient l'air au-dessus du vide, les mains serrant les tempes de son maître. Il eut le temps de voir Quelqu'un avaler son rire, puis glisser le bras au-dessus de son épaule et sortir de sa besace une menue flûte qu'il approcha de ses lèvres, sans cesser de fixer le serpent qui montait, montait jusqu'à dépasser la tête de Quelqu'un, atteindre le front de Personne et…

— Personne!!

Le cri de Rien rompit le charme si brusquement que le serpent se déroula sur lui-même et tomba aux pieds du vieux loup qui lui écrasa la tête sous une pierre.

Durant les longues minutes qui suivirent, Tit-Rien-tout-nu resta prostré comme un moine en prière. Avait-il eu le temps ou l'instinct d'implorer quelque dieu égaré au moment où il identifiait les yeux de la Mort plantés dans les siens? À quoi avait-il pensé?

Lentement il revint à la vie, retrouva le besoin de bouger les membres, le goût de renifler l'air ambiant, puis de sourlinguer ses compagnons qui avaient l'air d'émerger comme lui d'un combat avec l'ange ou le démon. Et curieusement, c'est le vieil homme qui rompit le silence :

— Saperlipopette! c'est vraiment vrai que le diable se cache à l'est!

Quand ils parvinrent enfin à franchir le dernier obstacle et à passer la porte étroite comme le chas d'une aiguille, les trois sentirent le sol bouger sous leurs pieds. Comme si la terre avait décidé de les mener où bon lui semblait. Les pieds de l'un n'avaient pas sitôt visé le nord tandis que les jambes de l'autre s'orientaient vers l'est, que les genoux du troisième pliaient vers le sud. Et c'est là qu'ils aperçurent les multiples clochers, coupoles et minarets qui rivalisaient d'ardeur pour dominer le ciel de Jérusalem.

— Qu'est-ce que c'est que ça! tous les dieux nous appellent en même temps?

Personne réagit en maître :

— Le même Dieu, le Dieu unique du monothéisme. Qu'on le nomme Jéhovah, Allah ou Jésus-Christ, il reste…

Une secousse suivie d'un bruit infernal jeta nos compagnons par terre. Ils se relevèrent presque aussitôt pour constater qu'une explosion venait de souffler un carré du marché de fruits et légumes, tuant et blessant des dizaines d'innocents. Et Tit-Rien ne sut pas tout de suite de quel bord se ranger pour laisser passer les secours.

Ne sut pas non plus quel dieu accuser du massacre.

Il leva les yeux au ciel : on se battait donc là-haut? Chacun pour se montrer le plus fort, se déclarer le seul et unique et affirmer sa suprématie était prêt à faire gicler le sang des infidèles qui ne s'agenouillaient pas devant lui?

C'est alors qu'il entendit Quelqu'un répéter :

— Le diable se cache à l'est.

— Laissez-moi vous aider, madame, qu'il entendit son maître proposer à une vieille paysanne tombée sous le poids de son sac de grain, donnez-moi la main.

La vieille lui retourna un œil méfiant : ne me touchez pas. Tit-Rien voulut défendre son maître. Personne n'était d'aucune confession, pratiquait sans discrimination la compassion. Mais la femme continuait à se dérober. Alors accoururent des membres de son clan qui entourèrent les trois compagnons, l'œil dur et les poings fermés. Personne jugea qu'il fallait s'éloigner, mais Tit-Rien ne pouvait accepter pareil malentendu, poussait son maître polyglotte à leur démontrer sa bonne foi.

— Inutile, Tit-Rien, ce malentendu a des racines trop profondes.

— Mais alors, si on ne peut même plus se parler, à quel dieu se vouer?

Il entendit à ce moment-là le muezzin. Qu'est-ce que c'est?

— L'appel à la prière, répondit Personne.

— Allons-y.

Le maître n'eut pas le temps de l'attraper, que le lutin faisait déjà courir ses chaussures crottées jusqu'à l'entrée de la mosquée. Mal accueilli. Ce Dieu-là ne devait pas être le sien. Le mur des Lamentations ne le laissa pas non plus approcher. Et le jardin des Oliviers était envahi par des touristes curieux ou fanatiques. Partout les temples se fermaient aux infidèles. Et chacun était l'infidèle de l'autre. À la fin, Tit-Rien dut se résigner à la triste réalité de la guerre des croyances et religions. Le Dieu unique…

— Jéhovah, Allah, Jésus-Christ… Dieu en trois personnes, qu'il conclut. J'ai compris.

Personne jugea inutile pour l'instant de faire comprendre à Rien qu'il n'avait rien compris.

Lui-même d'ailleurs n'était plus sûr de rien. Il avait beau chercher la voie, elle se dérobait sous ses pas ; la vérité qu'il aspirait à connaître se perdait dans le brouillard ; la vie, la vie enfin, qui lui avait tendu la main, n'était plus que l'ombre d'elle-même, qu'un brouillon du grand livre que chacun était appelé à écrire. Qu'était-il venu faire au lieu de naissance du Dieu unique, déchiré par les hommes qui cherchaient tous à se l'accaparer et à l'avoir de son bord?

— De quel bord est Dieu? entendit-il alors sortir de la bouche d'un enfant qui avait l'air de chercher ses parents.

Personne resta de longues secondes la bouche bée. Jusqu'à ce que le bambin lui eût expliqué que son père lui avait donné rendez-vous dans la maison de Dieu.

— Mais y en a partout! qu'il ajouta, désolé.

Partout des coupoles, des minarets, des clochers, des cloches, muezzins, appels à la prière...

— Dieu est partout, qu'il continua sur un ton de désespoir, mais je sais pas lequel je cherche.

Personne, sans savoir pourquoi, songea à Celui qui à douze ans avait confondu les docteurs du Temple.

— Attends, qu'il fit, en juchant l'enfant sur ses épaules qui s'élevèrent au-dessus de toutes les têtes. Tu vas voir à des dizaines de mètres à la ronde. Sûrement que tu reconnaîtras ce temple où ton père t'a donné rendez-vous.

Mais ce qu'aperçut le bambin du haut de son perchoir fut le couple mal assorti de Rien et Quelqu'un qui rejoignait le maître.

Durant des heures, les trois compagnons fouillèrent la ville sainte à la quête du père de l'enfant perdu. On avait beau l'interroger sur ses origines, sa religion, sa nationalité, lui demander de décrire le Dieu que vénéraient ses parents, ils se butaient de plus en plus à des réponses énigmatiques qui éclataient dans tous les sens, qui ouvraient sur toutes les pistes et conduisaient à la porte de toutes les croyances. Et Rien finit par conclure :

— Cet enfant-là est de foi universelle et sort de la religion première. Il faut le ramener à ses origines, au Dieu qui créa le ciel et la terre, Dieu d'Adam et d'Abraham...

— C'est ça, s'écria le bambin en dégringolant des épaules de Personne. Mon père s'appelle Abraham. Il est là-bas.

Et il partit à la course comme s'il venait d'apercevoir au coin de la rue le père qu'il n'avait cessé de chercher depuis le matin.

Quand les autres voulurent le suivre, même Tit-Rien ne fut pas assez rapide ni Personne assez voyant pour retrouver l'ombre d'un enfant mystère qui était passé dans leur vie.

Ils restèrent silencieux jusqu'au soir, à l'heure où toutes les cloches s'éteignent, où les temples ferment leurs portes et où l'on verrouille sa maison contre l'attaque d'un frère ennemi. Le lendemain, la ville reprendra vie, mais sans illusions. Les luttes recommenceront, chacun armant son Dieu de roquettes, d'explosifs, de mitrailleuses, de préjugés et de certitudes qui mêleront leurs pétarades et détonations aux sons des cloches qui appellent à la prière.

En quittant Jérusalem, les compagnons s'aperçurent qu'ils tournaient en rond et durent plusieurs fois demander le chemin vers l'est. L'est, c'est pourtant simple, songeait Tit-Rien, c'est là que se lève le soleil. Mais ce jour-là, le soleil ne se levait pas, caché derrière d'épais nuages qui ne laissaient rien présager de bon.

— Par là, finit par dire Personne en entraînant sa troupe vers une colline perdue, méconnaissable sous la brume.

Ce n'est que rendu sur place que Rien s'écria :

— Le Golgotha !

Bizarrement, aucune affluence, quasiment personne. Le temps était trop maussade. À peine voyait-on trois croix percer le ciel. Personne s'agenouilla. Rien resta debout pour mieux voir. Quelqu'un aussi resta debout, mais d'abord parce que ses genoux perclus ne pliaient qu'avec peine, surtout parce qu'il ignorait en quel lieu sacré il se trouvait. Depuis des jours qu'il foulait le sol le plus sacré du monde, le vieil homme se demandait comment se comporter, ne voulait d'aucune façon gêner les mouvements des deux autres dans leur mystérieux voyage. Il suivait, plissait les yeux, prêtait l'oreille, reniflait l'air ambiant qui sentait tant la poudre que l'encens. Surtout, il se faisait aussi petit que possible, de peur qu'on ne le prît pour le pèlerin ou le prêcheur d'une foi qu'il ne connaissait ni d'Ève ni d'Adam. Il s'effaçait comme un intrus en filant le long des murs que seule frôlait son ombre. Mais voilà que soudain il se trouvait au pied d'une immense croix de bois qui semblait vouloir défier le ciel. La croix qu'il ne voyait se refléter qu'au fond des prunelles de ses compagnons. Car mécréant, le vieux marinier ne voyait rien, se disait qu'il devait lui être impossible de voir de ses yeux ce que son âme n'avait jamais perçu.

Tit-Rien, pour sa part, croyait bien voir la croix, était sûr de l'apercevoir dans toute sa gloire, la gloire de l'instant fondateur d'un règne nouveau, d'une ère nouvelle, de la venue au monde du Dieu unique, de… Il regardait prier Personne, suivait les yeux du maître qui, lui, la voyait.

… De toute son âme il la voyait. Avec les yeux de sa foi… il cherchait à la voir.

Les compagnons descendirent la colline du Golgotha en silence. Aucun ne questionna l'autre sur la croix. Chacun avait vu le mystère avec ses yeux.

# 17

Ils marchaient au ralenti.

— Ne te presse pas, vieil homme, on a tout notre temps.

Rien leva sur Personne des yeux irrités : tout leur temps? Jamais le Temps ne lui était apparu si malveillant. Tout pour leur mettre des bâtons dans les roues : tempête de sable, inondation, guérilla, soulèvement, secousse sismique, épidémie, détours, fin de route, quoi encore! N'arriverait-on jamais à destination?

— Pourquoi faut-il une autre destination que celle-ci? chercha à l'apaiser son maître.

— Celle-ci... quelle est celle-ci?

Personne ne se donna pas la peine de répondre. Rien était dans une humeur! Mais le lutin, depuis le temps, avait appris à lire les silences de son maître et se calma.

— Le voyage est la destination?

Et le maître se contenta de sourire.

— Prends ton temps, Quelqu'un, fit Tit-Rien en tendant la main au vieux qui s'appuya sur sa tête en guise de bâton.

Depuis leur sortie d'Israël, les voyageurs s'étaient abstenus de commentaires. Le mystère demeurait intact. Personne restait sur ses doutes; Rien sur sa faim; Quelqu'un, qui n'avait rien espéré, sur le vide. Chacun toutefois sentait un aiguillon au creux des reins, à sa façon, qui le poussait à continuer.

Vroum!!!…

Les trois se jetèrent l'un contre l'autre avant de plonger dans les cactus qui jalonnaient la route. Ils levèrent en même temps la tête pour voir la colonne de chars d'assaut qui pointait à l'horizon.

— Quoi? interrogea Tit-Rien.

Le même soir, quand ils pénétrèrent dans Bagdad, qui fut jadis Babylone, il comprit qu'il était en Irak.

— C'est bien ici le berceau de notre civilisation?

Personne chercha les mots pour instruire sans blesser ni tuer les illusions. Il raconta la lente évolution de l'humanité, l'émergence des cultures, les luttes pour le pouvoir, la succession des suprématies, les éternels combats entre les hommes et les dieux…

— Les dieux se battent ici aussi? fit un Rien décontenancé.

Quelqu'un eut un léger gloussement qui attira le regard de ses compagnons. Et pour se donner de l'aplomb :

— Les gros poissons mangeaient déjà les petits, qu'il fit, avant que votre vieux rabougri de traîneux de patte ait pris la mer pour la première fois. Y a de ça passé quatre-vingts ans depuis belle heurette.

Puis ses joues esquissèrent un sourire gêné d'avoir trop parlé.

Dès le lendemain, Tit-Rien roula ses manches et voulut partir sur les traces des héros de l'antique Mésopotamie. Mais où se diriger? Partout ce n'était que vrombissement des chars, martèlement des bottes militaires sur les pavés brisés, voitures en feu, éclats d'obus, fourmillement d'une foule qui court se cacher dans des maisons effondrées.

Laissez passer!

Et l'on se tasse, laisse passer l'ambulance, la police, l'armée, la guerre! Tit-Rien veut pourtant savoir. Qui se bat contre qui? N'est-on pas ici en terre de l'islam?

Attention!

Et l'on se jette dans le premier abri de fortune pour parer à la fusillade des francs-tireurs. Mais qui sont ces abrutis qui tirent sur leurs frères? L'ennemi n'est-il pas au front?

Dégagez, dégagez!

Et l'on continue de reculer, avancer, faire marche arrière, de côté, sans plus savoir où aller. Enfin, que s'impatiente Tit-Rien, où sommes-nous? Où se situe Babylone?

— Ici, lui répondit un Irakien sans âge qui poursuivit son chemin sans le regarder.

Rien voulut interroger Personne:

— Ai-je bien entendu? a-t-il réellement dit : ici?

— Va savoir! que fit son maître. Quoi qu'il en soit, c'est bien ici.

— Mais c'est affreux! Ils vont détruire Babylone!

— C'est déjà fait. Depuis longtemps. Et depuis un an ou deux, ils sont en train de l'achever.

— Détruire en un an ce qu'ils ont bâti et conservé durant des millénaires? On peut pas laisser faire ça! Et Tit-Rien leva le poing au ciel pour s'en prendre à quiconque là-haut régnait sur Babylone et la Mésopotamie.

— Allah! qu'il hurla enfin, tu n'es plus maître des lieux?

Mais Allah n'a pas dû entendre le cri d'un énergumène qui n'était même pas de sa confession, car les explosions continuèrent de s'enchaîner à un rythme accéléré.

Notre héros s'arrachait les cheveux. Il voulait comprendre, trouver les coupables. Ne pouvait-on les raisonner? Faire valoir la richesse de leur héritage, la grandeur de leur mission? Si seulement Gilgamesh était réapparu, qu'il se disait, pour lui indiquer le chemin qui conduit à... à qui? ... à quoi?

Alors il se souvint que le héros sumérien, afin d'y retrouver son ami mort dans leur combat fratricide, avait dû emprunter le chemin qui mène aux enfers. Pouvait-on demander à l'un ou l'autre parti de se risquer jusque-là?

Il voulut s'enquérir auprès de son maître, mais Personne ne pouvait l'éclairer sur la marche à suivre ni sur l'issue de la guerre qui opposait Sunnites à Chiites à…

— Buss-shit! cracha un Tit-Rien qui ne pouvait croire que des hommes sensés pouvaient continuer de claironner leur moindre victoire qui chacune déchirait une page de la plus belle histoire du monde.

C'est à ce moment-là que son maître fut fauché avec deux ou trois autres par une jeep qui filait à toute allure vers un lieu d'explosion.

— Personne! hurla le lutin qui lui-même avait évité de justesse la voiture.

Et il courut aider Quelqu'un à soulever leur compagnon inconscient.

— … Personne, qu'il murmurait en lui tenant la tête, reviens, tu ne peux pas nous faire ça, on est là, Quelqu'un et moi, ton Tit-Rien, un Rien qui ne t'abandonnera pas, te suivra jusqu'au trépas, s'il faut…

Et Personne revint, ouvrit un œil, puis l'autre, écarquilla les lèvres… s'efforça de sourire…

— Quelqu'un! cria de toute la force de ses poumons le lutin qui cherchait partout du secours.

Le vieux loup de mer se sentit impuissant de porter seul un compagnon du double de sa taille, mais continuait de lui soutenir son seul bras valide qui pendait comme une branche cassée.

— Déboîté, qu'il fit, faut trouver un rabouteux.

Après des heures d'attente où Quelqu'un épongeait le front de Personne et Tit-Rien s'époumonait à injurier les dieux et les hommes, une carcasse d'ambulance finit par ramasser les blessés, laissant derrière les deux compagnons qui virent disparaître leur maître.

Et la fouille des hôpitaux commença.

— Vous n'auriez pas Personne au nombre de vos patients?

— De nombreuses personnes, oui. Qui au juste cherchez-vous?

Et Tit-Rien cherchait à décrire, expliquer, trouver une manière d'identifier Personne au milieu de cette foule de blessés de toutes provenances. Privé en plus des secours du maître polyglotte et érudit qui eût réussi à mieux se faire comprendre, Rien se démenait comme un diable dans l'eau bénite, sous le regard compatissant de Quelqu'un qui cherchait à le calmer.

— Il se repose, on prend soin de lui, laissons-le se remettre…

— Se remettre! Mais on sait même pas s'il est encore en vie!

— Si fait, bien en vie, j'suis sûr.

— Comment le sais-tu?

Et sur un ton soudain inquisiteur :

— Parles-tu aux morts, vieux loup?

Le vieux soupira, puis laissa le pauvre effaré cuver sa douleur et son inquiétude. Lui-même d'ailleurs n'était pas si rassuré après la visite de cinq ou six hôpitaux et autant de cliniques. Il finit par regarder au-dessus de la tête de Rien puis… mais Rien l'interrompit :

— La morgue? qu'il fit.

Après des jours, les deux compagnons qui avaient visité des centaines de blessés, d'agonisants, de cadavres sans trouver Personne mort ou vivant, allaient se laisser aller au désespoir, quand…

— … Tit-Rien… Quelqu'un…

Les deux cessèrent de respirer. Ils l'avaient reconnu : Personne. Il était là, la tête bandée et le bras en écharpe, qui s'efforçait d'aider les mourants à rendre l'âme en douceur.

Trois jours plus tard, quand Personne eut rassuré ses amis sur son état – quelques ecchymoses, égratignures, fractures du bras et des côtes, pas de quoi déclencher une révolution –, Rien de nouveau chevaucha son dada : remonter l'histoire au-delà de ses origines, jusqu'au temps brumeux de la naissance des mythes. Il voulait ressusciter Gilgamesh, le héros qui eût pu être son frère de lait. Frère de lait, faute de frère de sang! Il s'amusa avec l'image, se disant qu'après tout, si Remus et Romulus avaient pu téter la louve, pourquoi pas une vache sacrée pour Gilgamesh et lui! Depuis qu'il baignait dans l'atmosphère du Proche-Orient, il éprouvait une telle sensation d'universalité de temps et d'espace, que son imagination se rebellait contre tout ce qui le ramenait au quotidien. Il en était pourtant entouré, plus brutal de jour en jour, un quotidien gonflé de cris et lamentations, de privations, d'arbitraire et d'injustice.

Pendant qu'il enjambait les tas de ferraille en quête de musées qui lui eussent rendu ses héros, le héros de Rien ne pouvait s'empêcher d'entendre les appels au secours auxquels répondaient Personne et Quelqu'un. Il se surprit un instant à dialoguer avec son frère de rêve :

— Dis-moi, Gilgamesh, à mon âge, qu'avais-tu accompli?

— ??

— Je veux dire quels furent tes premiers exploits chevaleresques, valeureux?

— Qu'est-ce qu'une action valeureuse?

— ???

— Veux-tu dire tuer un géant du triple de ta taille? écraser une armée d'un seul coup d'épée?

— Je pense plutôt à sauver la vie de plus petit que moi, ou empêcher une armée d'écraser un peuple affolé et dépourvu.

— Tu n'es pas de mon temps, Rien-issu-de-Rien, nos chemins ne se croiseront jamais. Impossible.

— Tu mens! Rien n'est impossible chez les possibles!

Il s'est entendu crier. Et puis cette phrase n'était pas de lui, elle lui venait de trop loin. Il l'avait pourtant bel et bien reçue et s'en était fait une devise. Si Gilgamesh avait voulu, il aurait pu rendre possible l'impossible, changer les choses... Mais pour ça, il lui eût fallu connaître, vivre au temps de Rien et Personne et Quelqu'un.

Il les regardait, ses braves compagnons, en train d'essuyer les larmes des enfants terrifiés, porter les fardeaux des mères débordées, remplacer les pères au front ou morts au combat.

— Dans ton temps, Gilgamesh, à quoi ressemblait la misère?

— ???

Et Tit-Rien-tout-neuf rejoignit ses vrais héros qui transportaient sur leurs épaules de vieillard ou d'invalide une botte de légumes défraîchis et une écuelle de fromages crémeux capables de nourrir une famille durant deux jours.

— Comment tu t'appelles? qu'il demanda à la petite fille qui, cherchant à s'essuyer le nez, étendait la morve sur ses joues.

Elle ne savait pas. Ne savait pas répondre dans la langue universelle, dans aucune langue que la sienne qui n'était plus qu'un silence figé.

Il sentit alors le frottement rugueux d'une main contre son bras : un gamin cherchait à répondre à l'appel des noms.

— Guihamé...

— Comment?

Avait-il bien entendu? Le nom des dieux et héros mythiques persistait-il à braver les temps?

— Allons! Gilgamesh, chercherais-tu à te réincarner?

— ???

Et sans même se retourner sur le soleil couchant qui allumait d'or et de mauve les collines qui furent jadis la cour des dieux, Tit-Rien emboîta le pas de Personne qui mettait les siens dans ceux de Quelqu'un. Car c'est lui, le vieil homme, qui, sans argument ni conseil de famille, sans demander son reste aux héros ni aux dieux, avait pris les devants pour quitter la terre berceau de la civilisation.

# 18

Ni Rien ni Personne ne songea à interroger Quelqu'un sur leur orientation. On se dirigeait vers l'est, sud-est.

— Sud-sud-est, précisa le vieux marinier qui n'avait pas une seule fois dans ses multiples errances perdu sa boussole dans l'œil.

Rien aurait pourtant voulu savoir. Jamais auparavant on n'avait confié au vieil homme de choisir leur destination. Eh bien, pour une fois, pourquoi pas lui? Sur ce chapitre, le lutin n'avait pas de quoi rechigner, il avait pris les devants plus souvent qu'à son tour. Lui, le plus dépourvu des trois, ne pouvant compter ni sur son bagage de connaissances ni sur son expérience de vie, devait se fier à ses seuls instincts. Il sourit par en dedans : ça n'avait pas si mal réussi après tout, ils avaient déjà parcouru un bon bout de chemin sans trop d'anicroches...

Des éclats d'obus, fusillades, prises d'otages, procès pour vol de manuscrit, chevilles gelées en Terre de Feu, confrontation avec le serpent à sonnettes, l'ours, le lion, les piranhas, les braconniers... ce n'est pas ce qu'on appelle des anicroches!...

Le maître, qui suivait sa pensée du coin de l'œil, joignit son gloussement au sien. Ils en avaient traversé de jolies, depuis leur départ sur un rafiot à la dérive des vagues et du temps! Une magique et périlleuse odyssée.

— Et maintenant, enchaîna-t-il, la dernière étape.

— Comment le sais-tu, maître?

Personne plissa les yeux et se pinça les narines :

— À voir la démarche du vieux qui nous guide.
Ce Quelqu'un a l'air de savoir où il va.

— Suivons-le, acquiesça un Tit-Rien ragaillardi.


En traversant plaines et forêts et déserts et chaînes
de montagnes et villes et villages et vallées et encore
des forêts et d'autres déserts, Rien se demandait
si l'on s'orientait toujours vers le sud-sud-est ; si
quelque part en cours de route on n'avait pas
bifurqué ou s'était mis, comme en forêt, à tourner
en rond ! Il éprouvait surtout la démangeaison du
risque et de l'imprévu. Avancer, toujours avancer, à
grands ou petits pas, à cheval ou en camion, sans
embûches, sans surprises...

Il s'ennuyait.

Et finit par se confesser :

— J'ai la bizarre impression de faire du surplace.
On dirait que le Temps boude.

Personne l'examina sans en avoir l'air. Depuis
qu'il avait fini de grandir, son protégé éprouvait
à l'occasion la sensation d'un arrêt du monde : la
Terre momentanément cessait de tourner, les étoiles
de filer, les mois et les années de galoper le long
du calendrier. Ça lui passerait avec l'âge, se dit
Personne. Puis il s'arrêta net. L'âge ? Rien pouvait-il
prendre de l'âge ? Le héros né-de-Rien, sans cordon
ombilical ni petite enfance... C'est curieux, que
réfléchit Personne, pour un être sans nombril, le
lutin avait tendance à le contempler souvent. Mais
c'était de son âge... Encore l'âge, le maître n'arrivait
pas à se figurer un Tit-Rien vieillissant ou décrépit.
Quelle pouvait être la volonté de l'auteur de ses
jours sur ce chapitre ?

Il se mit à scruter de près les agissements de
son disciple et finit par conclure que les gestes et
dires du héros ne dépendaient que de lui-même.
Depuis le jour où il l'avait vu couper à grands traits

les fils qui le liaient au marionnettiste, Personne savait que l'enfant avait résolu de faire son chemin tout seul. Pourtant, sans lui ni Quelqu'un, ses deux compagnons qui ensemble sextuplaient son âge...

L'âge... quel âge?

— Maître, viens voir, vite!

Personne accourut. Le lutin était là, penché au-dessus d'un chemin de fourmis qui transportaient à la file indienne brindilles et brins d'herbe pour meubler ou garnir leur abri souterrain.

— Ça ne te rappelle pas quelque chose?

L'hésitation du maître dura une seconde de trop.

— Les castors! s'exclama un Tit-Rien victorieux. Le barrage des castors au cœur de la forêt de mon enfance.

Et le maître mit un terme à toutes ses questions sur l'âge de Rien.


Au même instant, Rien cessa de se languir après l'inattendu et le périlleux, car venait justement de surgir devant lui l'objet d'une bien étrange aventure.

— Que se passe-t-il? qu'il s'enquit auprès de son maître en voyant passer un cortège funèbre qui se dirigeait vers le bûcher.

— Le rite des funérailles par incinération.

— Mais cette femme ligotée qu'on traîne au bûcher?

— Attendons de voir.

— Tu vois pas qu'on l'amarre déjà au poteau!

— Chut! cesse de trépigner.

Mais Rien ne pouvait empêcher ni ses pieds ni son cœur de battre. Il venait de comprendre... de se rappeler l'ancienne coutume de brûler la veuve avec le défunt pour ne pas séparer les époux dans la mort!

— Maître!

Le maître se mit à son tour à trépigner, il aurait voulu épargner à son disciple la vue d'une scène pareille, voulu surtout que la scène n'eût jamais lieu. Mais ils étaient des passants dans un pays aux traditions millénaires, trois étrangers impuissants devant une foule dans son droit.

— Droit? quel droit? Et les droits de l'homme, qu'est-ce qu'on en fait?

— C'est une femme.

— Droit de l'être humain, droit du vivant à la vie!

De tous, Rien-sorti-de-Rien se sentait le plus habilité à parler du droit à la vie. Il n'était pas pour rien venu au monde en transportant au creux du ventre la science infuse des limbes et la conscience de sa chance. Sans consulter Personne ni son courage, et avant même qu'on ne puisse lui saisir le bras, voilà notre lutin qui saute sur l'amas de fleurs couvrant le corps du défunt.

— STOP! qu'il crie de toute la force de ses poumons.

La foule estomaquée s'arrête. On dresse la tête, cherche à comprendre, coupe court aux prières et lamentations; et un témoin songe à éteindre le feu pour épargner des flammes un dément inno-cent.

La suite fut si rapide que ni Personne ni Quel-qu'un n'eurent le temps de s'en mêler. Et puis ce n'était pas nécessaire. Le maître eut vite fait de comprendre qu'encore un coup son disciple trouvait le moyen de dominer la situation.

Il haranguait la foule avec une telle passion qu'il finit par semer la pagaille dans les rangs de la famille et du clan. Comment la plus vieille démocratie des temps modernes pouvait-elle s'adonner à des mœurs aussi inhumaines et rétrogrades? qu'il martelait, à quoi avait servi la lente progression de la civilisation si c'était pour y traîner des vestiges de la barbarie?

Personne fut soulagé de voir arriver au galop la brigade chargée de rétablir l'ordre. Et ce fut le chaos : la famille contre la tribu, la tribu contre la police d'État, l'État contre la tradition, les droits des chefs locaux contre le service d'ordre, la loi antique contre la loi nouvelle, les uns contre les autres, tous contre un, un contre tous... pendant que Rien-le-héros-du-jour saisissait la main de la veuve et l'entraînait loin du bûcher que personne n'avait songé à rallumer.

Quand nos trois compagnons purent enfin tirer leur épingle du jeu, ils laissaient derrière eux une foule insurgée contre les forces de l'ordre qui appelaient du renfort et faisaient dégénérer une procession funéraire en conflit armé.

Ils marchèrent longuement en silence.

Combien de morts dans l'échauffourée ? Le jeu en valait-il la chandelle ?

Personne revit la lente marche de l'évolution et soupira.

Rien songea à la veuve sauvée des flammes du bûcher funéraire.

Le maître et le disciple échangèrent des regards inquiets et ne voulurent pas s'imaginer que la veuve aurait pu être la première victime d'une balle perdue.

Quelqu'un poursuivit sa route sans penser à rien, sinon à la rose des vents qu'il avait de gravée au fond de ses prunelles.

— Descendu trop bas, qu'il s'arrêta soudain, faut piquer franc nord.

Et l'on bifurqua vers la glorieuse chaîne de l'Himalaya.

Personne cessa de compter les jours et les semaines ; Rien, les mois ; Quelqu'un ne comptait plus que les battements de son cœur. Arriverait-il à temps? Les deux autres ne l'interrogeaient plus, ayant compris que le vieil homme, sans doute pour la première fois de sa longue vie, se dirigeait tout droit vers le port ultime. Il montait, toujours vers le nord, toujours vers le sommet. Personne voulut quand même le ralentir.

— Tu sais, mon ami, ces montagnes sont les plus élevées du globe. Pour atteindre le pic de la plus basse d'entre elles, plusieurs se sont déjà cassé les crocs.

Le loup de mer, pour toute réponse, étendit ses mains charnues et rudes sous les yeux de ses compères : avec les années, ses ongles s'étaient durcis comme de la corne animale et ses jointures raidies comme des crocs. Ses yeux, si souvent plissés pour se perdre dans l'infini, souriaient : ils sauraient faire face au soleil des hauteurs.

— Mais le souffle? s'enquit Personne. L'oxygène se fera de plus en plus rare vers les sommets.

… De même se font de plus en plus rares les jours et saisons, n'osa penser tout haut le vieil homme, plus de temps à perdre.

— Maintenant ou jamais, qu'il balbutiait dans un jargon à peine audible, maintenant… à mon heure…

La troupe dut se résigner à prendre un guide, qui commença par convaincre les téméraires qu'il leur fallait se vêtir de cuir et de fourrure. Les vents de montagne ne pardonnaient pas, la neige et les glaces encore moins. Mais quand Rien se rendit compte qu'un seul manteau pour couvrir sa menue personne exigerait la peau de plusieurs renards, il s'insurgea :

— Pas le renard, jamais!

On eut beau le raisonner noir sur blanc, la peau de la bête ou la sienne, Tit-Rien revoyait les yeux de son frère le renard qui riaient et biglaient et lui indiquaient le moyen de braver les hommes, la nature et le Temps. On finit par se mettre d'accord sur une peau de fouine, sa cousine.

— Tant qu'à faire, s'amusa Tit-Rien, pourquoi pas de la zibeline!

Et ses joues se gonflèrent d'un sourire radieux. Les voyageurs pauvres comme Job, habitués à se nourrir des miettes du monde et à se loger dans les abris de fortune, voilà qu'ils seraient vêtus dans l'hermine et guidés vers les sommets comme des princes! Son sourire cependant se transforma en grimace devant les sourcils froncés de son maître. Leurs besaces étaient quasiment vides. Depuis la Mésopotamie, ils avaient échangé contre du pain leurs dernières agates et pierres semi-précieuses déterrées dans le sable du désert. Et ce n'est pas dans les montagnes de l'Himalaya que Tit-Rien-tout-vif pourrait se transformer en amuseur public. La population était de plus en plus clairsemée, on s'en allait vers la vie sauvage, chaque pas les éloignait de la civilisation. Ils atteindraient bientôt le point de solitude absolue, le lieu où ils se sentiraient les derniers survivants d'un monde vide à la veille de son éclatement.

... Et en cet instant-là, à l'instant où la raison pourrait défaillir, seul l'instinct les sauverait : ils devraient leur salut, qui sait? au souvenir enfoui au creux du ventre d'un rescapé des limbes, ou au compas dans l'œil d'un vieux loup de mer. Et secoué par une nouvelle inspiration, Rien-le-tout-vif planta ses poings minuscules dans ses hanches et affronta l'autochtone qui s'offrait à leur servir de guide.

— Combien pour tes fourrures? qu'il demanda par Personne interposé.

Prix exorbitant. Mais Rien ne broncha pas.

— Combien pour le guide? qu'il enchaîna.

Le tout revenait à...

Rien le coupa avant le dernier chiffre. Et se tournant vers la demi-douzaine d'alpinistes qui se préparaient à négocier :

— Notre troupe doit atteindre le Tibet avant l'hiver, qu'il trancha, pour ça nous comptons y arriver par la perpendiculaire. Si quelqu'un veut se joindre à nous, nous offrons un forfait à moitié prix, fourrures et guide compris.

Le guide ricana, les voyageurs restèrent bouche bée, Personne s'arrêta de penser. Quant à Quelqu'un, il parut absent, comme si Rien ne pouvait altérer sa résolution.

Et c'est ce front buté du vieil homme qui encouragea l'astucieux lutin à s'enfoncer, élaborer sa stratégie, développer un extraordinaire plan de campagne devant des voyageurs de plus en plus séduits, puis finir par lancer le défi :

— Si le premier jour d'hiver nous n'avons pas mis le pied dans la ville sainte du Dalaï-Lama, Personne paiera Rien. Si par contre Quelqu'un, au jour le plus court de l'année, frappe à la porte du plus ancien monastère du Tibet, vous nous devrez à mes compagnons et à moi la moitié de la somme convenue.

Et le génial chevalier d'aventure topa dans les paumes de chacun des voyageurs pressés d'entreprendre le plus mystérieux voyage de leur vie.

Quand, en entrant dans leur première nuit de montagne, Personne vint exiger de Rien des éclaircissements, il fut surpris de recevoir ses réponses de nul autre que du vieux marinier.

… Le petit avait raison, on n'avait rien à perdre, une chaîne de montagnes, même la plus majestueuse du monde, n'était jamais plus orageuse que la mer, et ses latitude et longitude jamais ne débordaient la rose des vents.

Personne fut troublé.

— Tu penses pouvoir te fier entièrement à ton compas dans l'œil, compère ?

Le vieux se surprit à se glorifier. Il bomba le torse :

— J'étais le seul à bord, durant mes voyages infinis, à posséder le nord absolu.

Après des mois à ne capter que des filets de lumière, à ne respirer que des vents striés d'aiguilles de glace, à soulever chaque pas plus lourd que son propre poids à mesure qu'on grimpait vers les cimes; après des doutes et des angoisses qui traversent l'âme comme des flèches empoisonnées, des grondements de révoltes étouffés à coups de mirages de Shangri-La ou de nirvana; après des jours à se soutenir mutuellement et des nuits à se réchauffer, serrés les uns contre les autres; après avoir vendu cent fois son âme au diable et cent fois l'avoir rachetée à coup de promesses à tous les saints... Tit-Rien vit Quelqu'un s'effondrer au creux d'un roulis de neige, le bras tendu vers le toit d'un monastère qui fumait de ses cinquante-six mille cheminées.

On était au matin de la nuit la plus longue de l'année.

Quand Rien entendit les adieux de Personne à leurs six compagnons de montagne, il éprouva dans ses tripes l'étrange sensation d'une rupture. Est-ce que jamais plus leurs routes ne se croiseraient? Comment le maître pouvait-il en être sûr?

— La vie est encore plus longue par-devant que par-derrière! s'exclama le jeune héros, tout peut arriver.

Tout, mais pas ça, pensa son maître.

Alors Tit-Rien-du-tout sentit frémir au tréfonds de sa mémoire une rengaine d'un temps préhistorique :

La Terre est ronde,
la vie est longue,
on est au monde,
c'est déjà ça.

On n'avait pas attendu pour rien la moitié d'une éternité. Ils étaient tous là, gardés au chaud de son inconscient, et qui ne demandaient qu'à sortir au grand air.

— Si la mémoire peut conserver vivants tous les mots, tous les gestes, toutes les heures qui ont traversé le temps, si elle peut les ressusciter au besoin à coups de volonté, pourquoi les chemins de la vie ne se rencontreraient-ils pas, si on le veut vraiment, au moment propice?

Personne fut étonné de la puissance du désir de Rien de ne rien perdre de la vie, de son obstination à tout connaître, tout expérimenter, tout vivre. Surtout de sa conviction que la vie pouvait se prolonger au-delà des limites connues.

— Quelqu'un se fait très vieux, qu'il se contenta de conclure sur un ton qui disait : il va mourir.


Mais avant de lâcher, le vieux loup avait encore un dernier bout de chemin à parcourir.

— Pas sitôt repartir en voyage? que s'inquiéta Tit-Rien.

Le voyage dans son château intérieur, que lui fit comprendre son maître.

Le disciple fut des plus surpris d'apprendre que leur vieil ami pouvait lui aussi porter au creux de l'âme un trésor inépuisable. Quelqu'un ne savait ni lire ni écrire, ne connaissait aucune bible ni aucune mythologie, ne pratiquait aucune religion, ne se vouait à aucun dieu ni n'aspirait à aucune forme de survie. De quelle étoffe était fabriqué son monde intérieur?

Non, qu'il se dit, Quelqu'un ne rêvait pas d'un Au-delà, sa vie se terminerait avec son dernier souffle. Le vieux marinier avait traîné une vie presque centenaire par monts et par vaux, sur toutes les terres et océans, n'exigeant jamais plus que son dû, et encore! mettant ses dons et son expérience au service d'autrui sans rien demander en retour. Et voilà que cette vie allait se terminer au creux des plus hautes montagnes du globe, entourée de moines bouddhistes dont il n'avait jamais entendu parler auparavant.

Le lutin se promena toute la journée dans les jardins enneigés du monastère, les bras croisés dans le dos, à la surprise de Personne qui le suivait de loin. L'ingénieux personnage cherchait-il le moyen de s'opposer comme d'habitude à plus fort que lui? Quel stratagème pensait-il trouver cette fois? Le temps était venu d'instruire son disciple sur certains faits inéluctables. Mais avant d'ouvrir la bouche...

— Maître Personne, qu'il entendit sortir le plus sérieusement du monde de la bouche de l'autre, est-ce que toutes les heures sont d'égale longueur?

Personne, qui connaissait le degré d'intelligence et de connaissances mathématiques de son élève, resta stupéfait. Décidément, on aurait tout entendu! Mais à mesure que son disciple développait son idée, le maître sut qu'il n'avait pas tout entendu.

— Le Temps me suit comme mon ombre, et à la même vitesse. Je veux dire... l'heure trotte pour me suivre à la course, et se met au pas quand je ralentis. Je l'ai surveillée de près, testée sous tous les angles, et je peux t'assurer que, rien à faire, j'ai beau débouler à toute vitesse, puis m'arrêter d'un coup sec, repartir au galop, changer brusquement de rythme, le Temps met son pas dans mes pistes, ne me lâche pas d'une semelle. Ses heures s'allongent ou raccourcissent au gré des mouvements de mon existence.

Il posa ses mains à plat sur ses tempes pour attendre la réponse de Personne qui ne vint pas. Et le Temps lui parut une éternité.

Petit à petit, le maître ajusta son pas à celui de son élève et les deux compagnons du mystérieux voyage finirent par entrer ensemble dans le vif du sujet : la fin prochaine de Quelqu'un. Personne devinait que la digression métaphysique de Rien n'était qu'un long détour vers la seule question qui grafignait son âme depuis leur arrivée au Tibet. Le jour où le Temps, dépassant l'ombre de leur ami, ne s'arrêterait plus pour lui laisser reprendre son souffle, son dernier souffle...

— Maître!!...

Puis Rien-de-rien se tut. Aucun mot ne pouvait décrire son désarroi. Quelqu'un les avait accompagnés depuis le début de leur voyage en quête du mystère du monde. Le bâtard de toutes les races, apatride traîné de pays en pays, esclave de rien, valet de personne.

Au même moment, comme s'il avait assisté à sa propre oraison funèbre et refusé d'y souscrire, le moribond se dressa au milieu d'une cour de moines et moinillons qui cherchaient en multipliant les massages et les herbes médicinales à apaiser ses souffrances physiques. Et par le jeûne, le sacrifice et la prière, accompagner jusqu'au nirvana l'âme de Quelqu'un.

— J'ai ça, moi?

De jeunes moines réprimèrent une grimace. D'autres laissèrent échapper un soupir. Et l'aîné de la confrérie, qui avait affronté en montagne autant de bourrasques de vent que le vieux loup de mer de trombes d'eau sur les océans, s'approcha de son compère et sourit. Puis il lui saisit la main et l'entraîna à l'écart.

Le lutin, qui les avait vus, se réduisit à plus-petit-que-Rien pour assister à la confession de son ami au vieux moine bouddhiste. Sans l'avoir pratiqué, Rien connaissait pourtant le rituel du sacrement de pénitence chez les chrétiens, assez pour savoir qu'écouter aux portes du confessionnal était un viol et que seul le diable pouvait l'avoir poussé à commettre ce péché. Péché... Personne ne lui avait jamais enseigné le péché. Le bien et le mal, si fait, le bon et le mauvais, le beau et son contraire, mais le péché? Quelqu'un allait-il confesser au vieux moine ses fautes de jeunesse, ses manquements, ses tentations, ses velléités de mal faire ou son goût de vengeance? Avait-il une seule fois dans sa vie commis un crime contre son semblable, contre la nature ou contre la vie? Rien ouvrit l'oreille, sous la poussée du diable qui ne se cachait plus seulement à l'est mais partout au fond de lui, entre les lobes de son cerveau, au fond de son cœur, son foie, ses reins, ses tripes et son bas-ventre. Puis le diable et Tit-Rien, la main dans la main, se mirent à écouter les confidences de deux quasi-centenaires devant l'imminence de leur fin prochaine.

— J'ai jamais senti grouiller ce quelque chose-là au fond de moi, avouait le marinier.

Le moine sourit, puis:

— Jamais senti la terreur devant le danger? qu'il s'enquit.

— Quand Personne allait saigner à mort... quand le condor a emporté le petit dans les montagnes...

— Jamais senti le poids de l'injustice, de l'ingratitude?

— Oh si! qu'il soupira.

— Jamais été dépassé par votre propre courage?

— Quand Tit-Rien était paré à lancer sa grenade au mitan de la foule...

— Jamais éprouvé de colère? de rage?

Silence.

— Jamais contemplé sur la mer la danse des aurores boréales, le reflet d'un arc-en-ciel double?

— Triple, vu de mes yeux vu, un triple arc-en-ciel, qu'il gloussait.

— Jamais été assez heureux pour vouloir que l'heure se prolonge, s'éternise...

Sourire.

— Jamais admiré la grandeur et la noblesse chez un sage? l'ingéniosité, la joie de vivre, les espiègleries chez un petit écervelé?

Gloussement.

— Jamais aimé?

Silence du vieux loup.

Silence du maître bouddhiste.

Tit-Rien avait lâché la main du diable. Il passa sa paume le long de ses joues mouillées. Puis s'éloigna. Il n'entendit pas la suite. Dommage.

Quelqu'un fut celui qui rompit le silence. C'était ça, l'âme?

C'était ça.

Et cette chose-là allait s'envoler, partir ailleurs?

Le moine se tut. Puis laissa le marin proposer lui-même une réponse :

— Cette vie inutile, s'y fallait que je l'aie point vécue pour rien, s'y fallait qu'elle recommence... ailleurs... plus tard... en mieux...

Cette fois le moine put affirmer :

— Sûrement en mieux. Quelqu'un comme vous a mis toutes les chances de son bord.

Rien avait rejoint Personne. À son tour de se confesser. Il supplia pourtant son maître de n'en rien révéler, surtout pas à leur vieux compagnon. Précaution inutile, Personne était la discrétion même, qui s'eût plutôt laissé couper la langue. Tit-Rien éclata de rire à la seule idée d'imaginer son maître manchot ravaler en plus sa langue et finir par disparaître pièce par pièce. Soudain son rire figea. Comme un vieux reste de superstition lui avait longtemps fait craindre de voir se réaliser ses rêves, il se méfia de ses prémonitions. Et il se hâta de chasser de son imagination la vision d'un maître qui tombe petit à petit en morceaux.

À ce moment-là accourait vers eux un moinillon pieds nus dans la neige épaisse.

Et Rien et Personne s'envolèrent vers le monastère.

Le cercle des moines s'élargit, recule, puis finit par se fondre dans les murs de la salle, laissant seuls au milieu de la pièce les trois compagnons. Personne s'agenouille pour être au diapason, Rien pour les mêmes raisons reste debout. Quelqu'un, à demi allongé, la tête effleurant à peine le traversin, ne fait même pas l'effort d'ouvrir la bouche, mais laisse filtrer entre ses lèvres ses rares mots, confiant à ses yeux et à ses joues de les accorder pour compléter la phrase. Une longue phrase qui les envoie loin vers l'est, puis nord-est, puis franc nord. Quand Rien veut protester, agitant ses trente-six mains inutiles, il sent le regard de son maître et baisse les bras. Ils vont partir, traverser la Mongolie, la Mandchourie, atteindre la mer, jusqu'au 60$^e$ parallèle, jusqu'au cercle polaire...

— Compagnon, que hoquette le lutin dans un dernier sursaut, tu dois venir... ni Personne ni moi ne trouverions le chemin... toi seul es doué du nord absolu.

Quelqu'un écarquille les lèvres et sourit. Il a tout prévu. Et les deux se souviennent comment chaque matin, depuis leur débarquement en terre du Brésil, il a su marchander avec le quotidien, négocier les vivres et le transport, prévoir les tempêtes, trouver son chemin dans les méandres de la jungle et les dunes du désert, reconnaître le venin qui tue sous les multiples splendeurs de la nature qui sauve... et les mener chaque fois à bon port.

— Ap... proche... petit... proche...

Et Rien approche son oreille des lèvres raides et gercées.

— ... ouvre... z-yeux... r'garde...

Il plante ses prunelles dans les orbites vides du vieux loup de mer qui a cessé de respirer.


Rien et Personne quittèrent le lendemain leurs hôtes et la dépouille de Quelqu'un qui, lui, ne les quittait pas. Car en posant le pied sur la route qui reprenait le voyage, Rien fit signe à son maître que l'est était par là : le signe du menton du vieux loup de mer. Et Personne comprit que le compas intérieur était passé de l'œil de Quelqu'un à la prunelle de Rien.

## 19

— Rengorge ton menton, Tit-Rien, si tu ne veux pas que les Mongols te prennent pour un oiseau de malheur.

Ils n'étaient plus que deux à pousser sur l'horizon qui s'éloignait à pas de loup, agrandissant chaque jour ce vaste territoire qui depuis la nuit des temps s'appelait la Mongolie.

— Depuis quand exactement? s'enquit Rien dont la curiosité enfantine s'était muée en soif de connaître.

Tout au long de la longue traversée des steppes eurasiennes, le maître instruisait son disciple sur les origines et la lente évolution des peuples nomades qui étaient passés de la préhistoire aux temps modernes.

— Il me semble qu'ils n'ont pas encore tout à fait achevé leur passage, objecta Tit-Rien.

— Tout dépend du sens que l'on donne au mot *achevé* et surtout de la durée que l'on accorde au *passage*. Si tu examines de près leur physionomie, tu découvriras…

— … Quelqu'un! que s'exclama malgré lui un lutin saisi par l'émotion.

Personne acquiesça. On retrouvait certains traits du vieux marinier dans les visages rudes et taillés au couteau de ces habitants du Nord. Dans les mœurs aussi, dans la démarche et le comportement. Se pourrait-il, songea Rien, que leur vieil ami soit né dans ces toundras perdues?

— Île perdue, que nous a dit le vieux lui-même.

— Et si ç'avait été un morceau égaré de l'Atlantide? s'amusa un Tit-Rien qui sentait grouiller dans sa panse des restes de chimères d'enfant. Pourquoi Quelqu'un n'aurait-il pas connu une première vie avant même que cette Terre ait trouvé sa figure actuelle?

Personne se réjouit de le voir reprendre goût à l'aventure, s'accommoder de l'absence de Quelqu'un. Pas tant que ça, qu'il fut bien vite forcé de reconnaître quand il l'entendit :

— Quelqu'un ne reviendra plus jamais… et jamais, ça veut dire jamais, jamais. À moins que…

Le maître retint son souffle.

— Tu crois, maître, à la réincarnation?

Personne se souvint que la question lui avait déjà été posée. Mais c'était bien avant leur voyage au Tibet.

— Je ne sais pas, fut toute sa réponse.

Et la marche reprit, à travers la Mandchourie, jusqu'au Pacifique puis la mer de Béring.


À bord d'un paquebot qui s'engageait dans l'étroit passage qui séparait les deux continents et débouchait enfin sur l'océan Arctique, Rien se surprit à fouiller les entrailles de la Grande Ourse dans l'éternelle nuit polaire.

Quelqu'un? Tu es là, je te reconnais, vieux bougre! Si tu dois revenir, ça peut pas être ailleurs qu'au mitan des étoiles, dans la constellation qui brille sur les mers figées du Grand Nord.

Personne l'écoutait causer à mi-voix avec le compagnon disparu.

Tu peux pas t'en cacher, essaye pas, nul autre que toi aurait réussi à convaincre ce bourru de capitaine de nous embarquer. Je t'entends d'ici l'engueuler, lui présenter Personne, le grand Maître de la Compagnie des fouineux du mystère éternel. Puis lui dire de point s'en faire avec le petit trublion de morveux de trois-fois-Rien, que malgré ses quatre cents coups et ses tours pendables... malgré ses yeux à pic et sa crine de lutin et sa gueule de fourré partout... malgré tout...

Personne entendit les sanglots troubler sa voix.

... malgré tout ça et pire encore, ce petit-là, grâce à toi, ne lâchera pas la barre avant d'être rendu.

Tit-Rien leva la tête sur son maître et comprit que l'autre encore une fois lisait ses pensées.

Le choc fut tel que les pensées de Rien revolèrent en morceaux.

Qu'est-ce que c'est? Bouge pas, petit, attendons. Et l'on attend. Attend que la coque se redresse. Le navire a heurté quelque chose, un bloc de glace submergé, une épave. L'équipage court dans tous les sens, fouille la cale... oh, oh! l'eau gicle par un trou de la grosseur d'une tête d'homme. Le commandement fait vibrer les haut-parleurs : tout le monde sur le pont à tribord... descendez les canots... les femmes et les enfants d'abord.

... Les enfants? Y a-t-il des enfants à bord? Tit-Rien aperçoit sa propre silhouette dans la fenêtre givrée... sa tête qui rejoint à peine la taille de Personne. Non, il ne partira pas sans lui. Et il se cache dans son dos.

... Femmes et enfants dans le premier canot!

Le pont cante à bâbord, la cale est inondée, on distribue les gilets de sauvetage – appendices farfelus dans ces eaux glacées. L'un après l'autre les canots descendent à la mer. Personne pousse son jeune compagnon dans le dos.

— Va, Tit-Rien, on te fera une place, tu y as droit.

— Non. Je ne suis plus un enfant.

— On le croira.

— Pas le moment de tricher.

Et Personne risque le tout pour le tout :

— Tu n'as pas d'âge!

Rien-de-rien se rebiffe :

— Toi non plus! et pis pas sans toi.

— Tit-Rien-tout-nu, mon disciple, c'est un ordre.

Rien s'agrippe à la rampe, les pieds collés aux planches.

Silence. L'eau fait des vagues sur le pont. Puis le maître, résigné :

— Tu ne regrettes rien, lutin?

— Regretter d'avoir entrepris le voyage, maître?

— Le long voyage... le voyage de la vie?...

— Oh!...

— Il est encore temps de sauter dans ce canot.

Rien se détourne. Non, il ne regrette pas. Sa vie a été un enchaînement de surprises, de découvertes, de petits bonheurs, de grandes joies, de luttes, d'échecs, de triomphes, de percées dans le mystère insondable de l'existence qui ne dure que...

— Non! ça ne peut pas durer si peu! Viens, Personne, c'est notre tour, le dernier canot, il est quasiment vide, accroche-toi à moi, je saute.

Mais c'est le maître qui attrape le petit sous son bras valide, allonge sa taille jusqu'à toucher le ciel si bas qu'on craint qu'il ne leur tombe sur la tête, et avant de voir sombrer le navire dans les eaux glacées, atterrit au fond du canot qui cante, se balance, puis se stabilise. Le capitaine maugrée, puis finit par leur souhaiter la bienvenue avant de s'emparer de la barre.

Et le Grand Nord dont avait tant rêvé Tit-Rien, un rejeton du néant assoiffé de tout connaître, tout expérimenter, résolu à dévorer le monde entier dans le court temps qui lui était alloué, faillit engloutir le rêveur avant qu'il n'eût achevé son rêve. Durant des semaines de rame à tour de bras, de zigzags entre les blocs de glace et plaques de giboulée flottante, de sauts périlleux de banquise en banquise, de maigre pitance de poisson cru, de gerçures aux mains, d'enflures des pieds, de plaies ouvertes, après des jours de lune et de soleil de minuit, les rescapés du pôle aperçurent les premières pistes et les premiers signes de campements. Et le capitaine put envoyer ses premiers signaux de détresse.

Personne regarda Rien. Des secours viendraient bientôt les recueillir et les ramener dans l'une des capitales du Sud. Rien retourna son regard au maître. Ils repartiraient avant d'avoir rencontré un seul Inuit, visité le moindre igloo, entendu se raconter les peuples de l'extrême Nord?

— Qu'est-ce qu'on était venu chercher au sommet du monde?

Et les deux firent leurs adieux à leurs compagnons d'infortune.

Tit-Rien, muni de son compas dans l'œil, indiqua à Personne le chemin du sud. Et Personne l'entendit invoquer les anges et les démons, prier tous les saints patrons des voyageurs, saint Christophe en tête, parler doucement puis durement à Quelqu'un... allons, vieux loup, c'est toi qui nous as menés jusqu'ici, tu ne vas pas nous laisser dans le pétrin!... Soudain Tit-Rien allongea la main pour désigner à son maître le premier inukshuk, qu'il prit pour un homme, et finit par apercevoir le premier homme qu'il prit pour une sculpture de glace.

Ce fut le plus long hiver de Rien et de Personne.


Le printemps s'éveilla un matin avec des rayons d'un soleil tout neuf qui la veille n'avait prévenu personne. Pas même les autochtones. Un vieil Inuit vint sourlinguer de sa couette de fourrure d'ours un Tit-Rien qui avait si bien incorporé sa peau à celle de l'animal qu'il avait pensé hiberner le restant de ses jours. La seule idée qu'il était encore en vie, après avoir cru y renoncer, le fit pourtant sauter de sa couchette et pointer le nez par le tunnel de l'igloo.

Ah, ça alors!

— Personne! maître! viens voir.

Sa lutte sans fin avec la mer, les vents, le froid, la faim, son voyage infernal vers nulle part, sa longue nuit qui ne devait jamais se terminer, tout ce mauvais rêve éclata en mille feux d'artifice qui remplirent le ciel d'étoiles filantes en plein jour. Et maître Personne admit que son disciple, pour une fois, n'exagérait pas. La splendeur du Grand Nord était leur récompense.

— Jamais vu de jour si long! que fut la première exclamation d'un Rien qui lui-même avait allongé de trois pouces.

— Ma parole, petit lutin, tu as grandi.

— Pas toi, heureusement, qui portes déjà sur tes épaules ton arbre généalogique infini.

Et les deux compagnons se mesurèrent mutuellement, puis se dirent que le voyage ne pouvait se terminer sans eux.

Ils sortirent de leur logis de glace et s'approchèrent d'un groupe d'Inuits qui préparaient la chasse et la pêche du printemps. Des hommes affûtaient leurs harpons, nettoyaient leurs fusils, remmaillaient leurs filets, tandis que les femmes mâchaient les peaux d'ours ou de phoques pour les attendrir avant d'en fabriquer des bottes et des parkas. Activité fébrile et pourtant silencieuse. À peu près. Car en s'approchant des femmes, Tit-Rien entendit leur chant de gorge, harmonieux et grave comme un gros bourdon, qui se terminait dans un rire éclaté. Il voulut appeler son maître qui causait plus loin avec les chasseurs, mais se sentit happé par des bras vigoureux qui l'entraînaient au milieu du cercle pour lui enseigner la technique du chant sans parole. Rien de plus facile, des sons arrachés au diaphragme, de la même origine que le rire ou le hoquet, un chant d'ailleurs assez proche du hoquet et qui ne pouvait aboutir qu'au rire. Le lutin se sentit tout à fait de taille, et ouvrant large la bouche, gonflant démesurément les poumons, il réussit tout juste à émettre un filet de voix qui fit dégringoler les fous rires de la douzaine de chanteuses au visage de bronze.

Le héros déchu décida qu'il était un homme et devait se joindre au cercle des mâles qui racontaient leurs exploits à Personne : confrontation avec le narval à la dent de corne en spirale plus longue que leurs lances ; attaque sournoise de l'ours polaire sans peur et sans pitié ; ruses du renard blanc qui se métamorphose en glaçon à la dérive ; sans compter les cent tours des divinités maléfiques qui ont précédé les hommes de milliers d'années sur les banquises et dans la toundra.

Rien fut surpris de la réaction de maître Personne devant le récit de la mort solitaire des vieillards qui, pour ne pas être à charge de la famille ou du clan, s'éloignaient tranquillement dans la nuit froide.

— Ils s'enfoncent dans le froid et la solitude pour y trouver une fin...

... digne et libératrice.

— Libératrice d'une vie de trop grande misère ?

Les hommes du Grand Nord ne comprennent pas le sens de grande misère. La vie est une suite de souffrances et d'apaisements, de nuit et de jour, de privations et de réjouissances. Une alternance de combats contre les démons destructeurs et de célébrations du retour à la vie avec chaque naissance et chaque printemps.

Soudain un homme sans âge s'approcha de Tit-Rien-tout-doux et l'examina attentivement, en commençant par les pieds. Et le lutin se sentit troublé. Que lui voulait le sorcier ?

— Chaman, que lui souffla Personne.

D'accord, après le vieux prêtre sacristain d'Andorre, le pape de Rome, le griot, l'imam, le rabbin, le moine bouddhiste, voilà le chaman.

Et le chaman prit le lutin à l'écart.

— Quel jour es-tu né ?

— ... ... ... ?

— Ta naissance a-t-elle coïncidé avec la mort d'un parent, d'un aïeul?

— Hmmm… peut-être, j'en sais moins que rien.

— D'où viens-tu?

Silence. Puis Rien s'enhardit :

— D'où nous venons tous, de là-bas, qu'il fit en désignant l'Au-delà.

— De l'En-deçà, corrigea le chaman. Quel nom portes-tu?

Rien se sentant coincé, décida de batifoler autour du pot :

— Je ne le porte pas, c'est lui qui me porte… et souvent vers la catastrophe.

Le chaman ne broncha pas. Puis poursuivit :

— Rien ne peut t'arriver. Sois sans crainte. Ton nom vaut…

— Rien.

Et le chaman reçut la réponse comme une pièce d'or.

— Rien à craindre, qu'il répéta en posant à plat la main sur la tête du jeune chevalier d'aventure. Va toujours tout droit.


Plus tard, quand Rien voulut raconter à Personne son adoubement par un prêtre sorcier chaman inuit, il entendit à peine un souffle sortir des lèvres du maître. Car au même instant, les deux virent atterrir l'avion qui arrivait du sud.

— Des explorateurs?

— Des arpenteurs, prospecteurs, ingénieurs miniers.

Rien se renfrogna :

— Qu'est-ce qu'on cherche à prospecter? Même pas un arbre sous la neige, pas un champ à découvert.

— Mais des champs à perte de vue qui couvrent des milliards d'arbres morts depuis des millions d'années.

— Tu veux dire…

— Exactement : transformés en charbon, en pétrole, en minéraux précieux et mieux encore.

— Pire. Car pour dénicher ces trésors, on va excaver, abîmer…

Et Personne, dans un élan de nostalgie :

— Dire qu'il ne restait plus que les pôles à l'état vierge!

Tit-Rien commença par froncer les sourcils, puis haussa les épaules. Depuis le massacre des baleines, la mer polluée de mazout, la jungle dévastée de l'Amazonie, depuis les guerres fratricides et la destruction des derniers vestiges des antiques civilisations, il avait senti trois poils lui pousser au menton et la voix lui descendre de trois crans dans la gorge. On ne pouvait plus se fier aux hommes.

— Avoue, maître, que le siècle est mal parti. De tous les nomades du globe, si un peuple mérite un toit permanent sur sa tête, c'est bien, il me semble, les sans-abri de l'hiver éternel.

Phrase trop longue, songea Personne, le petit Rien grandit trop vite. Cette pensée ne sonne pas comme un cri du cœur.

Mais le maître se trompait, le vrai cri de Rien vint à la vitesse du tonnerre qui suit l'éclair.

— Le monde peut pas laisser faire ça! Ou bien cette terre est riche, et cette richesse appartient aux habitants du pays; ou bien non, et dans ce cas, que tous ces intrus s'en aillent!

Bien, pensa Personne, voilà Rien redevenu quelqu'un.

Et les deux compagnons réfléchirent toute la nuit sur l'avenir, les droits et la destinée des aborigènes du cercle polaire.

Ça va bientôt venir de partout, de tous les pays avides et cupides, chacun découpant son petit morceau de glace, son carré de territoire au fond de l'océan Arctique. Ces nouveaux venus d'Amérique et d'Europe du Nord débarqueront chez les peuples vieux de douze ou quinze mille ans et leur feront des bontés.

Personne, à la surprise de Rien, s'emporta :

— On leur offrira des dieux chatouilleux et jaloux en échange de leurs mythes et légendes et contes millénaires ; une langue bavarde internationale en échange de leur silence ; de la technologie, des mœurs étrangères, des valeurs cotées en bourse en échange de leur âme !

Et le disciple sourit. Au tour du maître de prendre les nerfs.

— Phrase argotique, corrigea le maître qui encore une fois lisait sa pensée.

Au petit matin, un deuxième avion atterrissait dans les pistes du premier. Encore ! C'était l'avalanche. Comment les maigres tribus parsemées à travers un si vaste territoire pourraient-elles stopper l'invasion ? Puis Tit-Rien se ravisa en voyant descendre de la passerelle un groupe de jeunes garçons et filles bien loin de ressembler à des prospecteurs ou exploiteurs de mines.

— Des écologistes ! s'exclama Personne dans un enthousiasme que Rien ne lui connaissait pas. Enfin ! c'était pas trop tôt.

Et nos deux héros virent accourir des Inuits sur les glaces à la dérive et dans la neige fondante. Du nord, de l'est, de l'ouest, on venait encercler les nouveaux venus. Et sans hésiter, Rien entraîna Personne vers le groupe qui, avant même de poser bagages, se voyait assailli par hommes, femmes et enfants autochtones qui leur tiraient la manche ou les poussaient dans le dos pour les inviter chez eux.

Rien sortit ses meilleurs mots de langue universelle pour... mais reçut en français la réponse à ses questions à peine formulées. Son sourire se changea alors en un rire de satisfaction et de gratitude envers les dieux du Grand Nord qui lui rappelaient qu'il était revenu dans son pays natal.

— J'avais presque oublié la couleur et la saveur de l'accent.

Et en moins d'une heure, le héros parlait écologie, justice, défense des droits de l'homme dans son propre idiome et avec des compatriotes résolus à sauver la planète. Les Inuits tendaient l'oreille, souriaient ou grimaçaient, laissant aux interprètes le soin de leur faire partager l'enthousiasme des nouveaux apôtres. Le Grand Nord était leur territoire, conquis il y a douze ou quinze mille ans; ils n'avaient à le partager avec personne et de comptes à rendre qu'à la nature. Mais cette nature allait de plus en plus se montrer exigeante.

— Les glaces ont commencé à fondre, les glaciers s'écroulent dans la mer.

— Les ours polaires vont mourir de faim, l'espèce est en danger.

— Les gaz à effet de serre ont pollué le ciel, la couche d'ozone est de plus en plus mince.

… L'ozone, songe Tit-Rien… et les ours! Il veut joindre sa voix aux récriminations des écologistes, mais ses premiers mots sont étouffés par le bruit de paroles qui s'amplifient, approchent…

— Les Blancs du Sud-Ouest! crie un jeune Inuit en se dressant et indiquant le retour des ingénieurs miniers.

Accompagnés de trois ou quatre chefs de tribus, les prospecteurs financiers veulent tendre la main aux défenseurs de la planète qui gardent les poings enfoncés dans les poches. Personne jette à Rien un œil qui signifie de rester en place et d'attendre la suite des événements.

Et tout se déroule comme prévu. Les chefs des deux délégations s'affrontent au-dessus des têtes des habitants de l'Arctique, chacun s'acharnant à défendre à sa façon les droits des premiers occupants, la répartition des richesses et l'avenir de la planète.

Ce n'est pas seulement ce territoire qui leur appartient, disent les uns, mais le sous-sol également;

et les profondeurs de la terre recouverte de mer et de glace cachent des trésors à faire de ces pauvres tribus les riches de demain.

Des trésors qu'on leur volera, sachant d'avance qu'ils ne sont pas équipés pour les défendre ni pour les garder.

Alors quoi? ignorer ces richesses? laisser enfoui sous terre de quoi nourrir des millions de gens et réchauffer des milliers de logis?

Un réchauffement qui, avant d'atteindre le premier igloo du cercle polaire, se répandra dans l'atmosphère et hypothéquera l'avenir de la planète.

L'avenir de la planète passe par une saine économie et le partage des richesses du globe.

Aucun système économique n'a encore réussi le partage équitable entre les peuples. L'équité ne doit pas être laissée entre les mains des économistes.

Entre les mains des rêveurs, peut-être?

On se fout du monde?

Foutaise!

Fff...

Tit-Rien est déjà debout, Personne n'arrive pas à le retenir à temps. Le voilà grimpé sur les épaules de pierre d'un inukshuk:

— Attention! qu'il hurle d'une voix qui par miracle atteint les oreilles de tous.

Et tous cherchent d'où vient ce son à la fois aigu et caverneux, sorti d'un autre monde.

— Écoutez-moi!

Il attend le silence complet avant de reprendre son souffle au plus creux de sa minuscule poitrine:

— Je sais que je suis le dernier arrivé d'entre vous sur la planète, mais je ne suis pas pour ça le dernier venu. J'ai une histoire à raconter, que je suis seul à connaître, plus ancienne que les plus vieux mythes et légendes des plus anciens peuples du globe.

Quelques tut-tut-tut!... deux ou trois chut!... et un cercle qui se rétrécit. Les Blancs sont sceptiques mais curieux, les autochtones sont curieux et croyants. Ce lutin, réincarnation d'un ancêtre ou d'un dieu?

Ni l'un ni l'autre, mais un Rien sorti du plus grand des Trous noirs qui, du fond de son éternel infini, aspirait à connaître le jour. Et vous n'imaginez pas, aucun d'entre vous, les multiples splendeurs qui sautent aux yeux de celui qui aperçoit l'univers réel pour la première fois. Les champs de blé ou de trèfle, la vaste étendue des océans, les jungles et les forêts boréales, les plaines, montagnes, déserts, glaciers, étoiles, vents et ouragans... Et la vie sous toutes ses formes : à partir du caillou mauve ou bleu, des plantes et des arbres, insectes, méduses, poissons, outardes, perroquets, ours, castors et lions, jusqu'aux enfants des hommes.

Il prend une profonde inspiration :

— Les hommes de toutes couleurs, tailles, allures, mais chacun avec son visage troué de deux yeux, deux oreilles, un nez, une bouche qui parle sa langue et raconte son histoire.

Quel amalgame d'idiomes vient-il d'inventer pour se faire comprendre des uns et des autres? Il fait le tour des têtes, jette un œil à maître Personne et comprend qu'il peut continuer. Et sur le ton et avec les gestes du conteur traditionnel dont la lignée remonte à la nuit des temps...

Dans le temps en deçà du temps, avant que tout ne commence pour chacun de nous, vivait un... aspirait à vivre un être informe et flou, pataugeant dans son Néant, mais doué de la mémoire du futur. Futur incertain pour lui, car il lui fallait espérer son tour, tour qui pourrait ne jamais venir, mais dont il rêvait avec une telle force qu'un jour... Et un jour, ce fut le sien.

Des ahhh! et des ohhh! secouent la foule.

Tit-Rien songe au chaman et se sent inspiré. «Va toujours tout droit, qu'il lui avait conseillé, tu n'as rien à craindre.» Et souriant à sa propre audace : un Rien n'a rien à craindre.

— Depuis lors, qu'il reprend, le petit rien qui s'était fait homme ne cessa de partir à la découverte de l'univers qui l'accueillait.

Le reste fut le récit réinventé des pages inédites de son mystérieux voyage qui berçait un auditoire mélangé de savants, d'ingénieurs, d'entrepreneurs, de financiers, d'écologistes, de protestataires et défenseurs de toutes les causes et, au premier plan, avide et comblée, d'une peuplade isolée depuis des millénaires au sommet du globe. Et le conte s'achevait sur un plaidoyer comme seul savait en inventer un Rien venu de nulle part mais qui se souvenait de son néant. L'existence était le plus grand don, la nature la plus grande richesse, la planète l'asile de tous les heureux gagnants du gros lot de la vie.

Il respira par le nez, s'arracha à sa transe, puis descendit des épaules de l'homme de pierre pour être transporté sur celles des hommes du Grand Nord qui croyaient reconnaître dans le petit Rien fils du Néant un héritier d'un dieu nostalgique et bienveillant.

Lentement, la nuit remontant du sud dispersa la foule : des sceptiques, quelque peu honteux d'avoir cédé au charme du conteur ; d'autres, surpris de trouver chez un non-initié un bizarre défenseur de leur cause. Mais tous, à droite ou à gauche, s'éloignaient des igloos qui chantaient et applaudissaient le retour de l'Esprit sous la forme des deux personnages les plus hétéroclites qu'il leur eût été donné de rencontrer.

Le lendemain, les deux personnages entreprenaient la dernière tranche de leur mystérieux voyage.

— Toujours vers l'est? s'informa Tit-Rien, les yeux à pic dans ceux de son maître.

— Sud-sud-est, répondit Personne. Suis à l'inverse ton nord absolu.

— Et le diable, tu penses qu'il s'y cache encore?

Le vieux sage se contenta de glousser discrètement.

## 20

Petit à petit, à mesure que Rien sentait ses pieds
plus nerveux et légers, il parlait de plus en plus
vite, entortillant des subordonnées elliptiques et
saccadées autour de longues principales à n'en
plus finir, mordant dans les mots ou les faisant
rouler contre son palais comme des billes de toutes
les couleurs. Quelle logorrhée! Craignait-il de
perdre un jour la parole? Les mots, son plus grand
trésor, don de naissance et glanés tout le long du
voyage...

— Il te tarde d'arriver?

Rien resta surpris d'entendre son maître à penser
retrouver soudain sa langue ancienne. Et il répondit
du tic... du tac au tac.

— Tard, tarde, tarder...

Jamais trop tard pour arriver!

Il voulut rigoler comme d'accoutume, mais
s'arrêta net. Personne ne riait plus. Et paraissait
songeur.

À quoi songent les maîtres à penser? se demandait
l'élève qui avait tout appris de lui... hormis le
mystère insondable de son origine. D'où viennent
les maîtres?

— De leurs disciples, que répondit le maître sans
broncher.

Décidément, il ne pouvait rien cacher à Personne.
Pour défendre la forteresse de son cerveau, il lui
aurait fallu penser moins fort, ou camoufler ses
idées, embuer son imagination, étouffer le feu qui

constamment allumait sa curiosité. Et cette curiosité le poussa à relever le dernier défi du maître :

— Le disciple crée le maître, dis-tu?

— Comme le peuple crée ses seigneurs et ses prêtres.

Chaman, songea Rien.

— On pourrait pas inverser la phrase et dire que le maître façonne son disciple?

Personne connaissait la réponse, mais réfléchit de longues secondes avant d'éclairer l'insatiable Tit-Rien-tout-nu sur la question dont débattaient les philosophes depuis qu'elle leur fut posée pour la première fois. Rien s'appuyait sur Personne qui lui-même n'avait de raison d'être qu'en Rien. Rien et Personne étaient liés depuis l'apparition du premier être chargé de transmettre la connaissance acquise à coup d'efforts... ou par erreur.

Le lutin couina. À son tour et à son insu, il avait lu la pensée du maître.

— Les erreurs mènent au savoir!?

Et il leva les deux mains au ciel dans un geste de triomphe. Mais très vite ses bras retombèrent. Il venait de comprendre, il ne savait pas très bien quoi, mais il avait compris quelque chose. Quelque chose qui ressemblait à une ouverture sur l'humilité.

— En somme, on n'est pas grand-chose, qu'il baragouina, on n'est maître de rien, personne.

Et il sombra dans un silence de plomb.

Les deux compagnons en étaient restés là, sur le sombre constat du disciple qui découvrait qu'il n'était que le maillon d'une chaîne longue comme l'histoire du monde. Et pourtant, malgré sa découverte que rien n'était absolument indispensable, le héros s'aperçut que ses pas avaient repris de la vigueur, retrouvé le rythme, qu'encore une fois ses pieds avaient pensé plus fort que lui. Ils étaient en marche, avançaient vers le but, achevaient le périple entrepris... depuis quand?

— J'étais bien jeune au départ, qu'il se risque sans regarder Personne. Je m'élançais dans l'aventure avec l'espoir, quasiment la conviction que j'allais éteindre tous les feux, abattre tous les monstres, réconcilier tous les hommes, apprendre les mots de toutes les langues, boucher les trous dans la couche d'ozone, rendre ses sept couleurs à l'arc-en-ciel… J'étais bien jeune.

Il lève des yeux implorants sur Personne qui juge qu'il est temps, grand temps de révéler au disciple les origines de son maître. Mais selon sa vieille méthode, il obligera l'élève à trouver lui-même.

— Quand m'as-tu aperçu pour la première fois?

— Je venais d'arriver, le monde était beau, la vie sans fin, je respirais l'ozone à m'en gonfler les poumons comme des outres, le bonheur était là, à portée de mains, et je les tendais vers le ciel pour le saisir et l'empoigner et l'embrasser tout entier et, dans mon exaltation, j'ai fait du haut d'un amas d'écorce de bois – qu'elle a appelé des dosses – mes premiers pas de danse qui m'ont fait dégringoler et tomber sur mes fesses.

Ayoy!

Et c'est là que le maître était apparu.

— C'est là que tu m'as appelé.

— Moi?

— Tu m'as appelé par mon nom, Personne.

Et Tit-Rien-du-tout-tout-neuf-et-tout-nu se souvient.

— Je pensais n'avoir vu personne?

— C'est bien ça, tu as vu Personne.

— Mais vous êtes quelqu'un.


Il se souvient de même de Quelqu'un qu'il avait appelé plus tard au secours de Personne.

Il prend peur :

— Maître, qu'il dit en allongeant la main, tu es bien réel, tu es vrai… tu n'es pas personne, mais Personne, le sage indispensable et…

— ... éphémère, comme la vie.

Rien s'attrape les oreilles et hurle :

— NON!

Son cri fait éclater les bourgeons en menues feuilles d'un vert si tendre qu'elles font grincer de jalousie les aigrettes des conifères et fondre de honte le givre et le frimas, puis réveille le soleil qui bâille, étire ses rayons paresseux jusqu'à inonder les champs de blé et de trèfle qui oscillent sous la brise accourue pour voir d'où vient le bruit.

D'en haut répondent en cacophonie les outardes qui cherchent leur cadence. Couac! Couac!

Quoi? les voilà revenues de bonne heure, les nomades! grogne une vieille ourse qui, avec l'odorat, a perdu le sens du temps et des saisons.

Et plongeant dans le courant qui l'emporte, elle vient échouer contre le barrage des castors qu'elle démolit, sans le faire exprès.

Sacrée vieille fripouille d'oursagénaire, qu'on l'entend grommeler, te v'là encore enfargée.

Tit-Rien éclate de rire.

Un rire qui sautille sur la mousse et se glisse sous la broussaille et vient s'enrouler dans la queue de la fouine qui pointe le museau.

Hé, hé! c'est le Tit-Rien qu'est revenu!

Accourent aussitôt l'écureuil, les joues gonflées de noisettes, et le lièvre qui dresse les oreilles, et la belette et la chouette et la mouffette et... le renard!

Salut!

— Bonjour!

T'as fait bon voyage?

— Comme promis, le tour du globe. Tu peux pas t'imaginer tout ce qui se cache au grand large, et dans la jungle tropicale, et au cœur de l'Afrique, et dans le désert... le désert...

Tit-Rien s'arrête, plante ses yeux dans ceux du renard qui s'esquive :

J'ai là des cousins... y en a partout de mon espèce... à la grandeur du ciel et de la terre! qu'il fait avec de grands cercles du museau.

Le lutin a suivi son regard de gauche à droite, de bas en haut, et aperçoit au-dessus des arbres la silhouette de Personne qui s'allonge, de plus en plus diaphane et transparente. Tit-Rien bigle, calouette, plisse les yeux à ne plus voir qu'à travers ses cils. À ne plus voir personne.

## 21

Plus personne. Seul, à nouveau. Comme avant. Avant qu'on ne vienne le chercher. Il veut reprendre son souffle... euhhh?... peufff!... mais la respiration est automatique, ce n'est même plus un effort. Son cœur bat sans qu'il le commande, son sang coule, qu'il le veuille ou non, sa vie est son maître, il ne mène plus rien!

Merde et merde et merde!

Il entend rire.

— Tu es revenu, lutin?

Elle, l'auteur de ses jours. A-t-elle vieilli? Son rire est le même, qui monte et descend la gamme et lui chatouille les yeux. Va-t-il s'attendrir?

— Pourquoi m'as-tu laissé à moi-même?

Comment! Mais il ne se souvient donc pas d'avoir voulu se débrouiller tout seul?

Pas flambant seul, non, il y eut Personne et Quelqu'un et bien d'autres rencontres tout au long du voyage. Un long voyage. Si tu savais!

— Je sais.

— Comment le sais-tu?

— Je t'ai vu courir de page en page, sauter des chapitres parce que tu étais trop pressé d'arriver, avaler les mots si goulûment que j'en perdais le souffle et devais me résigner à te laisser à tes fantaisies.

Rien scrute son visage, comme s'il la voyait pour la première fois :

— Tu es triste?

Puis, en regardant ailleurs :

— Tu es déçue, je n'ai pas réussi grand-chose, ne suis pas devenu le héros dont tu avais rêvé. Rien qu'un brouillon, une ébauche de petit Rien-du-tout.

Elle rit. Encore. Elle se moque de lui?

— De moi. J'avoue que j'avais eu pour toi de grandes ambitions. Pas pour rien que je m'étais donné tant de peine pour aller te chercher jusqu'à la porte des limbes, franchir la barrière des impossibles possibles, puis t'appeler. Mais au fond, je savais bien que tu m'échapperais, que je n'arriverais pas à te suivre.

— J'avais attendu mon tour si longtemps!

Rien s'examine du torse aux pieds, se tâte, veut s'assurer qu'il est toujours là, vivant, qu'une fois entré dans la réalité, il n'en sortira pas, ne retournera jamais plus dans le néant. Même s'il n'a pas su se montrer à la hauteur, réaliser ses rêves impossibles, devenir un héros immortel.

— Pas immortel, donc mortel? Pas d'autre choix?

Elle le regarde se débattre.

Il sent ses narines picoter, entend bourdonner ses oreilles et gargouiller ses viscères qui s'affolent et font sonner les boyaux et tuyaux qui lient le ventre au cœur… puis au cerveau qui reconnaît les trois coups du Destin. Aïe! Quelqu'un… Personne… restez pas là, peu importe où vous êtes, à rien faire, souvenez-vous que face aux pirates, aux piranhas, au lion, sur la ligne de feu, dans la tempête, dans les naufrages, toujours on s'en est tiré. Par tous les moyens, la force, le savoir, la sagesse, l'imagination, la ruse…

Silence. Il laisse passer le Temps qui ne semble pas l'avoir vu. Soudain…

Il piaffe et s'ébroue. Puis se tourne vers elle qui a toujours son crayon de plomb à la main.

— Et ton livre?… Tu ne vas pas l'ouvrir?

Elle reste interdite. Mais attend. Fait confiance.

Alors le héros de Rien, sans vergogne mais avec l'aplomb qu'il n'a cessé de raffiner depuis sa sortie des limbes, lève les bras au ciel pour le prendre à témoin :

— J'y retourne! qu'il crie.

Elle fige, n'en croit pas ses oreilles.

— Là-bas?... qu'elle bafouille. J'aurais fait tout ça pour rien?

— Pour Rien, qu'il gouaille. Tourne les pages jusqu'à la dernière, vite, le Temps va bientôt se rendre compte, faut pas le laisser se rattraper. Je connais le seul endroit où il ne me dénichera pas.

Enfin elle comprend. Elle ouvre grand son livre, sourit de toutes ses dents et lui offre son crayon.

— À toi d'écrire le mot de la fin, là-dessus tu seras meilleur que moi.

Et Rien, en faisant un pied de nez au Temps qui revenait au galop, sa faux à la main, se glisse entre les pages, les feuillette comme un fou jusqu'à la dernière, puis écrit à voix haute :

... Dis à tes parents que je leur pardonne.


Antonine Maillet
19/12/07

OUVRAGE RÉALISÉ
PAR LUC JACQUES, TYPOGRAPHE
ACHEVÉ D'IMPRIMER
EN AOÛT 2008
SUR LES PRESSES DES
IMPRIMERIES TRANSCONTINENTAL
POUR LE COMPTE DE
LEMÉAC ÉDITEUR, MONTRÉAL

DÉPÔT LÉGAL
1$^{re}$ ÉDITION : 3$^{E}$ TRIMESTRE 2008
(ÉD. 01 / IMP. 01)
*Imprimé au Canada*